DOPAMINA
A MOLÉCULA DO DESEJO

DANIEL Z. LIEBERMAN
MICHAEL E. LONG

DOPAMINA
A MOLÉCULA DO DESEJO

Título original: *The Molecule of More*

Copyright © 2018 por Daniel Z. Lieberman, MD e Michael E. Long
Copyright da tradução © 2023 por GMT Editores Ltda.

Publicado mediante acordo com Harvey Klinger, Inc. e Sandra Bruna Agência Literária, SL.

Todos os direitos reservados. Nenhuma parte deste livro pode ser utilizada ou reproduzida sob quaisquer meios existentes sem autorização por escrito dos editores.

coordenação editorial: Alice Dias
produção editorial: Livia Cabrini
tradução: Paulo Afonso
preparo de originais: Sibelle Pedral
revisão: Hermínia Totti e Luis Américo Costa
diagramação: Ana Paula Daudt Brandão
capa: Pete Garceau
adaptação de capa: Natali Nabekura
imagens de capa: iStock
impressão e acabamento: Associação Religiosa Imprensa da Fé

CIP-BRASIL. CATALOGAÇÃO NA PUBLICAÇÃO
SINDICATO NACIONAL DOS EDITORES DE LIVROS, RJ

L681d

    Lieberman, Daniel Z.
        Dopamina : a molécula do desejo / Daniel Z. Lieberman , Michael E. Long ; [tradução Paulo Afonso]. - 1. ed. - Rio de Janeiro : Sextante, 2023.
        256 p. ; 23 cm.

    Tradução de: The molecule of more
    ISBN 978-65-5564-575-0

    1. Dopamina - Efeito fisiológico. 2. Dopamina - Receptores. 3. Neurotransmissores. I. Long, Michael E. II. Afonso, Paulo. III. Título.

22-81275   CDD: 612.804
                                  CDU: 577.175.8

Gabriela Faray Ferreira Lopes - Bibliotecária - CRB-7/6643

Todos os direitos reservados, no Brasil, por
GMT Editores Ltda.
Rua Voluntários da Pátria, 45 – 14.º andar – Botafogo
22270-000 – Rio de Janeiro – RJ
Tel.: (21) 2538-4100
E-mail: atendimento@sextante.com.br
www.sextante.com.br

*Para Sam e Zach,
que abrem meus olhos para que eu veja o mundo
sob novos ângulos.
– Daniel Z. Lieberman*

*Para meu pai,
que teria contado a todo mundo,
mesmo que ninguém quisesse ouvir; e*

*Para Kent,
que partiu justo quando as coisas
estavam ficando interessantes.
– Michael E. Long*

SUMÁRIO

Prefácio	ACIMA X ABAIXO		9
Capítulo 1	AMOR		13
Capítulo 2	DROGAS		39
Capítulo 3	DOMINAÇÃO		71
Capítulo 4	CRIATIVIDADE E LOUCURA		119
Capítulo 5	POLÍTICA		155
Capítulo 6	PROGRESSO		193
Capítulo 7	HARMONIA		221
	AGRADECIMENTOS		237
	LEITURAS COMPLEMENTARES		241
	CRÉDITOS		255

No princípio, Deus criou os céus e a terra.

Prefácio
ACIMA X ABAIXO

Olhe para baixo. O que você vê? Suas mãos, sua mesa, o chão, talvez uma xícara de café, um laptop ou um jornal. O que tudo isso tem em comum? São coisas que você pode tocar. Tudo que você vê quando olha para baixo está ao seu alcance, são coisas que pode controlar agora, que pode mover e manipular sem planejamento, esforço ou raciocínio. Podem ser o resultado do seu trabalho, um presente de alguém ou a simples boa sorte; de todo modo, grande parte do que você vê quando olha para baixo é seu. Pertence a você.

Agora olhe para cima. O que você vê? O teto, talvez quadros na parede ou coisas a distância, do lado de fora: árvores, casas, prédios, nuvens no céu. O que essas coisas têm em comum? Para alcançá-las, é preciso planejar, pensar, calcular: algum esforço coordenado, mesmo que apenas um pouco. Ao contrário do que vemos quando olhamos para baixo, o mundo *acima* nos mostra coisas que exigem raciocínio e esforço para serem alcançadas.

Parece simples porque é simples mesmo. No entanto, para o cérebro, essa distinção é a porta de entrada entre duas formas extremamente diferentes de pensar e de lidar com o mundo. No seu cérebro, o mundo *de baixo* é administrado por um punhado de substâncias químicas – neurotransmissores, como são chamadas – que lhe permitem sentir satisfação e aproveitar o que tem aqui e agora. Mas, quando você volta a atenção para o mundo *de cima*, seu cérebro depende de um componente químico diferente – uma única molécula – que não só permite que você vá além do que está ao seu dispor como também o motiva a perseguir, controlar e possuir o mundo além do seu alcance imediato. É algo que estimula você a buscar coisas distantes, tanto físicas quanto imateriais, como conhecimento, amor e poder. Seja estendendo a mão sobre a mesa para pegar o saleiro, seja a caminho da Lua numa nave espacial ou adorando um deus além do espaço e do tempo, essa substância química nos permite dominar todas as distâncias, tanto geográficas quanto intelectuais.

As substâncias químicas *de baixo* – vamos chamá-las de substâncias do aqui e agora, as A&As – nos possibilitam vivenciar, saborear e desfrutar o que está à nossa frente, ou nos impulsiona a lutar ou fugir imediatamente. A substância química *de cima* é diferente. Ela nos leva a desejar o que ainda não temos e a buscar o novo. Você é recompensado quando obedece a ela, mas, se desobedecer, ela o faz sofrer. É a fonte da criatividade e, mais adiante no espectro, da loucura; é a chave para o vício e o caminho para a recuperação; é a parte da biologia que leva um executivo ambicioso a sacrificar tudo em busca do triunfo supremo, que leva atores, empresários e artistas de sucesso a continuar trabalhando muito depois de terem alcançado o dinheiro e a fama que sempre almejaram. É o que leva uma esposa ou um marido feliz no casamento a arriscar tudo pela emoção oferecida por outra pessoa, e a fonte da inegável comichão que leva os cientistas a buscar explicações e os filósofos a encontrar ordem, razão e significado.

É por isso que olhamos para o céu em busca de redenção e de Deus, e que o céu está acima e a terra, abaixo. É o combustível para o motor dos nossos sonhos e a fonte de desespero quando falhamos. É o que nos leva a buscar e encontrar; a descobrir e prosperar.

É também a razão pela qual nunca somos felizes por muito tempo.

Para o cérebro, essa única molécula é o dispositivo multifuncional definitivo, incitando-nos, através de milhares de processos neuroquímicos, a ir além do prazer de apenas *ser* para explorar o universo de possibilidades da nossa imaginação. Essa substância química está presente no cérebro de mamíferos, répteis, pássaros e peixes, mas em nenhuma criatura é mais abundante do que no ser humano. É uma bênção e uma maldição, uma motivação e uma recompensa. Composta por carbono, hidrogênio, oxigênio e um único átomo de nitrogênio, ela é simples na forma e complexa no resultado. Trata-se da dopamina, a substância que explica nada menos que a história do comportamento humano.

Se quiser senti-la agora, se quiser colocá-la no comando, isso é possível. Olhe para cima.

MENSAGEM DOS AUTORES

Enriquecemos este livro com os experimentos científicos mais interessantes que conseguimos encontrar. Ainda assim, algumas partes são especulativas, sobretudo nos últimos capítulos. E há trechos em que simplificamos bastante o conteúdo de modo a torná-lo mais fácil de entender. O cérebro é tão complexo que mesmo o neurocientista mais sofisticado precisa criar um modelo que possa ser compreendido. Além disso, a ciência é confusa. Os estudos às vezes se contradizem e leva tempo para descobrir quais resultados estão corretos. Revisar todas as evidências acabaria entediando o leitor. Assim, selecionamos estudos que influenciaram o tema de modo relevante e que refletem o consenso científico, quando ele existe.

A ciência não é apenas confusa; às vezes pode ser bizarra. A busca pela compreensão do comportamento humano pode assumir formas estranhas. Não é como estudar substâncias químicas em um tubo de ensaio ou mesmo infecções em pessoas vivas. Os pesquisadores do cérebro precisam encontrar maneiras de desencadear – em um ambiente de laboratório – comportamentos importantes, às vezes sensíveis, motivados por paixões como medo, ganância ou desejo sexual. Quando possível, optamos por estudos que evidenciam essa estranheza.

A pesquisa humana é complicada em todas as suas formas. É diferente de um atendimento clínico, em que médico e paciente trabalham juntos para tratar uma doença. Nesse caso, ambos podem escolher o tratamento que julgam ser mais eficaz, com o único objetivo de melhorar a saúde do paciente.

O objetivo da pesquisa, por sua vez, é responder a uma questão científica. Embora os cientistas trabalhem arduamente para minimizar os riscos para seus participantes, a ciência deve vir em primeiro lugar. O acesso a tratamentos experimentais pode salvar vidas, mas, em geral, os participantes da pesquisa estão expostos a riscos que não enfrentariam no decorrer de tratamentos clínicos normais.

Ao se oferecerem para participar de estudos, os integrantes sacrificam um pouco da própria segurança em benefício de outros – pessoas doentes que terão uma vida melhor se a pesquisa for bem-sucedida. É como um bombeiro entrando em um prédio em chamas para resgatar quem está lá dentro, colocando-se em perigo para salvar outras pessoas.

O elemento-chave, claro, é que o participante da pesquisa precisa saber exatamente em que está se metendo. Isso se chama consentimento informado e, como regra, vem sob a forma de um extenso documento que explica o objetivo da pesquisa e lista os riscos envolvidos. É um bom sistema, embora não seja perfeito. Os participantes nem sempre o leem com atenção, ainda mais se for muito longo. Às vezes os pesquisadores deixam algo de fora, pois o engano é parte essencial do estudo. Mas, ao abordarem os mistérios do comportamento humano, os cientistas costumam fazer o possível para assegurar que os participantes sejam parceiros engajados.

O amor é uma necessidade, uma ânsia, um impulso para buscar o maior prêmio da vida.
– Helen Fisher, antropóloga e bióloga

Capítulo 1
AMOR

Você encontrou a pessoa pela qual esperou a vida inteira. Então por que a lua de mel não dura para sempre?

Analisaremos a química que faz você querer sexo e se apaixonar – e explicaremos por que, mais cedo ou mais tarde, tudo muda.

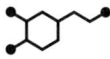

Shawn limpou uma área no espelho embaçado do banheiro, passou os dedos pelos cabelos pretos e sorriu. "Isso vai dar certo", disse ele, largando a toalha e admirando sua barriga tanquinho.

A obsessão pela academia produzira um abdômen bem definido. Sua mente então se deslocou para uma obsessão mais premente: ele não saía com ninguém desde fevereiro. O que era uma maneira delicada de dizer que não fazia sexo havia sete meses e três dias, e o fato de ter monitorado o tempo com tanta precisão o deixou perturbado. Hoje à noite isso acaba, pensou.

No bar, ele avaliou as possibilidades. Havia muitas mulheres atraentes ali – não que a aparência fosse tudo. Ele sentia falta de sexo, claro, mas também sentia falta de alguém em sua vida, alguém para enviar mensagens sem nenhuma razão em especial, alguém que pudesse ser uma parte bem-vinda de cada dia. Ele se considerava um romântico, mesmo que naquela noite seu objetivo fosse apenas sexo.

Seu olhar sempre encontrava o de uma jovem que estava em pé, diante de uma mesa alta, conversando com uma amiga tagarela. Tinha cabelos pretos e olhos castanhos. Ele a notou porque ela não estava com o uniforme de sábado à noite; usava sapatos de salto baixo e jeans em vez das habituais roupas provocantes. Ele se apresentou e a conversa fluiu rápida e facilmente. Ela se chamava Samantha, e a primeira coisa que disse foi que se sentia mais confortável fazendo exercícios aeróbicos do que bebendo cerveja. Engataram uma conversa sobre academias locais, aplicativos fitness e os benefícios de malhar de manhã e não à tarde. Durante o resto da noite ele não saiu do lado dela e ela gostou de tê-lo por perto.

Muitos fatores os empurraram para o que se tornaria um relacionamento de longo prazo: interesses comuns, o fato de se sentirem à vontade um com o outro, as bebidas e até um certo desespero. Mas nada disso foi a verdadeira chave para o amor. O que realmente pesou foi o seguinte: ambos estavam sob a influência de uma substância química que altera a mente. Assim como todo mundo no bar.

E, no fim das contas, você também.

O QUE É MAIS PODEROSO QUE O PRAZER?

A dopamina foi descoberta no cérebro em 1957, por Kathleen Montagu, pesquisadora que trabalhava em um laboratório do Hospital Runwell, perto de Londres. Inicialmente, a dopamina foi vista simplesmente como uma etapa na produção de uma substância química chamada noradrenalina, nome que se dá à adrenalina encontrada no cérebro. Mas logo os cientistas começaram a observar coisas estranhas. Apenas 0,0005% das células cerebrais produzem dopamina – uma em cada dois milhões –, mas essas células pareciam exercer uma influência descomunal no comportamento. Os participantes da pesquisa vivenciavam sensações de prazer quando estavam sob a ação da dopamina e faziam um grande esforço para ativar essas células raras. De fato, em determinadas circunstâncias, a busca pela sensação de bem-estar provocada pela dopamina era irresistível. Alguns cientistas a batizaram então de *molécula do prazer*. E o circuito que as células produtoras de dopamina percorrem no cérebro foi chamado de *sistema de recompensa*.

A reputação da dopamina como molécula do prazer se consolidou ainda mais por meio de experimentos feitos com pessoas viciadas em drogas. Quando receberam uma injeção de uma combinação de cocaína e açúcar radioativo, os cientistas descobriram quais partes de seu cérebro estavam queimando mais calorias. À medida que a cocaína intravenosa fazia efeito, os pesquisadores convidavam os participantes a avaliar quão "doidões" se sentiam. Descobriram que quanto maior a atividade na via de recompensa da dopamina, mais intenso era o "barato" dos participantes. À medida que o corpo ia eliminando a cocaína do cérebro, a atividade da dopamina diminuía e o efeito da droga também. Estudos adicionais produziram resultados semelhantes. Estabeleceu-se então o papel da dopamina como molécula do prazer.

Outros pesquisadores tentaram replicar os resultados, e coisas inesperadas começaram a acontecer. Isso os levou a argumentar que seria improvável que as vias da dopamina tivessem evoluído para estimular as pessoas a alterarem a própria consciência com drogas. O mais provável era que as drogas estivessem estimulando artificialmente a dopamina e que os processos evolutivos que dependiam da dopamina tivessem sido impulsionados pela necessidade de motivar a sobrevivência e a atividade reprodutiva. Assim, substituíram a cocaína por comida, esperando obter o mesmo efeito. O que encontraram surpreendeu a todos. Foi o começo do fim da teoria da dopamina como molécula do prazer.

A dopamina, descobriram eles, não tem nada a ver com prazer, mas dá origem a um sentimento muito mais potente. Entender a dopamina é a chave para explicar e até mesmo prever o comportamento em uma série espetacular de ações humanas: criar literatura, música e artes visuais; buscar o sucesso; descobrir novos mundos e novas leis da natureza; pensar em Deus – e se apaixonar.

Shawn sabia que estava apaixonado. Suas inseguranças desapareceram. A cada novo dia, sentia-se no limiar de um futuro dourado. Quanto mais tempo passava com Samantha, mais aumentava sua empolgação – e sua confiança no futuro. Cada vez que pensava nela, possibilidades ilimitadas lhe vinham à cabeça. Quanto ao sexo, sua libido estava mais forte que nunca, mas só em relação a ela. Outras mulheres deixaram de existir. Melhor ainda, quando ele tentou confessar a Samantha toda a felicidade que sentia, ela o interrompeu para dizer que sentia exatamente o mesmo.

Shawn queria ter certeza de que ficariam juntos para sempre. Assim, certo dia, ele a pediu em casamento. Ela disse sim.

Alguns meses após a lua de mel, as coisas começaram a mudar. No início, eles estavam obcecados um pelo outro, mas, com o tempo, esse desejo desesperado se tornou menos desesperado. A crença de que tudo era possível tornou-se menos certa, menos obsessiva, menos determinante. A empolgação diminuiu. Eles não se sentiam infelizes, mas a profunda satisfação de antes estava se esvaindo. A sensação de possibilidades ilimitadas começou a parecer irreal. Já não pensavam o tempo todo um no outro. Outras mulheres começaram a chamar a atenção de Shawn (não que ele pretendesse ser infiel). Samantha também se permitia flertar às vezes, mesmo que não passasse de um sorriso dirigido ao universitário que empacotava as compras na fila da caixa.

Eles eram felizes juntos, mas o brilho inicial da nova vida começou a dar lugar à letargia da vida anterior. A magia, fosse qual fosse, estava desaparecendo.

Igual ao meu último relacionamento, *pensou Samantha.*

Já passei por isso, *pensou Shawn.*

MACACOS, RATOS E POR QUE O AMOR ESMORECE

De certa forma, os ratos são mais fáceis de estudar do que os seres humanos. Para testar a hipótese de que tanto os alimentos quanto as drogas estimulam a dopamina, os cientistas implantaram eletrodos no cérebro de ratos para poder medir diretamente a ativação da produção de dopamina. Depois construíram gaiolas com calhas, por onde introduziriam bolinhas de comida. Os resultados foram o que esperavam. Tão logo inseriram a primeira bolinha, os sistemas de dopamina dos ratos se ativaram. Sucesso! As recompensas naturais estimulam a dopamina tão bem quanto a cocaína e outras drogas.

Em seguida, fizeram algo que os primeiros estudiosos não haviam feito. Dia após dia, continuaram monitorando o cérebro dos ratos à medida que bolotas de comida eram inseridas na calha. Os resultados foram totalmente inesperados. Os ratos devoravam a comida com o entusiasmo de sempre. Obviamente, estavam gostando. Mas sua atividade dopaminérgica se encerrou. Por que a dopamina deixou de ser produzida apesar dos estímulos constantes? A resposta adveio de duas fontes improváveis: um macaco e uma lâmpada.

Wolfram Schultz é um dos pioneiros nos experimentos com a dopamina e um dos pesquisadores mais influentes do tema. Como professor de neurofisiologia na Universidade de Fribourg, na Suíça, interessou-se pelo papel da dopamina na aprendizagem. Uma de suas experiências consistiu em implantar minúsculos eletrodos no cérebro de macacos, nas regiões onde se agrupavam as células da dopamina. Depois colocou os animais em um aparelho com duas luzes e duas caixas. Quando uma das luzes se acendia, era um sinal de que a bolota de comida poderia ser encontrada na caixa à direita. Quando a outra luz se acendia, a bolota de comida estaria na caixa à esquerda.

Os macacos levaram algum tempo para descobrir a regra. No início, abriam as caixas aleatoriamente e acertavam metade das vezes. Quando encontravam uma bolota de comida, as células de dopamina em seu cérebro se ativavam, tal como acontecia com os ratos. Após um tempo, entretanto, os macacos entenderam os sinais e passaram a abrir sempre a caixa correta. Com isso, o momento de liberação da dopamina se antecipou, ocorrendo quando a luz se acendia, e não quando descobriam o alimento. Por quê?

Ver a luz se acender era sempre um fato inesperado. Mas, tão logo os macacos descobriram que a luz significava comida, a "surpresa" passou a ser provocada pelo acendimento da luz, não pela visão da comida. Isso gerou uma nova hipótese: a atividade da dopamina não é um sinal de prazer. É uma reação ao inesperado – a uma possibilidade e a uma expectativa.

Como seres humanos, recebemos uma descarga de dopamina diante de surpresas semelhantes e promissoras: a chegada de uma mensagem da pessoa amada (*O que haverá nela?*), um e-mail de um amigo que você não vê há anos (*Quais serão as novidades?*) ou, se você estiver à procura de romance, conhecer alguém fascinante em uma mesa grudenta de bar (*O que vai acontecer?*). Mas, quando essas coisas se tornam eventos frequentes, a novidade desaparece e a descarga de dopamina também. Uma mensagem mais terna, um e-mail mais longo ou uma mesa melhor não a trarão de volta.

Essa ideia simples oferece uma explicação química para uma antiga pergunta: por que o amor esmorece? Nosso cérebro é programado para ansiar pelo inesperado e para olhar para o futuro, onde se iniciam as possibilidades emocionantes. Mas quando qualquer coisa, inclusive o amor, se torna familiar, o entusiasmo desaparece e o novo atrai nossa atenção.

Os cientistas que estudaram esse fenômeno chamaram a empolgação com as novidades de *erro de previsão de recompensa*. Significa exatamente o que o nome diz. O tempo todo fazemos previsões sobre o que está por vir, desde o momento em que sairemos do trabalho até quanto dinheiro esperamos encontrar ao olhar o saldo no caixa eletrônico. Quando o que acontece é melhor do que o esperado, houve um erro na nossa previsão: talvez possamos sair mais cedo do trabalho; talvez haja mais dinheiro em nossa conta. Esse tipo de erro feliz – a animação ao receber boas notícias inesperadas – é o que aciona a dopamina, não o tempo extra nem o dinheiro a mais.

Na verdade, a mera possibilidade de um erro de previsão de recompensa é suficiente para a dopamina entrar em ação. Imagine-se caminhando para o trabalho em uma rua conhecida, que já percorreu muitas vezes. De repente, você nota uma confeitaria nova, que ainda não conhece, e sente vontade de entrar para ver o que há lá. É a dopamina assumindo o controle, produzindo um entusiasmo que vai muito além de apreciar o sabor, a sensação ou a aparência de algo. É o prazer da expectativa – a possibilidade de algo desconhecido e melhor. Você está empolgado com a nova confeitaria, mas ainda não comeu nenhum doce de lá, não provou o café nem sabe como ela é por dentro.

Você entra e pede uma xícara de café forte e um croissant. Toma um gole do café. Os sabores complexos brincam em sua língua. É o melhor que você já provou. Em seguida, dá uma mordida no croissant. É amanteigado e desmancha na boca, exatamente como o que você comeu anos antes em um café de Paris. E agora, como você se sente? Talvez sua vida fique um pouco melhor com essa nova forma de começar o dia. A partir de agora, você irá lá toda manhã para tomar o melhor café e comer o croissant mais perfeito da cidade. Você falará sobre a confeitaria a seus amigos, provavelmente mais do que eles gostariam de ouvir. Comprará uma caneca com o nome do lugar. E ficará até mais animado pela manhã porque, *bem, o café é incrível*. Isso é a dopamina em ação.

É como se você tivesse se apaixonado pela confeitaria.

No entanto, quando conseguimos o que queremos, às vezes as coisas não são tão agradáveis quanto imaginávamos. A excitação dopaminérgica (ou seja, a emoção da expectativa) não dura para sempre, pois o futuro em algum momento se torna o presente. O emocionante mistério do desconhecido torna-se a familiaridade chata do cotidiano, quando a ação da dopamina acaba e a decepção se instala. O café e os croissants eram tão bons que você fez daquela confeitaria sua parada matinal obrigatória. Mas depois de algumas semanas "o melhor café com croissant da cidade" virou o velho café da manhã. Mas não foram o café e o croissant que mudaram; foram suas expectativas.

Da mesma forma, Samantha e Shawn eram obcecados um pelo outro até que o relacionamento se tornou totalmente familiar. Quando tudo se torna parte da rotina diária, não há mais erro de previsão de recompensa, a dopamina já não é acionada e você não tem mais a mesma empolgação. Shawn e Samantha se descobriram num mar de rostos anônimos em um bar e ficaram obcecados um pelo outro... até que o imaginado futuro de prazer infindável se tornou a experiência concreta da realidade. Uma vez que encerrou seu trabalho de idealizar o desconhecido, a dopamina se desligou.

A paixão surge quando sonhamos com um mundo de possibilidades e desaparece quando somos confrontados com a realidade. Quando o deus ou a deusa do amor se torna um cônjuge sonolento assoando o nariz num lenço de papel amarrotado, a natureza do amor – e a razão para que este permaneça – deve mudar de sonhos dopaminérgicos para... algo diferente. Mas o quê?

UM CÉREBRO, DOIS MUNDOS

John Douglas Pettigrew, professor emérito de fisiologia da Universidade de Queensland, Austrália, é natural de uma cidade com um nome encantador: Wagga Wagga. Pettigrew, que teve uma carreira brilhante como neurocientista, é mais conhecido por atualizar a teoria dos primatas voadores, estabelecendo os morcegos como nossos primos distantes. Ao trabalhar nessa ideia, Pettigrew se tornou a primeira pessoa a esclarecer como o cérebro cria um mapa tridimensional do mundo. Embora pareça algo bem distante de relacionamentos apaixonados, isso se tornaria um conceito-chave para explicar a dopamina e o amor.

Pettigrew descobriu que, para administrar o mundo exterior, o cérebro o divide em regiões separadas: a *peripessoal* e a *extrapessoal* – basicamente, a próxima e a distante. O espaço peripessoal inclui tudo que está ao alcance do braço: coisas que você pode controlar agora usando suas mãos. É o mundo do que é real no momento. O espaço extrapessoal refere-se a tudo mais – tudo que você não pode tocar, a menos que se desloque além do alcance do seu braço, seja um metro ou 3 milhões de quilômetros. Trata-se do reino das possibilidades.

Com essas definições esclarecidas, segue-se outro fato, óbvio, mas útil: como o deslocamento de um lugar para outro leva tempo, qualquer interação no espaço extrapessoal deve ocorrer no futuro. Ou, dito de outra forma, a distância está associada ao tempo. Por exemplo, se você está com vontade de comer um pêssego, mas o pêssego mais próximo está em uma prateleira no mercado da esquina, você não poderá saboreá-lo agora; só no futuro, após buscá-lo. Adquirir alguma coisa fora de alcance também pode exigir planejamento. Pode ser algo simples, como se levantar, acender a luz, ir até o mercado e comprar o pêssego, ou complicado, como construir um foguete para chegar à Lua. É isso que define as coisas no espaço extrapessoal: obtê-las requer esforço, tempo e, em muitos casos, preparação. Em contrapartida, qualquer coisa no espaço peripessoal pode ser vivenciada aqui e agora. São experiências imediatas. Pegamos, provamos, seguramos e esprememos; sentimos felicidade, tristeza, raiva ou alegria.

O que nos leva a um fato esclarecedor da neuroquímica: o cérebro funciona de uma forma no espaço peripessoal e de outra no espaço extrapessoal. Se você estivesse projetando a mente humana, faria sentido criar um cérebro que distinguisse as coisas dessa maneira, um sistema para o que você tem e outro para o que não tem. Para os primeiros humanos, a frase "Ou você tem ou não tem" poderia ser traduzida como "Ou você tem ou está morto".

Do ponto de vista evolutivo, a comida que você não tem é decisivamente diferente da comida que você tem. O mesmo se aplica a água, abrigo ou ferramentas. A divisão é tão fundamental que no cérebro caminhos e substâncias químicas específicos evoluíram para lidar com o espaço peripessoal e o espaço extrapessoal. Quando você olha para baixo, olha para o espaço peripessoal; nessa circunstância, o cérebro é controlado por uma série de substâncias químicas relacionadas com a experiência do aqui e agora. Mas, quando o cérebro está ocupado com o espaço extrapessoal, uma substância química exerce mais controle que todas as outras – a que está associada à expectativa e às possibilidades: a dopamina. Coisas a distância ou que ainda não temos não podem ser usadas ou consumidas, apenas desejadas. A dopamina tem uma função muito específica: maximizar os recursos que estarão disponíveis para nós no futuro, ou seja, buscar coisas melhores.

Cada parte da vida é dividida assim: temos uma forma de lidar com o que queremos e outra de lidar com o que temos. Querer uma casa e sentir o tipo de desejo que motiva o trabalho árduo necessário para encontrá-la e comprá-la usa um conjunto de circuitos cerebrais diferentes dos que são empregados para desfrutar dela quando for sua. Prever um aumento de salário ativa a dopamina orientada para o futuro, sensação muito diferente de receber o salário mais alto pela segunda ou terceira vez. E encontrar o amor requer um conjunto de habilidades diferentes das exigidas para fazer o amor perdurar. O amor precisará passar de uma experiência extrapessoal para uma experiência peripessoal – da busca para a posse; de algo que imaginamos para algo com que teremos de conviver. São habilidades muito diferentes. É por isso que, com o tempo, a natureza do amor precisa mudar. E é por isso que, para muitas pessoas, o amor acaba ao fim da emoção que chamamos de romance, provocada pela dopamina.

No entanto, muitas pessoas fazem a transição. Como fazem isso? Como conseguem superar a sedução da dopamina?

GLAMOUR

Glamour é uma bela ilusão (a palavra "glamour", em sua origem, significava literalmente um feitiço mágico) que promete transcender a vida comum e tornar o ideal real. O glamour depende de uma combinação especial entre mistério e graça. Muitas informações quebram o feitiço.
– Virgínia Postrel

O glamour está presente quando vemos coisas que estimulam nossa imaginação dopaminérgica, abafando nossa capacidade de perceber com precisão a realidade aqui e agora.

Um bom exemplo são as viagens aéreas. Olhe para cima. Você vê algum avião no céu? Que pensamentos e sentimentos são desencadeados por essa visão? Muitas pessoas sentem desejo de estar no avião, viajando para lugares exóticos e distantes – uma fuga despreocupada que se inicia com um passeio entre as nuvens. No entanto, se você estivesse no avião, sua noção do aqui e agora lhe informaria que aquele paraíso no céu lembra mais um ônibus atravessando a cidade na hora do rush: apertado, cansativo e desagradável – o oposto de elegante.

Da mesma forma, o que poderia ser mais glamouroso do que Hollywood? Belos atores e atrizes vão a festas, flertam e relaxam à beira da piscina. A realidade é muito diferente: muitos trabalham 14 horas por dia suando sob luzes quentes. As atrizes são exploradas sexualmente e os atores são pressionados a tomar anabolizantes e hormônios para obter os corpos fabulosos que vemos na tela. Gwyneth Paltrow, Megan Fox, Charlize Theron e Marilyn Monroe descreveram suas experiências com o "teste do sofá" (todas, exceto Marilyn Monroe, disseram que recusaram a oferta de trocar sexo por um papel cobiçado). Nick Nolte, Charlie Sheen, Mickey Rourke e Arnold Schwarzenegger admitiram o uso de anabolizantes, que podem causar danos ao fígado, alterações de humor, explosões violentas e psicose. É um negócio sórdido.

Montanhas, porém, não são sórdidas. Erguem-se ao longe, majestosas, com arestas amenizadas pelo ofuscante efeito de colunas de ar. Indivíduos com níveis mais altos de dopamina querem escalar uma montanha, conquistá-la, explorá-la. Mas não podem, porque a montanha *não existe*. Claro, a montanha, em si, existe. Mas a *experiência imaginária de estar sobre ela* é impossível de ser alcançada. No entanto, na maioria das vezes, você está sobre uma montanha que nem consegue perceber. Normalmente está cercado por árvores, e elas são tudo que você vê. Talvez chegue a um mirante, de onde pode contemplar um vale a perder de vista. Mas enquanto o observa, é o vale distante que está cheio de promessas e beleza, não a montanha sobre a qual você está. O

> glamour cria desejos que não podem ser satisfeitos porque dizem respeito a coisas que só existem na imaginação.
> Seja um avião no céu, uma estrela de cinema em Hollywood ou uma montanha distante, apenas as coisas que estão fora de alcance podem ser glamourosas, porque são irreais. O glamour é uma mentira.

Certo dia, no almoço, Samantha encontrou Demarco, seu último namorado sério antes de Shawn. Eles não se viam fazia anos nem haviam se conectado pelo Facebook. Ela o achou engraçado e inteligente, como antes, e em ótima forma também. Em questão de minutos estava deslumbrada novamente. Era algo que não sentia havia muito tempo: a onda de excitação, a sensação de possibilidades com um homem que combinava com ela, alguém que parecia oferecer muitas coisas novas para ela descobrir. Ele também estava animado e ansioso para contar como se sentia. A primeira coisa que disse foi como estava feliz por ter ficado noivo. Sua noiva era "única" e ele esperava que Samantha a conhecesse, pois nunca tinha se relacionado com alguém tão especial quanto aquela mulher.

Depois que Demarco saiu, Samantha decidiu que era um bom dia para beber. Foi até um bar, pediu uma porção de batatas fritas e uma Miller Lite e passou a meia hora seguinte descascando o rótulo. Ela amava Shawn, realmente amava – ou não? Eles estavam em um relacionamento estagnado fazia mais de um ano. Aquilo que sentira com Demarco era o que ela queria. Já tivera isso com Shawn, porém agora não tinha mais.

O LADO SOMBRIO

Há um lado sombrio na dopamina. Se você deixar cair uma bolota de comida na gaiola de um rato, o animal vivenciará um aumento nos níveis de dopamina. Quem diria que o mundo é um lugar onde a comida cai do céu? Mas, se você continuar liberando bolotas a cada cinco minutos, adeus, dopamina. O rato sabe quando esperar a comida, portanto não há surpresa nem *erro na previsão de recompensa*. Mas e se você soltar as bolotas em momentos aleatórios, para que seja sempre uma surpresa? E se você substituir os ratos e as bolotas de comida por pessoas e dinheiro?

Imagine uma sala de cassino com uma concorrida roleta, uma mesa de *blackjack* lotada e um jogo de pôquer com apostas elevadas. É a síntese do esplendor de Las Vegas. Mas os donos de cassinos sabem que os maiores lucros não são obtidos nesses jogos de alto risco – e sim nas humildes máquinas caça-níqueis amadas por turistas, aposentados e pequenos apostadores, que diariamente jogam sozinhos durante algumas horas entre luzes cintilantes, campainhas e roletas matraqueantes. Nos dias de hoje, 80% do espaço dos cassinos é ocupado por máquinas caça-níqueis – e por um bom motivo: elas provêm a maior parte de suas receitas.

Um dos maiores fabricantes mundiais de máquinas caça-níqueis é uma empresa chamada Scientific Games. A ciência desempenha um importante papel no design desses dispositivos atraentes. Embora as máquinas caça-níqueis remontem ao século XIX, os refinamentos modernos baseiam-se no trabalho pioneiro do cientista comportamental B. F. Skinner, que na década de 1960 mapeou os princípios da manipulação do comportamento.

Em um de seus experimentos, Skinner colocou um pombo numa caixa e descobriu que poderia condicioná-lo a bicar uma alavanca para obter uma bolinha de comida. Em alguns experimentos bastava uma bicada; em outros, dez, mas o número de bicadas nunca mudava dentro do mesmo experimento. Os resultados não foram particularmente interessantes. Independentemente do número de bicadas necessárias, cada pombo pressionava a sua alavanca como um burocrata carimbando uma interminável pilha de documentos.

Skinner tentou então algo diferente. Montou um experimento em que o número de bicadas necessárias para liberar uma bolinha mudava aleatoriamente. O pombo nunca sabia quando a comida chegaria. As recompensas eram inesperadas. Isso excitou os pássaros, que passaram a bicar mais rápido. Algo os estimulava a esforços maiores. A dopamina, a molécula da surpresa, fora controlada. Nascia assim a base científica da máquina caça-níqueis.

Quando Samantha viu seu ex-namorado, todos os antigos sentimentos reapareceram: empolgação, expectativa, nervosismo, excitação. Ela não estava à procura de romance, nem era necessário. O reencontro com Demarco e o sonho semiconsciente de experimentar mais uma vez a volúpia apaixonada – um inesperado presente em sua vida afetiva – foram a fonte de sua agitação. Samantha, é claro, não sabia disso.

Ela e Demarco decidem se encontrar novamente para um drinque e tudo corre bem. Combinam de almoçar no dia seguinte e logo suas reuniões se tornam um "encontro" permanente. Os sentimentos são arrebatadores. Eles se tocam quando falam e se abraçam na despedida. Quando estão juntos, o tempo voa, como na época em que eram namorados – e, quando ela pensa no assunto, como costumava ser com Shawn. *Talvez,* pensa ela, *Demarco seja o cara.* Mas, quando compreendemos o papel da dopamina, fica claro que esse relacionamento não é algo novo. É apenas uma repetição do entusiasmo provocado pela dopamina.

A novidade que aciona a dopamina não dura para sempre. Quando se trata de amor, o romance apaixonado desaparecerá mais cedo ou mais tarde. E então temos uma escolha. Podemos fazer a transição para um amor alimentado pelo apreço diário por aquela pessoa, aqui e agora, ou podemos terminar o relacionamento e procurar outra montanha-russa. Optar pelo estímulo dopaminérgico exige pouco esforço, mas o efeito acaba rápido, como o prazer de comer um bombom. O amor duradouro desloca a ênfase da expectativa do prazer para a experiência; da fantasia de tudo ser possível para um comprometimento com a realidade e suas imperfeições. A transição é difícil, e quando o mundo nos apresenta uma saída fácil para uma tarefa difícil, tendemos a aceitá-la. Eis por que, quando a liberação de dopamina do romance inicial termina, muitos relacionamentos também chegam ao fim.

O início do amor é como um passeio em um carrossel diante de uma ponte. Esse carrossel pode dar quantas voltas você quiser, sempre uma bela viagem, mas o deixará inevitavelmente no ponto de origem. Cada vez que a música para e seus pés tocam o chão, você tem que fazer uma escolha: dar mais uma volta ou cruzar a ponte que o levará a outro tipo de amor – o amor duradouro.

MICK JAGGER, GEORGE COSTANZA E "SATISFACTION"

Quando Mick Jagger cantou pela primeira vez *"I can't get no satisfaction!"* (Não consigo me satisfazer), em 1965, não tínhamos como saber que ele estava prevendo o futuro. Como o próprio Jagger disse ao seu biógrafo em 2013, ele esteve com cerca de 4 mil mulheres – uma parceira diferente a cada dez dias de sua vida adulta.

Cabe observar que Mick não prosseguiu dizendo: "... e quando cheguei a 4 mil, finalmente encontrei a satisfação." Presumivelmente, ele continuará buscando novas relações enquanto puder. Assim, quantas parceiras são necessárias para se obter a "satisfação"? Se você teve 4 mil, podemos dizer com segurança que a dopamina comanda a sua vida, pelo menos quando se trata de sexo. E a principal diretriz da dopamina é: quanto mais, melhor. Mesmo que persiga a satisfação por mais meio século, Sir Mick não a alcançará. Sua ideia de satisfação não significa realmente satisfação, mas a busca impulsionada pela dopamina – a molécula que cultiva a perpétua insatisfação. Tão logo ele deixa uma amante, seu objetivo é encontrar outra.

Sob esse aspecto, Mick Jagger não está sozinho. Nem é incomum. É apenas uma versão confiante de George Costanza, o personagem de *Seinfeld*. Em quase todos os episódios da série televisiva, George se apaixona. Ele vai a extremos ridículos para garantir um encontro, sendo capaz de quase qualquer coisa se houver possibilidade de sexo. Ele imagina cada mulher como uma possível companheira para o resto da vida, a mulher perfeita, com a qual seria feliz para sempre.

Mas qualquer fã de *Seinfeld* sabe como essas histórias terminam. George é louco pela mulher até o momento em que ela retribui sua afeição. Quando não precisa mais se esforçar, ele só quer sair fora. George Louis Costanza é tão viciado na emoção provocada pela dopamina que passa uma temporada inteira da série tentando se livrar de seu noivado com a única mulher que ainda o ama apesar das coisas terríveis que ele faz. E quando sua noiva morre após lamber cola tóxica nos envelopes dos convites para o casamento deles, George não fica arrasado. Fica aliviado, até alegre. Louco para voltar à caça. Mick é como George, e George é como todos nós. Nós nos deleitamos com a paixão, o foco, a excitação, a emoção de encontrar um novo amor. A diferença é que a maioria de nós percebe, em algum momento, que a dopamina está mentindo. Ao contrário de George Costanza e Mick Jagger, começamos a perceber que a próxima mulher bonita ou o próximo homem bonito que virmos provavelmente não será a chave para nossa "satisfação".

"Como está Shawn?", perguntou a mãe de Samantha.
"Sabe..." Samantha passou o dedo pela borda da xícara de café. "As coisas não estão caminhando como eu esperava."
"Outra vez?"
"Lá vem você de novo", disse Samantha.
"Só estou dizendo que Shawn parece um cara legal..."
"Mãe, não preciso das suas bênçãos."
"Esta não é a primeira vez. Lembra do Lawrence? E do Demarco?" Samantha mordeu o lábio. "Por que você não consegue aproveitar o que tem?"

AS CHAVES QUÍMICAS PARA O AMOR DURADOURO

Do ponto de vista da dopamina, ter coisas não interessa. O que importa é consegui-las. Se você mora debaixo de uma ponte, a dopamina o faz querer um barraco. Se mora em um barraco, a dopamina o faz desejar uma casa. Se mora na mansão mais cara do mundo, a dopamina o faz almejar um castelo na Lua. A dopamina não tem um padrão para o que é bom nem uma linha de chegada. Os circuitos de dopamina no cérebro só podem ser estimulados pela possibilidade de algo que seja brilhante e novo. Não importa que as coisas estejam perfeitas agora. O lema da dopamina é: "Quero mais."

A dopamina é um dos gatilhos do amor, a fonte de tudo que vem depois. Mas para o amor perdurar é preciso que sua natureza mude, pois a sinfonia química por trás dele também muda. Portanto, a dopamina não é a molécula do prazer: é a molécula da antecipação. Para desfrutar do que temos, em oposição ao que é apenas possível, nosso cérebro precisa fazer a transição da dopamina, orientada para o futuro, para substâncias químicas que se concentram no presente – uma coleção de neurotransmissores que chamamos de moléculas aqui e agora, ou A&As. A maioria das pessoas já ouviu falar das A&As, que incluem a serotonina, a oxitocina, as endorfinas (a versão da morfina no seu cérebro), além de uma classe de substâncias químicas chamadas endocanabinoides (a versão da maconha no seu cérebro). Ao contrário do prazer da expectativa via dopamina, esses compostos químicos nos dão prazer por meio de sensações e emoções. Na verdade, uma das moléculas endocanabinoides é chamada de anandamida, em homenagem a uma palavra do sânscrito que significa *alegria, felicidade e deleite*.

Segundo a antropóloga Helen Fisher, o amor "apaixonado" dura apenas de 12 a 18 meses. Depois, para que um casal permaneça ligado um ao outro, ambos precisam desenvolver um tipo diferente de amor, chamado *amor companheiro*. O amor companheiro é mediado pelas A&As por envolver experiências que estão acontecendo aqui e agora – *você está com quem ama, portanto aproveite*.

O amor companheiro não é um fenômeno exclusivamente humano. Nós o vemos entre espécies animais que acasalam por toda a vida. Seu comportamento é caracterizado pela defesa cooperativa do território e pela construção de ninhos. O par alimenta um ao outro, cuida um do outro e compartilha as tarefas parentais. Acima de tudo, ambos se mantêm próximos e exibem expressões de ansiedade quando separados. O mesmo ocorre com os seres humanos, que se envolvem em atividades semelhantes e têm sentimentos parecidos, em particular a satisfação de saber que há outra pessoa cuja vida está profundamente entrelaçada com a sua.

Quando as A&As assumem o comando no segundo estágio do amor, a dopamina é suprimida. Tem que ser assim, pois a dopamina pinta a imagem de um futuro cor-de-rosa em nossa mente, nos motivando a dar duro para torná-lo realidade. A insatisfação com o atual estado das coisas é um ingrediente importante para implementar mudanças, e é esse o significado de um novo relacionamento. O amor companheiro estimulado pelas A&As, por sua vez, é caracterizado por uma satisfação profunda e duradoura com a realidade presente e uma aversão a mudanças, pelo menos no relacionamento com o parceiro. Na verdade, embora a dopamina e os circuitos de A&As possam trabalhar juntos, eles na maioria das circunstâncias se opõem. Quando os circuitos de A&As são ativados, somos levados a vivenciar o mundo real que nos cerca, e a dopamina sai de cena; quando os circuitos de dopamina são ativados, vivenciamos um futuro de possibilidades, e as A&As são suprimidas.

Testes de laboratório corroboram essa ideia. Quando os cientistas analisaram as células sanguíneas extraídas de pessoas que estavam no estágio apaixonado do amor, encontraram níveis mais baixos de receptores de serotonina em comparação com pessoas "saudáveis", um indicador de que as A&As estavam batendo em retirada.

Não é fácil dizer adeus à excitação dopaminérgica provocada pelo desejo de ter novos parceiros, mas a capacidade de fazê-lo é um sinal de maturidade e um passo para a felicidade duradoura. Pense em um homem que planeja passar as férias em Roma. Para conseguir visitar todos os museus e locais importantes de que tanto ouviu falar, ele gasta semanas planejando cada dia. No entanto, enquanto contempla algumas das obras de arte mais bonitas já criadas, ele pensa em como vai chegar ao restaurante onde fez reservas para o jantar. Não é que esteja sendo ingrato com as obras-primas de Michelangelo. O ponto é que sua personalidade é principalmente dopaminérgica: ele gosta mais de antecipar o prazer e planejar do que de fazer. Muitos amantes vivenciam a mesma desconexão entre expectativa e realidade. A parte inicial, o *amor apaixonado*, é dopaminérgica – eufórica, idealizada, curiosa, centrada no futuro. A etapa seguinte, o *amor companheiro*, é focada no aqui e agora – satisfatória, tranquila, vivenciada por meio dos sentidos e das emoções corporais.

Um romance baseado na dopamina é como um passeio de montanha-russa: emocionante, embora de curta duração. Mas nossa química cerebral nos oferece as ferramentas para seguirmos o caminho do amor companheiro. Assim como a dopamina é a molécula do desejo obsessivo, os compostos químicos mais associados a relacionamentos duradouros são a oxitocina e a vasopressina. A oxitocina é mais ativa nas mulheres e a vasopressina, nos homens.

Os cientistas vêm estudando esses neurotransmissores em diversos animais. Por exemplo, quando injetaram oxitocina no cérebro de arganazes (um pequeno roedor) fêmeas, estas formavam um vínculo de longo prazo com qualquer macho que estivesse por perto. Da mesma forma, quando arganazes machos, geneticamente programados para serem promíscuos, receberam um gene que aumentava a vasopressina, acasalavam exclusivamente com uma das fêmeas, embora outras estivessem disponíveis. A vasopressina agia como um "hormônio do marido fiel". A dopamina faz o oposto. Os seres humanos com genes que produzem altos níveis de dopamina se iniciam no sexo com pouca idade e têm o maior número de parceiros sexuais.

A maioria dos casais faz sexo com menos frequência à medida que o amor dopaminérgico obsessivo evolui para o amor companheiro. O que faz sentido, pois a oxitocina e a vasopressina suprimem a liberação de testosterona. De modo semelhante, a testosterona suprime a liberação de oxitocina e de vasopressina, o que ajuda a explicar por que homens com quantidades naturalmente altas de testosterona no sangue são menos propensos a se casar e por que homens solteiros têm mais testosterona do que homens casados – e por que, quando o casamento de um homem se torna instável, sua vasopressina diminui e sua testosterona aumenta.

Os seres humanos precisam de companheirismo de longo prazo? Há boas evidências de que a resposta seja sim. Apesar do atrativo superficial de dispor de vários parceiros, a maioria das pessoas acaba se casando. Uma pesquisa da Organização das Nações Unidas descobriu que mais de 90% dos homens e mulheres estarão casados aos 49 anos. Podemos viver sem o amor companheiro, mas a maioria de nós passa boa parte da vida tentando encontrá-lo e mantê-lo. As moléculas aqui e agora nos dão a aptidão para isso. Elas nos permitem encontrar satisfação no que nossos sentidos nos oferecem – no que está bem à nossa frente e que podemos vivenciar sem a incômoda sensação de que precisamos de algo mais.

TESTOSTERONA: A QUÍMICA DA ATRAÇÃO SEXUAL AQUI & AGORA

Na noite em que conheceu Shawn, Samantha estava no 13º dia de seu ciclo menstrual. Por que isso importa?

A testosterona impulsiona o desejo sexual em homens e mulheres. Nos homens, que a produzem em grandes quantidades, é responsável por características masculinas, como pelos faciais, voz grossa e aumento da massa muscular. As mulheres a produzem nos ovários, em quantidades menores, e os níveis mais altos são verificados no 13º e no 14º dias do ciclo menstrual. É quando o óvulo deixa o ovário e as probabilidades de gravidez aumentam. Existem também variações aleatórias de um dia para outro e até mesmo em um mesmo dia. Algumas mulheres produzem mais testosterona pela manhã; outras, no fim do dia. A maior variação é entre pessoas: certas mulheres, naturalmente, produzem mais testosterona que outras. A testosterona pode até ser administrada como medicamento. Quando cientistas da Procter & Gamble (fabricante da colônia Old Spice e das fraldas Pampers) aplicaram um gel de testosterona na pele de algumas mulheres, estas passaram a fazer mais sexo. Infelizmente, também desenvolveram pelos faciais, voz grossa e calvície. O resultado é que o gel, então chamado de "Viagra feminino", jamais foi aprovado nos Estados Unidos pela Food and Drug Administration (Administração de Alimentos e Medicamentos – FDA, equivalente à Anvisa no Brasil).

Helen Fisher, antropóloga da Rutgers University e consultora científica-chefe do site de namoros Match.com, destaca que o tipo de desejo sexual que a testosterona produz é semelhante a outros impulsos naturais, como a fome.

Quando estamos com fome, qualquer tipo de alimento satisfaz a vontade de comer. Da mesma forma, quando alguém experimen-

> ta impulsos sexuais induzidos pela testosterona, o desejo é por sexo em geral, não necessariamente por uma pessoa em particular. Em muitos casos, sobretudo com os jovens, quase qualquer uma serve. Mas não se trata de um desejo avassalador. Não se morre de fome sexual. A testosterona não leva ninguém a cometer suicídio ou assassinato – ao contrário da experiência dopaminérgica de ser dominado pelo amor.

Shawn limpou uma área no espelho embaçado do banheiro, passou os dedos pelos cabelos pretos e sorriu. "Isso vai dar certo", disse.

"Espere. Fique quieto", disse Samantha. E afastou uma mecha da testa dele. "Isso vai fazer você ficar muito bonito."

"E depois..."

"Calma, garoto," disse Samantha, e lhe deu um beijinho no rosto.

A DOPAMINA LEVA VOCÊ PARA A CAMA... E DEPOIS ATRAPALHA TUDO

Da expectativa ansiosa aos prazeres físicos da intimidade, as etapas do sexo recapitulam os estágios do amor: sexo é amor em rápida aceleração. O sexo começa com o desejo, fenômeno dopaminérgico impulsionado pela testosterona. Continua com a excitação, outra experiência dopaminérgica de olho no futuro. Quando o contato físico se inicia, o cérebro transfere o controle para as moléculas aqui e agora, de modo a oferecer o prazer da experiência sensorial sobretudo por meio da liberação de endorfinas. A consumação do ato, o orgasmo, é quase inteiramente uma experiência aqui e agora, com endorfinas e outros neurotransmissores A&As trabalhando juntos para desligar a dopamina.

Essa transição foi filmada na Holanda, quando homens e mulheres foram colocados em scanners cerebrais e depois estimulados até alcançarem o orgasmo. Os exames revelaram que o clímax sexual estava associado à diminuição da ativação em todo o córtex pré-frontal, uma parte dopaminérgica do cérebro responsável por impor restrições deliberadas ao comportamento. O relaxamento do controle permitiu a ativação dos circuitos de A&As necessárias para o orgasmo, independentemente de a pessoa testada ser homem ou mulher. Com poucas exceções, a resposta do cérebro ao clímax foi sempre a mesma: dopamina desligada, A&As ligadas.

Nenhuma novidade. Mas, assim como algumas pessoas têm dificuldade em passar do amor apaixonado para o amor companheiro, também pode ser difícil para indivíduos movidos pela dopamina deixar que as A&As assumam o controle durante o sexo. Ou seja, mulheres e homens mais impulsionados pela dopamina têm por vezes dificuldade em desligar seus pensamentos para simplesmente vivenciar as sensações de intimidade. Ou seja, pensar menos e sentir mais.

Enquanto os neurotransmissores do aqui e agora nos permitem vivenciar a realidade – e a realidade durante o sexo é intensa –, a dopamina flutua acima da realidade. É sempre capaz de evocar algo melhor. E, para aumentar seu poder de sedução, nos coloca no controle dessa realidade alternativa. Não importa que os mundos imaginários possam ser inatingíveis. A dopamina sempre pode nos fazer seguir fantasmas.

Encontros sexuais, sobretudo em relacionamentos estabelecidos, são vítimas constantes dos fantasmas da dopamina. Uma pesquisa com 141 mulheres revelou que durante a relação sexual 65% delas fantasiavam estar com outra pessoa e até mesmo pensavam em algo completamente diferente. Em outros estudos, a proporção chegou a 92%. Os homens sonham acordados durante o sexo tanto quanto as mulheres, e quanto mais sexo homens e mulheres fazem, maior a probabilidade de sonharem acordados.

É irônico que os circuitos cerebrais que nos dão a energia e a motivação necessárias para ir para a cama com um parceiro desejável atrapalhem nossa diversão. Parte disso pode envolver a intensidade da experiência. Sexo pela primeira vez é mais intenso do que sexo pela centésima vez – especialmente se o sexo pela centésima vez for com o mesmo parceiro. Mas o clímax da experiência, o orgasmo, é quase sempre intenso o bastante para levar até o sonhador mais desprendido ao mundo imediato do aqui e agora.

POR QUE SUA MÃE QUER QUE VOCÊ ESPERE ATÉ SE CASAR

Embora mudanças culturais tenham tornado essa atitude ultrapassada em alguns setores, ainda há muitas mães (e pais ansiosos) que incentivam suas filhas a "se guardarem para o casamento". Em geral, isso vem de ensinamentos morais ou religiosos mais amplos; no entanto, com base na química do cérebro, há alguma vantagem em esperar?

A testosterona e a dopamina têm uma relação especial. Na fase do amor apaixonado, a testosterona é a única molécula A&A que não é suprimida em favor da dopamina. Na verdade, ambas trabalham juntas para formar um ciclo de feedback – uma máquina de moto-contínuo que aumenta nossos sentimentos de romance. O amor apaixonado quase sempre acentua o desejo de fazer sexo. A testosterona acelera esse desejo. O aumento do desejo, por sua vez, aumenta o amor apaixonado. Portanto, negar a satisfação sexual na verdade aumenta a paixão – não necessariamente para sempre, claro, e não sem um sacrifício significativo. Mas o efeito é real.

Assim, encontramos uma explicação química que, muito tempo atrás, pode ter motivado em parte o comportamento que vemos hoje. A espera prolonga a fase mais emocionante do amor. Os sentimentos agridoces de distância e negação são o objetivo final de uma reação química.

Paixão adiada é paixão sustentada. Se a mãe quer que sua filha se case, amplificar a paixão é uma boa maneira de alcançar esse objetivo. A dopamina costuma se desligar quando a fantasia se torna realidade, e a dopamina é a substância química que impulsiona o amor romântico. Então, o que aumentaria mais a dopamina: concordar com o sexo já ou guardá-lo para o futuro? Mamãe sabe a resposta, mesmo que só agora estejamos aprendendo por quê.

Shawn ganhara um pouco de peso, mas Samantha o achava mais atraente que nunca. Shawn também achava que Samantha estava ainda mais bonita. Mesmo gostando muito do modo como ela se vestia, ele confidenciava aos amigos que nada era mais sexy, para ele, do que acordar ao lado dela de manhã, vendo-a sem maquiagem, com os cabelos despenteados e usando uma velha camiseta da faculdade. Nos últimos tempos, eles cochichavam na cama para garantir alguns minutos extras enquanto o bebê dormia. As manhãs, quando estavam sozinhos e à vontade, eram alguns dos raros momentos em que podiam desfrutar da presença um do outro.

Samantha aprendeu a ajudar Shawn a superar as inseguranças que o impediam de progredir no trabalho, e ele encontrou meios de liberar tempo para que ela pudesse fazer o mestrado. Porém, cada vez mais, eles apenas desfrutavam da companhia um do outro. Às vezes não falavam nada e, embora isso antes parecesse estranho, logo se tornou natural. Samantha se lembrava da noite em que Shawn estendeu a mão, acariciou o quadril dela e retirou a mão. Depois se virou e emitiu o som habitual de antes de dormir.

"O que houve?", perguntou ela.

"Nada", respondeu Shawn. "Estou só me certificando de que você está aí."

A dopamina ganhou o apelido de "molécula do prazer" com base em experimentos com drogas viciantes. As drogas ativavam os circuitos de dopamina e os participantes do teste sentiam euforia. Parecia simples até que estudos feitos com recompensas habituais – comida, por exemplo – revelaram que apenas recompensas inesperadas provocavam a liberação de dopamina. A dopamina não respondia a uma recompensa, mas a um erro de previsão de recompensa: a recompensa real menos a recompensa esperada. É por isso que a paixão não dura para sempre. Quando nos apaixonamos, antecipamos um futuro aperfeiçoado pela presença da pessoa amada. Um futuro baseado em uma imaginação febril que desmorona quando a realidade se impõe, de 12 a 18 meses depois. O que acontece então? Em muitos casos o relacionamento chega ao fim e a busca por uma nova emoção dopaminérgica se inicia. No entanto, o amor apaixonado pode se transformar em algo mais duradouro, o amor companheiro. Talvez esse amor não emocione tanto quanto a dopamina, mas tem o poder de proporcionar felicidade – felicidade a longo prazo, baseada em neurotransmissores A&As, como oxitocina, vasopressina e endorfina.

É como nossos velhos lugares favoritos – restaurantes, lojas e até cidades. Nosso carinho por eles provém do prazer de reencontrarmos um ambiente conhecido: a natureza real, física, do lugar. Apreciamos o que conhecemos não pelo que poderia se tornar, mas pelo que é. Essa é a única base estável para um relacionamento duradouro e satisfatório. A dopamina, o neurotransmissor cujo objetivo é maximizar as recompensas futuras, nos coloca na rota do amor. Ela acelera nossos desejos, ilumina nossa imaginação e nos atrai para um relacionamento com uma promessa incandescente. Mas, quando se trata de amor, a dopamina é um ponto de partida, não de chegada. Não há satisfação possível com ela. A única coisa que a dopamina tem a dizer é: "Quero mais."

Capítulo 2
DROGAS

Você quer... mas será que vai gostar?

Veremos como a dopamina anula a razão e cria um desejo devorador pelos comportamentos mais destrutivos que podemos imaginar.

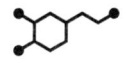

Um cara passa por uma hamburgueria, sente um cheiro de hambúrgueres fritando e se imagina dando uma mordida; quase consegue sentir o gosto. Ele está de dieta, mas no momento não consegue pensar em nada que deseje mais do que um hambúrguer. Então entra e faz o pedido. A primeira mordida é maravilhosa, mas a segunda, nem tanto. A cada pedaço, seu prazer diminui – o "hambúrguer maravilhoso" era uma ilusão. Mesmo assim, sem saber bem por quê, ele come tudo. Então começa a se sentir meio enjoado e derrotado, pois não manteve a dieta.

Ao voltar para a rua, um pensamento cruza sua mente: há uma grande diferença entre querer alguma coisa e gostar dela.

QUEM CONTROLA SEU CÉREBRO?

Em algum momento da vida, todo mundo se pergunta por quê. *Por que faço as coisas que faço? Por que tomo as decisões que tomo?*

À primeira vista, parece uma pergunta fácil: fazemos as coisas por algum motivo. Colocamos um suéter porque estamos com frio. Acordamos de manhã e vamos trabalhar porque precisamos pagar as contas. Escovamos os dentes para evitar cáries. Grande parte do que fazemos é em função de outras coisas: coisas como sentir calor, ter dinheiro para pagar as contas e não levar bronca do dentista.

O problema é que podemos fazer perguntas como essas indefinidamente. Por que queremos nos manter aquecidos? Por que nos preocupamos em pagar as contas? Por que queremos evitar uma bronca do dentista? As crianças fazem esse jogo o tempo todo: "É hora de ir para a cama." Por quê? "Porque você precisa acordar cedo para ir à escola amanhã." Por quê? "Porque você precisa aprender." Por quê? E assim por diante.

O filósofo Aristóteles fazia o mesmo, mas com um propósito mais sério. Observando o que fazemos por conta de outras coisas, ele se perguntou se havia um propósito para tudo isso. Por que você vai trabalhar, realmente? Por que precisa ganhar dinheiro? Por que tem que pagar contas? Por que precisa de eletricidade? Onde tudo isso termina? Existe alguma coisa que desejamos por ela mesma, e não porque leva a outra? Aristóteles concluiu que sim. Concluiu que havia uma única coisa ao fim de cada sequência de porquês, e o nome disso era Felicidade. Tudo que fazemos, em última análise, é para alcançar a felicidade.

É difícil rebater essa conclusão. Afinal, ficamos felizes por poder pagar nossas contas e dispor de energia elétrica. Ficamos felizes em ter dentes saudáveis e ser instruídos. Podemos ficar felizes até em sentir dor, caso seja por uma causa nobre. A felicidade é a estrela guia de nossa jornada pela vida. Quando nos deparamos com uma gama de opções, escolhemos a que nos torna mais felizes.

Só que não.

Nosso cérebro não funciona dessa forma. Pense em quantas pessoas você conhece que simplesmente escolheram o curso superior ou a própria carreira com base em um mero pressentimento de que era a opção certa. É muito raro nos sentarmos para analisar nossas alternativas de maneira racional, comparando prós e contras. Trata-se de um trabalho cansativo, e o resultado nem sempre é satisfatório. Poucas vezes chegamos ao ponto em que podemos dizer com convicção que tomamos a decisão certa. É muito mais fácil fazer o que queremos, então é isso que fazemos.

Assim, a próxima pergunta passa a ser: "Bem, então o que queremos?" A resposta depende: um indivíduo pode querer ser rico; outro, ser um bom pai. Também depende do momento em que a pergunta é formulada. A resposta das 19 horas pode ser "jantar"; a das 7 horas pode ser "mais 10 minutos de sono". Às vezes as pessoas não sabem o que querem; outras vezes, querem um monte de coisas ao mesmo tempo – até as que não podem ter ao mesmo tempo, pois entram em conflito umas com as outras. Muitas pessoas, quando veem um pão doce, querem comê-lo. Muitas pessoas, quando veem um pão doce, não querem comê-lo. O que está acontecendo?

COMO SE MANTER VIVO

Andrew era um jovem de 20 e poucos anos que trabalhava em uma empresa de venda de software empresarial. De personalidade confiante e extrovertida, era um dos melhores vendedores da empresa. O trabalho o absorvia de tal maneira que quase não tinha tempo para relaxar ou fazer outras atividades, exceto uma: sair com mulheres. Segundo seus cálculos, havia dormido com mais de cem mulheres, mas nunca teve um relacionamento íntimo com nenhuma delas. Era algo que desejava, algo que sabia ser importante para sua felicidade a longo prazo. Ele reconhecia que, se mantivesse seu padrão de encontros fortuitos, não chegaria lá. Mas o padrão não mudava.

O desejo flui de uma parte evolutivamente antiga do cérebro chamada área tegmental ventral. Situa-se bem no fundo do crânio e é rica em dopamina; na verdade, é uma das duas principais regiões produtoras desse neurotransmissor. Como a maioria das células cerebrais, as que crescem lá têm cauda e serpenteiam através do cérebro até chegarem a um lugar chamado *nucleus accumbens*. Quando são ativadas, liberam dopamina no *nucleus accumbens*, gerando o sentimento que conhecemos como motivação. O termo científico para esse circuito é via mesolímbica, embora seja mais fácil chamá-lo simplesmente de *circuito do desejo ativado pela dopamina* ou *desejo dopaminérgico* (Figura 1).

Esse circuito de dopamina evoluiu para promover comportamentos que propiciam a sobrevivência e a reprodução. Ou, com mais clareza: para nos ajudar a obter comida e sexo e a vencer competições. É o circuito do desejo que é ativado quando vemos um prato de doces sobre a mesa. Só que não é ativado por necessidade, mas pela presença de algo atraente do ponto de vista evolutivo ou de sustentação da vida. Ou seja, no momento em que vemos

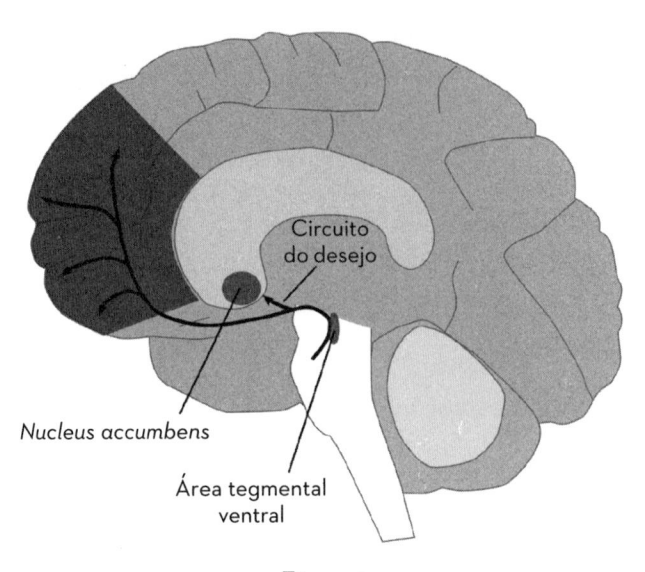

Figura 1

Circuito do desejo

Nucleus accumbens

Área tegmental ventral

os doces, o circuito é ativado, estejamos ou não com fome. Por natureza, o objetivo da dopamina é sempre adquirir mais de tudo para assegurar o futuro. A fome é algo que acontece no presente. Mas a dopamina recomenda: "Vá em frente e coma o doce, mesmo sem fome. Isso aumentará suas chances de permanecer vivo no futuro. Quem sabe quando haverá comida de novo?" Isso fazia sentido para nossos ancestrais evolucionários, que passavam a maior parte da vida à beira da fome.

Para um organismo biológico, o objetivo mais importante com relação ao futuro é estar vivo quando este chegar. Como resultado, o sistema de dopamina está mais ou menos obcecado em nos manter vivos. Assim, constantemente examina o ambiente em busca de novas fontes de alimento, abrigo, oportunidades de acasalamento e outros recursos que perpetuarão nosso DNA. Quando encontra algo potencialmente valioso, a dopamina se ativa e envia a mensagem: *Acorde. Preste atenção. Isto é importante.* Essa mensagem cria uma sensação de desejo e, muitas vezes, de excitação. Não é uma escolha que você faz: é uma reação ao que você encontra.

O homem que passava pela hamburgueria sentiu cheiro de comida e, embora tivesse outras prioridades na mente, a dopamina despertou nele um desejo quase incontrolável – ele queria um daqueles hambúrgueres. Embora o foco fosse diferente, tratava-se do mesmo mecanismo que funciona em nosso cérebro há milhares de anos. Imagine uma de nossas ancestrais caminhando pela savana de manhãzinha. O sol está nascendo, pássaros cantam e tudo está como sempre. Ela segue distraída, com a mente divagando. De repente, tropeça em um arbusto carregado de frutinhas. Ela já vira arbustos como aquele uma dezena de vezes, mas nunca com frutas. Antes, seus olhos relanceavam por eles, mas seus pensamentos estavam em outro lugar. Agora, porém, ela está prestando atenção. Sua concentração se aguça enquanto seus olhos assimilam todos os detalhes da cena. A excitação brota dentro dela. Com aquele arbusto de folhas verde-escuras produzindo frutos, o futuro ficou um pouco mais seguro.

O circuito do desejo, alimentado pela dopamina, entrou em ação.

Ela se lembrará daquele lugar onde crescem arbustos com frutinhas. A partir de agora, sempre que se deparar com o arbusto, um pouco de dopamina será liberado para deixá-la mais alerta, produzir um pouquinho de excitação e motivá-la a se lembrar de algo que pode ajudá-la a permanecer viva. Uma lembrança importante se formou: importante porque está ligada à sobrevivência e porque foi desencadeada pela liberação de dopamina. Mas o que acontece quando a dopamina foge ao controle?

POR QUE VIVEMOS EM UM MUNDO DE FANTASMAS

Quando Andrew via uma mulher atraente, levá-la para a cama se tornava a coisa mais interessante de sua vida. Tudo mais ganhava um tom cinza opaco. Ele geralmente conhecia mulheres em bares e, quando não estava trabalhando, bares eram os lugares que mais gostava de frequentar. Às vezes dizia a si mesmo que iria apenas relaxar e tomar umas cervejas. Havia momentos em que lutava muito contra a tentação de abordar alguém. Ele sabia que, tão logo o sexo terminasse, perderia o interesse pela parceria, e não apreciava essa sensação. Apesar de saber como as coisas terminariam, ele acabava cedendo à tentação.

Depois de algum tempo as coisas ficaram ainda piores. Ele perdia o interesse no momento em que a mulher concordava em acompanhá-lo. A caçada chegara ao fim e tudo ficava diferente. Aos olhos dele, a mulher até ficava diferente, uma transformação que ocorria num piscar de olhos. E, ao chegarem no apartamento dele, Andrew já não queria mais fazer sexo com ela.

Em sentido amplo, dizer que algo é "importante" é outra forma de dizer que está ligado à dopamina. Por quê? Porque, entre suas muitas funções, a dopamina é um sistema de alerta precoce para o aparecimento de qualquer elemento que possa nos ajudar a sobreviver. Quando algo útil para que nossa existência continue surge, não precisamos pensar a respeito: a dopamina se incumbe de nos fazer desejá-lo já. A dopamina não se importa se vamos gostar nem se precisamos daquilo no momento. É como a velhinha que compra papel higiênico toda vez que vai ao mercado. Não importa que tenha mil rolos empilhados no armário. Para a velhinha, *papel higiênico nunca é de mais*. O mesmo ocorre com a dopamina, mas, em vez de papel higiênico, ela nos incita a possuir e acumular qualquer coisa que possa ajudar nossa sobrevivência.

Isso explica por que o homem da dieta queria um hambúrguer mesmo não estando com fome. Explica por que Andrew não conseguia parar de correr atrás de mulheres, mesmo sabendo que dali a apenas algumas horas, talvez apenas alguns minutos, isso o deixaria infeliz. Mas também explica coisas mais sutis. Por exemplo: por que nos lembramos de alguns nomes e não de outros. Podemos usar inúmeros truques para ajudar a memória, como mencionar o nome da pessoa algumas vezes em uma conversa. No entanto, mesmo que o nome pareça ter se fixado na lembrança, quase sempre desaparece rapidamente. Nomes importantes – aqueles de pessoas que podem afetar nossa vida – são mais fáceis de guardar. O nome da pessoa que flertou com você na festa ficará por mais tempo na sua memória do que o da pessoa que o ignorou. Assim como o nome do homem que lhe disse para marcar uma entrevista com ele porque pretende lhe oferecer um emprego – o nome dele se fixará com mais firmeza na sua memória se você estiver desempregado. Da mesma forma, ratos machos se lembram com mais facilidade da rota correta para atravessar um labirinto se houver uma fêmea sexualmente receptiva na outra extremidade. Às vezes a intensidade do foco pode ser tão grande que sua atenção ficará presa a coisas que não importam em detrimento de outras que importam. Um homem teve uma pistola Beretta 9 milímetros apontada para seu rosto durante um assalto. Quando lhe pediram para descrever o assaltante, ele disse: "Não me lembro do rosto, mas posso descrever a arma."

Em condições mais normais, porém, a ativação da dopamina no circuito do desejo desencadeia energia, entusiasmo e esperança. O que é bom. Na verdade, algumas pessoas passam a maior parte da vida perseguindo esse sentimento – um sentimento de expectativa agradável, de que a vida está prestes a melhorar. Você está prestes a jantar em um lugar delicioso, a rever um velho amigo, a fazer uma grande venda ou a receber um prêmio de prestígio – a dopamina aciona a imaginação e cria visões de um futuro cor-de-rosa.

Mas o que acontece quando o futuro se torna presente – quando o jantar está à sua frente ou já fechou a venda? As sensações de excitação, entusiasmo e energia se dissipam. A dopamina para de fluir. Os circuitos de dopamina não processam experiências no mundo real, apenas possibilidades futuras. Para muitos indivíduos, é uma decepção. Estão tão apegados à estimulação dopaminérgica que fogem do presente e se refugiam no mundo confortável da própria imaginação. "O que vamos fazer amanhã?" perguntam a si mesmos enquanto mastigam a comida, alheios ao fato de que não estão degustando o prato que aguardaram tão ansiosamente. *Viajar cheio de expectativas é melhor do que chegar*, eis o lema do entusiasta da dopamina.

O futuro não é real, mas um conjunto de possibilidades que existem apenas na nossa mente. Essas possibilidades costumam ser idealizadas – em geral, não imaginamos um resultado medíocre. Tendemos a pensar no melhor dos mundos possíveis, o que torna o futuro mais atraente. Por outro lado, o presente é real. É concreto. É vivenciado, não imaginado, e isso requer um conjunto diferente de substâncias químicas cerebrais – os neurotransmissores aqui e agora, as A&As. A dopamina nos faz desejar as coisas com paixão, mas são as A&As que nos permitem apreciá-las: os sabores, as cores, as texturas e os aromas de uma refeição de cinco pratos, ou as emoções que experimentamos quando passamos tempo com pessoas amadas.

QUERER X GOSTAR

A transição da excitação para o prazer pode ser um desafio. Pense no "remorso do comprador", que assola muitas pessoas após fazerem uma compra vultosa. Costumamos atribuir essa sensação ao medo de ter feito a escolha errada, ao arrependimento pela extravagância ou à suspeita de ter sido influenciado pelo vendedor. Na verdade, é um exemplo do circuito do desejo quebrando sua promessa. Ele lhe disse que, se você comprasse aquele carro caro, ficaria radiante e sua vida nunca mais seria a mesma. No entanto, quando você se tornou dono do carro, esses sentimentos não foram tão intensos nem tão duradouros quanto você esperava. O circuito do desejo muitas vezes não cumpre o que promete, já que não desempenha nenhum papel na geração de sentimentos de satisfação. Não está em posição de realizar sonhos. O circuito do desejo é, por assim dizer, apenas um vendedor.

À medida que antecipamos o prazer de uma compra desejada, nosso sistema de dopamina, de olho no futuro, é ativado e gera entusiasmo. Uma vez assegurada a posse, o objeto desejado se move do espaço extrapessoal de *cima* para o espaço peripessoal de *baixo*; do futuro, reino distante da dopamina, para o território consumado e próximo ao corpo das A&As. O remorso do comprador é o fracasso da experiência A&A em compensar a perda da excitação dopaminérgica. Se você fizer uma compra inteligente, é possível que a forte gratificação das A&As compense a perda da emoção provocada pela dopamina. Outra forma de evitar o remorso do comprador é adquirir algo que desencadeie mais expectativa dopaminérgica: por exemplo, uma ferramenta ou um novo computador, que aumentará sua produtividade, ou uma nova jaqueta, que fará você se sentir incrível a próxima vez que sair.

Assim, vemos três soluções possíveis para o remorso do comprador: (1) perseguir a alta da dopamina comprando mais; (2) evitar a queda da dopamina comprando menos; ou (3) fortalecer a capacidade de transição da dopamina do desejo para o prazer proporcionado pelas A&As. Em nenhum caso, porém, há qualquer garantia de que as coisas que desejamos tão desesperadamente serão coisas que gostaremos de ter. Querer e gostar são sensações produzidas por dois sistemas diferentes no cérebro; portanto, muitas vezes não gostamos das coisas que desejamos. Isso é exatamente o que acontece numa cena do seriado *The Office* em que Will Ferrell, como o chefe temporário Deangelo Vickers, corta um grande bolo:

> **Deangelo:** Eu, por exemplo, gosto dos cantos.
> *Ele corta um canto do bolo e come com a mão.*
> **Deangelo:** Por que fiz isso? Nem está tão bom assim. Não quero mais. Já comi bolo no almoço.

Ele joga no lixo o que sobrou em sua mão.
Deangelo (enfiando os dedos no bolo e pegando outra porção): Não. Sabe de uma coisa? Eu tenho sido bom. Eu mereço isso.
Então faz uma pausa.
Deangelo: O que estou fazendo? Por favor, Deangelo!
E também joga fora aquela porção. Depois se inclina para o bolo e grita:
Deangelo: Não! Não!

Distinguir entre o que queremos e o que apreciamos pode ser difícil, mas a desconexão é mais dramática quando as pessoas se tornam viciadas em drogas.

SEQUESTRANDO O CIRCUITO DO DESEJO

Como estava sempre procurando mulheres, Andrew gastava a maior parte de seu tempo livre em bares. Quando ainda estava na faculdade, ia a festas onde se bebia até o amanhecer. Portanto, andar com uma cerveja na mão parecia natural. Após a formatura, quase todos os seus colegas de copo adquiriram outros interesses. O álcool deixou de desempenhar um papel central na vida deles. Mas Andrew, para quem um bar era como um lar, não mudou. Quando encontrava alguém que capturava sua atenção, bebia mais rápido. Sob a influência da bebida, o mundo se tornava um lugar mais emocionante. O que alimentava mais ainda seu prazer com o álcool.

Andrew percebeu que a bebida se tornara um problema quando as ressacas matinais começaram a prejudicar seu rendimento no trabalho e suas vendas começaram a cair. Seu terapeuta o aconselhou a parar de beber por trinta dias para que pudesse vivenciar como era estar sóbrio. O terapeuta sabia que, quando um bebedor inveterado consegue fazer isso, geralmente se sente melhor – mais lúcido, cheio de energia, mais capaz de desfrutar dos prazeres simples da vida – e que esse sentimento aumenta a motivação para a sobriedade a longo prazo. Por outro lado, se o bebedor não consegue se manter abstêmio por trinta dias, é uma indicação de que já não tem controle total sobre a bebida. Essa experiência reveladora pode persuadir um alcoólatra a eliminar o álcool de sua vida.

Andrew tentou e não teve dificuldade em se abster, exceto quando estava em algum bar procurando alguém para fazer sexo. Havia algo nos bares, algo na experiência costumeira da sedução que desencadeava desejos poderosos. Seu terapeuta ficou mais preocupado, sentindo que Andrew preenchia os critérios de um transtorno por uso de álcool. Pediu então a ele que fosse a algumas reuniões dos Alcoólicos Anônimos.

Andrew discordou do diagnóstico. Concentrou-se em superar sua compulsão por sexo casual, acreditando que, se tivesse sucesso, não precisaria mais frequentar bares e o problema com o álcool se resolveria sozinho. A terapia se estendeu por um longo tempo e, apesar das repetidas discussões com o terapeuta, Andrew começou a beber mais.

Um dia, ele atingiu seu objetivo. Conheceu uma pessoa que capturou seu interesse e, para seu deleite, o interesse não desapareceu. Após algumas recaídas, ele acabou desistindo completamente dos encontros fortuitos. Já não ia muito a bares, mas, para sua surpresa, o consumo de bebidas alcoólicas continuou. A bebida se infiltrara em seu cérebro, reprogramara os circuitos e ele já não conseguia parar.

As drogas viciantes atingem o circuito do desejo com uma intensa explosão química, que nenhum comportamento natural pode igualar. Nem comida, nem sexo, nem nada.

Segundo Alan Leshner, ex-diretor do Instituto Nacional de Abuso de Drogas, as drogas "sequestram" o circuito do desejo. Elas o estimulam com muito mais intensidade do que recompensas naturais, como comida ou sexo, que afetam o mesmo sistema de motivação cerebral. É por isso que os vícios em comida e sexo têm tanto em comum com o vício em drogas. Os circuitos cerebrais que evoluíram com o propósito crucial de nos manter vivos são tomados por uma substância química viciante e reprogramados para escravizar o viciado, que fica preso na rede.

O abuso de drogas é como o câncer: começa pequeno, mas logo domina todos os aspectos da vida. O alcoólatra, em geral, começa como um bebedor moderado. À medida que passa lentamente de algumas cervejas no fim de semana, digamos, para 1 litro de vodca todos os dias, outros aspectos de sua vida vão sendo engolidos. No início, ele para de ir aos jogos de futebol do filho para poder ficar em casa bebendo. Após algum tempo deixa de ir às reuniões de pais e mestres, e depois a todas as atividades da família. O trabalho vem por último, já que fornece o dinheiro para a compra de álcool. Mas por fim até o trabalho é abandonado. Como um tumor, o vício se espalha e toda a vida do alcoólatra se concentra na bebida. Ele estava fazendo escolhas racionais? Do lado de fora, não parece.

Mas do lado de dentro, onde vemos a dopamina em ação, faz muito sentido.

Como já explicamos, o sistema dopaminérgico evoluiu para nos motivar a sobreviver e reproduzir. Para a maioria das pessoas, não há nada mais importante do que permanecer vivo e manter seus filhos seguros. Essas são as atividades que produzem as maiores descargas de dopamina. De modo muito literal, grandes picos de dopamina sinalizam a necessidade de reagir a situações de vida ou morte. *Procurar abrigo. Procurar comida. Proteger os filhos.* São tarefas que afetam fortemente a produção de dopamina. O que poderia ser mais importante?

Para um viciado, as drogas são mais importantes. Pelo menos é assim que ele se sente. Como um míssil teleguiado, a explosão de dopamina provocada pelas drogas subjuga todo o resto. Se tomar decisões equivale a pesar opções em uma balança, uma droga viciante é um elefante sentado em um dos pratos. Nada pode se equiparar.

Um viciado prefere as drogas ao trabalho, à família, a tudo. Você acha que ele está fazendo escolhas irracionais, mas o cérebro dele lhe diz que são perfeitamente lógicas. Se alguém pedisse a você que escolhesse entre um jantar em um bom restaurante, até mesmo no melhor restaurante da cidade, e um cheque de 1 milhão de dólares, é ridículo pensar que você escolheria o jantar. É exatamente assim que um viciado se sente ao escolher entre, digamos, pagar o aluguel e comprar crack. Ele escolhe aquilo que provocará o maior pico de dopamina. Como a euforia provocada pelo crack é maior que qualquer experiência que se possa citar, é racional – sob o ponto de vista do desejo por dopamina, que impulsiona o comportamento dos viciados – que ele escolha o crack.

As drogas são fundamentalmente diferentes dos gatilhos naturais de dopamina. Quando estamos famintos, não há nada mais motivador do que conseguir comida. No entanto, depois que comemos, a motivação para obter comida diminui porque os circuitos de saciedade se tornam ativos e desligam o circuito do desejo. Existem freios e contrapesos para manter o sistema estável. Mas não há circuito de saciedade para o crack. Os viciados tomam drogas até desmaiar, adoecer ou ficar sem dinheiro. Se você perguntar a um viciado quanto crack ele quer, só há uma resposta: mais.

Vejamos por outro ângulo. O objetivo do sistema de dopamina é prever o futuro e, diante de uma recompensa inesperada, enviar uma mensagem: "Preste atenção. É hora de aprender algo novo sobre o mundo." Dessa forma, os circuitos de dopamina se tornam maleáveis e se transformam em novos padrões. Novas lembranças são formadas e novas conexões são estabelecidas. "Lembre-se do que aconteceu", diz o circuito de dopamina. "Isso pode ser útil no futuro."

Qual é o resultado final? Você não ficará surpreso a próxima vez que a recompensa surgir. Quando você descobriu o site que tocava suas músicas favoritas, foi emocionante. Mas, quando voltou àquele site, não foi. Não houve mais nenhum erro de previsão de recompensa. A dopamina não é um reservatório duradouro de alegria. Ao moldar o cérebro para tornar previsíveis eventos surpreendentes, a dopamina maximiza os recursos, como deve ser; mas no processo, ao suprimir a surpresa e extinguir o erro de previsão de recompensa, ela elimina a própria atividade.

Mas as drogas viciantes são tão poderosas que driblam os complicados circuitos de surpresa e previsão, e ativam artificialmente o sistema dopaminérgico. Embaralham tudo. Tudo que sobra é um torturante desejo por mais.

As drogas destroem o delicado equilíbrio do qual o cérebro precisa para funcionar normalmente. Estimulam a liberação de dopamina, não importa em que tipo de situação o usuário esteja. Isso confunde o cérebro, que começa a conectar o uso de drogas com tudo. Depois de algum tempo, o cérebro se convence de que as drogas são a resposta para todos os aspectos da vida. Quer comemorar? Use drogas. Está triste? Use drogas. Vai se divertir com um amigo? Use drogas. Está estressado, entediado, relaxado, tenso, irritado, poderoso, ressentido, cansado, cheio de energia? Use drogas. Pessoas engajadas em programas de doze passos, como o dos Alcoólicos Anônimos, dizem que os viciados precisam ficar atentos a três coisas que podem desencadear o desejo e levá-los à recaída: pessoas, lugares e coisas.

O VICIADO QUE JÁ NÃO CONSEGUIA DEIXAR SUAS ROUPAS BRANCAS E BRILHANTES

Os gatilhos entre os viciados podem ser coisas estranhas. Um ex-usuário de drogas evitava assistir a desenhos animados porque seu traficante imprimia personagens de *cartoons* nas embalagens das drogas que vendia. Às vezes os viciados nem sabem o que está provocando seu desejo. Um viciado em heroína que tentava largar o vício descobriu que ficava fissurado todas as vezes que ia ao supermercado. Não fazia ideia do motivo. Isso estava fazendo estragos em seu tratamento. Certo dia, ele e sua terapeuta foram até o supermercado para tentar descobrir o que estava acontecendo. A terapeuta pediu ao paciente para avisá-la quando viesse o desejo. Eles caminharam então pelos corredores, um a um, até que de repente o paciente parou e disse: "Agora." Estavam na ala de produtos de limpeza diante da gôndola de alvejantes. Antes de iniciar o tratamento, quando queria reutilizar as agulhas hipodérmicas, o viciado as embebia em água sanitária para evitar uma infecção por HIV.

POR QUE OS VICIADOS ACHAM QUE FUMAR CRACK É MELHOR DO QUE CHEIRAR COCAÍNA

O que torna uma droga viciante é a capacidade de ativar a dopamina no circuito do desejo. O álcool faz isso, a heroína faz isso, a cocaína faz isso e até a maconha faz isso. Nem todas as drogas desencadeiam a produção de dopamina no mesmo grau. As que atingem a dopamina com mais força são mais viciantes do que as que o fazem de modo mais discreto. Ao desencadear uma liberação maior da substância, as mais fortes também deixam o usuário mais eufórico e estimulam a ânsia por mais quando o efeito termina. A intensidade varia de acordo com a droga. Os fumantes de maconha geralmente são menos desesperados para obter mais drogas que os viciados em cocaína. Em que pesem as diferenças, todas provocam descargas dopaminérgicas e a ânsia subsequente.

Muitos fatores explicam as diferenças. A estrutura química das moléculas que compõem cada droga desempenha um papel importante; alguns compostos químicos são melhores que outros para impulsionar a dopamina em sua rota. Porém existem outras considerações. Por exemplo: o crack que os usuários fumam é essencialmente a mesma molécula da cocaína em pó que os usuários cheiram, mas é muito mais viciante – tanto que, quando se tornou amplamente disponível na década de 1980, tomou de assalto o mundo das drogas recreativas.

O que há de tão "bom" no crack que lhe permitiu dominar o mercado de cocaína e escravizar quimicamente tantas pessoas? Sob uma perspectiva científica, a resposta é simples: a *velocidade da ação*.

Consideremos uma droga como o álcool, que também desencadeia a liberação de dopamina. Quanto mais rápido o álcool penetrar no cérebro, mais embriagado ficará o bebedor. Na Figura 2, o eixo horizontal mostra quanto tempo se passou e o eixo vertical, quanta droga inundou o cérebro do usuário. Se a pessoa estiver bebericando uma taça de Chardonnay, o gráfico subirá suavemente para a direita. Mas, se essa mesma pessoa começar a tomar doses de vodca, o gráfico mostrará uma subida acentuada e rápida.

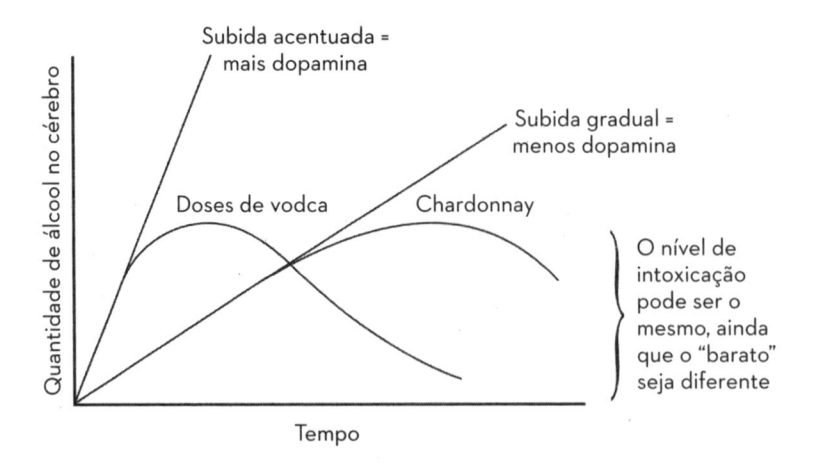

Figura 2

A inclinação da linha indica a rapidez com que o nível da droga – nesse caso, o álcool – está aumentando no cérebro. Quanto mais rápido o aumento, mais dopamina é liberada, amplificando a euforia e a ânsia por mais droga.

É por isso que fumar crack é mais atraente do que cheirar cocaína em pó: a descarga de dopamina é mais rápida e maior. A cocaína comum não pode ser fumada, pois o calor a destrói. Transformada em crack, torna-se tragável e entra no corpo pelos pulmões, e não pelo nariz. O que faz uma grande diferença.

Ao entrar no nariz, a cocaína em pó se deposita na mucosa nasal, o revestimento vermelho no interior das narinas – vermelho porque seus vasos sanguíneos são superficiais. É por eles que a cocaína penetra na corrente sanguínea. Mas isso não é muito eficiente, pois o espaço é pequeno. Às vezes, quando um usuário cheira uma carreira de cocaína, parte do pó não chega a ser absorvida, pois a área na superfície da mucosa é pequena.

Não quer dizer que cheirar cocaína não seja perigoso e viciante, mas há uma forma de torná-la ainda mais perigosa e viciante: fumá-la. Fumar cocaína como crack torna o processo mais eficiente. Ao contrário da mucosa nasal, a superfície dos pulmões, preenchida com centenas de milhões de minúsculos sacos de ar, é enorme: se a membrana alveolar de apenas um pulmão fosse estendida como um tapete, sua área seria equivalente à de uma quadra de tênis. Com tanto espaço disponível, a cocaína vaporizada entra direto na corrente sanguínea e chega rapidamente ao cérebro – uma invasão repentina com enorme impacto no sistema dopaminérgico.

A liberação de dopamina é também o motivo pelo qual os viciados injetam drogas na veia. Outras formas de administração já não proporcionam a emoção que procuram. Mas, como injetar drogas é um pouco assustador e um claro sinal de vício, o estigma e o medo da agulha podem desencorajar muitos viciados de usar este método. Infelizmente, fumar crack leva a droga ao cérebro tão rápido quanto uma injeção intravenosa. E sem o estigma associado às agulhas. Assim, muitos usuários casuais de cocaína acabam mergulhando num vício destruidor de vidas. O mesmo ocorreu com a metanfetamina quando se tornou disponível em forma tragável.

"ALTINHO" X BÊBADO: QUAL A DIFERENÇA?

Há uma grande diferença entre estar "altinho" e bêbado, mas muitos não sabem disso. E menos pessoas ainda entenderiam por quê.

Uma noite de bebedeira parece melhor no início. O nível de álcool sobe com rapidez, e isso é bom – é a euforia dopaminérgica, diretamente relacionada à velocidade com que o álcool chega ao cérebro. À medida que a noite avança, porém, a taxa de aumento cai e a dopamina é desligada. A euforia dá lugar à embriaguez. O estágio inicial do aumento no nível de álcool pode ser caracterizado por maior energia, excitação e prazer. A intoxicação, por outro lado, é caracterizada por sedação, má coordenação, fala arrastada e confusão mental. A velocidade do álcool em chegar ao cérebro determina quão chapado o bebedor se sente. Mas é a quantidade total de bebida, independentemente de ter sido consumida rápida ou lentamente, que determina o nível de intoxicação.

Bebedores inexperientes confundem as duas coisas. Ao começarem a beber, aumentam o nível de álcool no sangue, sentem os prazeres da dopamina e acreditam, erroneamente, que o prazer deriva da intoxicação. Então continuam bebendo cada vez mais, tentando em vão recuperar o êxtase inicial. Muitas vezes acabam curvados sobre um vaso sanitário.

Algumas pessoas descobrem isso sozinhas. Uma mulher em uma festa disse que sempre se divertia mais tomando coquetéis do que cerveja. A princípio, parecia bobagem, pois álcool é álcool, seja em uma cerveja ou no daiquiri. Mas a ciência valida a experiência da mulher. Coquetéis geralmente contêm mais álcool que cerveja ou vinho. Além disso, costumam levar açúcar, o que leva as pessoas a beber mais depressa – acelerando a estimulação dopaminérgica. Como aquela mulher queria euforia, não embriaguez, os coquetéis turbinavam sua diversão. Com eles, obtinha mais dopamina do que se passasse uma noite inteira bebendo cerveja.

O DESEJO QUE NUNCA PARA

Enquanto está usando drogas, um viciado sempre quer mais e mais. Entretanto, o cérebro perde gradualmente sua capacidade de entregar o barato – o circuito do desejo reage cada vez menos, tanto que é possível substituir a droga por água salgada. Em um experimento, quando cientistas injetaram em cocainômanos um estimulante semelhante à cocaína, eles liberaram 80% menos dopamina do que pessoas saudáveis que receberam a mesma droga. A quantidade de dopamina liberada pelos viciados foi aproximadamente a mesma que os cientistas detectaram quando injetaram um placebo – uma substância inativa, como água salgada, por exemplo.

Patrick Kennedy, ex-deputado federal pelo 1º Distrito Congressional de Rhode Island e filho de Ted Kennedy, falecido senador de Massachusetts, entende o mecanismo de redução dos estímulos proporcionados pelo uso de drogas e talvez seja o principal defensor das pesquisas sobre o cérebro e da melhoria dos serviços de saúde mental no país. Ele mesmo lutou contra vícios e os reconheceu publicamente após bater com seu carro, no meio da noite, em uma barreira que protegia o Capitólio, em Washington. Em uma entrevista com Lesley Stahl no programa *60 Minutes* ele falou sobre a compulsão a usar drogas, mesmo na ausência de prazer:

Não é nenhuma festa. Não há nenhum prazer. Trata-se de aliviar a dor. As pessoas têm a noção equivocada de que você quer ficar doidão. O que você quer mesmo é aliviar a depressão.

É por isso que, mesmo que a cocaína (ou heroína, álcool, maconha) já não lhe dê nenhum barato, o viciado vai continuar usando a droga.

Lembra-se da surpresa agradável com a confeitaria e seu delicioso café com croissants? Você estava caminhando sem esperar nada de especial quando algo bom apareceu e seu sistema de dopamina entrou em ação – pois sua "previsão" estava errada e você vivenciou a explosão de dopamina por erro de previsão de recompensa. Você então passa a frequentar essa confeitaria todos os dias. Agora imagine que você está esperando na fila para o café da manhã com croissants e, de repente, seu telefone toca. É sua chefe. Há uma emergência no trabalho. "Largue o que estiver fazendo", diz ela, "e venha para o escritório imediatamente." Se você for uma pessoa responsável, sairá da padaria de mãos abanando, ressentido e carente.

Agora digamos que seja sábado à noite e o cérebro de um viciado esteja esperando sua habitual "guloseima" da hora – cocaína – mas não consiga obtê-la. Assim como o funcionário de escritório sem os croissants, o viciado em drogas ficará decepcionado e ressentido.

Quando uma recompensa esperada não se materializa, o sistema dopaminérgico se desliga. Em termos científicos, quando esse sistema está em repouso, trabalha lentamente, disparando dopamina de três a cinco vezes por segundo. Ao ser excitado, descarrega-a de vinte a trinta vezes por segundo. Se uma recompensa esperada não se materializar, o ritmo de ativação cai para zero, o que é terrível.

Eis por que uma interrupção no fluxo de dopamina faz você ficar decepcionado e ressentido. É assim que um viciado em drogas lutando para se manter limpo se sente todos os dias. Superar o vício requer uma enorme quantidade de força de vontade, determinação e apoio. Não se brinca com dopamina. O preço é altíssimo.

O DESEJO É PERSISTENTE, MAS A FELICIDADE É FUGAZ

Ceder ao desejo não leva necessariamente ao prazer, porque querer é diferente de gostar. A dopamina faz promessas que não está em condições de cumprir. "Se você comprar esses sapatos, sua vida mudará", diz o circuito do desejo, e isso pode acontecer, mas não por causa da dopamina.

O Dr. Kent Berridge, professor de psicologia e neurociência na Universidade de Michigan, é um pioneiro no processo de desembaraçar os circuitos da dopamina do desejo dos circuitos de desfrute do aqui e agora. Ele descobriu que, quando um rato prova uma solução de açúcar, ele sinaliza apreciação lambendo os lábios e consumindo mais líquido doce. Quando o Dr. Berridge injetou no cérebro de um rato um composto químico que aumentou a dopamina, o animal consumiu mais água com açúcar, porém não mostrou nenhum sinal evidente de prazer. Por outro lado, quando o cientista injetou um reforço de substâncias químicas A&As, o rato lambeu três vezes mais os lábios. A água com açúcar, de repente, ficou muito mais gostosa.

Em uma entrevista à revista *The Economist*, o Dr. Berridge observou que o sistema da dopamina do desejo é poderoso e altamente influente no cérebro, enquanto o circuito de afeição é minúsculo, frágil e muito mais difícil de ser acionado. A diferença entre os dois explica por que "os prazeres intensos da vida são menos frequentes e menos sustentáveis que o desejo intenso".

Gostar envolve diferentes circuitos no cérebro e usa as substâncias químicas A&As, não a dopamina, para enviar mensagens. Em particular, gostar depende dos mesmos compostos químicos que promovem a satisfação a longo prazo do amor companheiro: endorfinas e endocanabinoides. Como a heroína, a oxicodona e outras drogas embaralham tanto o circuito do desejo quanto o circuito da afeição (onde atuam a dopamina e a endorfina, respectivamente); elas estão entre as drogas mais viciantes que existem. A maconha é parecida. Também interage com ambos os circuitos, estimulando a dopamina e o sistema endocanabinoide. Esse duplo efeito produz resultados incomuns.

Aumentar a dopamina pode levar a um entusiástico envolvimento com situações que, de outro modo, seriam percebidas como sem importância. Por exemplo, os usuários de maconha costumam ficar na frente de uma pia observando a água pingar da torneira, cativados pela visão trivial das gotas caindo ritmadamente. O efeito do aumento da dopamina também é evidente quando fumantes de maconha se perdem nos próprios pensamentos, flutuando sem rumo por mundos imaginários. Por outro lado, em algumas circunstâncias, a maconha suprime a dopamina, imitando o que as A&As costumam fazer. Nesse caso, atividades que normalmente estariam associadas ao desejo e à motivação, como trabalhar, estudar ou tomar banho, parecem menos importantes.

IMPULSIVIDADE E A ESPIRAL DESCENDENTE

Muitas das decisões que os adictos tomam, sobretudo as prejudiciais, são impulsivas. O comportamento impulsivo ocorre quando se dá muito valor ao prazer imediato e pouco às consequências a longo prazo. A dopamina do desejo domina as partes mais racionais do cérebro. Fazemos escolhas que sabemos ser más, porém nos sentimos impotentes para resistir. É como se nosso livre-arbítrio fosse comprometido por um desejo irresistível de prazer imediato: um saco de batatas fritas quando estamos de dieta, uma noite cara que não podemos pagar.

Drogas que amplificam a liberação de dopamina também podem aumentar o comportamento impulsivo. Um viciado em cocaína disse uma vez: "Quando cheiro uma carreira de cocaína, me sinto um novo homem. E a primeira coisa que o novo homem quer é outra carreira de cocaína." Sempre que o viciado estimula seu sistema de dopamina, esse sistema responde exigindo mais estímulo. É por isso que a maioria dos viciados em cocaína fuma cigarros quando usa a droga. A nicotina estimula a liberação adicional de dopamina, mas é mais barata e mais fácil de obter.

A nicotina, na verdade, é uma droga incomum porque faz muito pouco, exceto desencadear o uso compulsivo. De acordo com o pesquisador Roland R. Griffiths, Ph.D., professor de psiquiatria e ciências comportamentais na Escola de Medicina da Universidade Johns Hopkins, "quando você oferece nicotina às pessoas pela primeira vez, a maioria não gosta. É diferente de muitas drogas viciantes, que a maioria das pessoas diz apreciar logo na primeira experiência e que usaria novamente". A nicotina não deixa você chapado como a maconha, intoxicado como o álcool ou ligado como a anfetamina. Algumas pessoas relatam que essa substância as deixa mais relaxadas ou mais alertas, mas, na verdade, o principal efeito é aliviar o desejo por ela própria. É o círculo perfeito. O único sentido de fumar cigarros é ficar viciado para que se possa experimentar o prazer de aliviar a sensação desagradável de desejo, como um homem que carrega uma pedra o dia todo porque se sente muito bem quando a tira das costas.

O vício surge do cultivo químico do desejo. O sistema delicado que nos informa do que gostamos ou não gostamos não é páreo para o poder bruto da compulsão dopaminérgica. O sentimento de querer torna-se avassalador e totalmente desvinculado do fato de o objeto de desejo ser algo de que realmente gostamos, ser bom para nós ou poder nos matar. O vício não é um sinal de caráter fraco ou falta de força de vontade. Ocorre quando os circuitos do desejo são lançados em um estado patológico por superestimulação.

Cutuque a dopamina com força e por muito tempo, e o poder dela vai rugir para você. Quando se tornar todo-poderosa, será difícil domá-la.

O PACIENTE DE PARKINSON QUE PERDEU A CASA PARA O VIDEOPÔQUER

As drogas recreativas não são as únicas que estimulam a dopamina. Alguns medicamentos prescritos também fazem isso, e quando atingem o circuito do desejo com muita força, coisas estranhas podem acontecer. A doença de Parkinson é provocada por deficiência de dopamina em uma via responsável pelo controle dos movimentos musculares. Ou, mais simplesmente, na forma como traduzimos em ações o nosso mundo interior, na forma como impomos nossa vontade. Quando não há dopamina suficiente nesse circuito, as pessoas ficam rígidas, trêmulas e se movem devagar. O tratamento consiste em prescrever medicamentos que aumentam os níveis de dopamina.

A maioria das pessoas que tomam esses medicamentos se sai bem, mas cerca de um em cada seis pacientes mergulha na busca do prazer por meio de comportamentos de alto risco. Jogatinas patológicas, hipersexualidade e compras compulsivas são as manifestações mais comuns da excessiva estimulação da dopamina. Para examinar esse risco, pesquisadores britânicos ofereceram uma droga chamada L-dopa a 15 voluntários saudáveis. A L-dopa se transforma em dopamina dentro do cérebro e pode ser usada para tratar o Parkinson. A outros 15 voluntários, eles deram um placebo. Ninguém sabia quem recebeu a droga e quem recebeu uma pílula falsa.

Após tomarem os comprimidos, os voluntários tiveram a oportunidade de jogar. Os participantes que haviam tomado a pílula com dopamina fizeram apostas maiores e mais arriscadas do que aqueles que haviam ingerido o placebo. O efeito foi mais pronunciado nos homens que nas mulheres. Periodicamente, os pesquisadores pediam aos voluntários que avaliassem quão felizes estavam. Não houve diferença entre os dois grupos. O circuito com o reforço de dopamina incitava o comportamento impulsivo, mas não a satisfação – impulsionava o desejo, mas não o apreço.

Quando os cientistas usaram campos magnéticos potentes para examinar o cérebro dos participantes, encontraram outro efeito: quanto mais ativas estivessem as células de dopamina, mais dinheiro os voluntários esperavam ganhar.

Não é incomum que pessoas se iludam dessa forma. Poucas coisas são mais improváveis do que ganhar na loteria. É mais provável que uma pessoa tenha quadrigêmeos idênticos ou seja esmagada pela queda de uma máquina de venda automática bamba. É cem vezes mais provável ser atingido por um raio. No entanto, milhões de indivíduos compram bilhetes de loteria. "Alguém tem que ganhar", dizem. Um entusiasta mais sofisticado da dopamina expressou sua devoção à loteria desta forma: "É a esperança ao custo de 1 dólar."

Esperar um bilhete premiado na loteria pode ser irracional, mas distorções de julgamento muito mais graves podem ocorrer com o uso diário de medicamentos que aumentam a dopamina:

Em 10 de março de 2012, os advogados de Ian* – um homem de 66 anos morador de Melbourne, Austrália – deram entrada em um processo contra a Pfizer, fabricante de medicamentos. Na ação, Ian alegava que um medicamento para a doença de Parkinson chamado Cabaser, fabricado pela empresa, era responsável por ele ter perdido tudo que tinha.

Ian foi diagnosticado com Parkinson em 2003. Seu médico receitou Cabaser e, em 2004, dobrou a dose. Foi então que começaram os problemas. Ian começou a apostar pesadamente em máquinas de videopôquer. Aposentado, ele recebia 850 dólares por mês, um valor modesto para os padrões australianos. Todos os meses ele apostava tudo nas máquinas, mas não era suficiente. Para alimentar sua compulsão, vendeu seu carro por 829 dólares, penhorou grande parte do que possuía por 6.135 dólares e fez empréstimos no valor de 3.500 dólares junto a amigos e familiares. Em seguida, fez empréstimos superiores a 50 mil dólares em quatro instituições financeiras. No dia 7 de julho de 2006, Ian vendeu sua casa.

Ao todo, esse homem de renda modesta jogou fora mais de 100 mil dólares. Em 2010, após ler um artigo sobre a ligação entre a medicação para Parkinson e o vício em jogos de azar, ele parou de tomar Cabaser e o problema desapareceu.

---

* Para proteger a privacidade das pessoas, mudamos as características ou criamos composições de indivíduos e seus casos ao longo do livro.

Por que algumas pessoas que tomam a medicação para Parkinson se envolvem em comportamentos destrutivos, mas a maioria, não? É possível que tenham nascido com uma vulnerabilidade genética. Indivíduos que jogavam com frequência no passado são mais propensos que outros a jogar de maneira descontrolada após começarem a tomar o remédio para Parkinson. Isso sugere que certas características de personalidade colocam as pessoas em risco.

Outro risco da medicação para Parkinson é a hipersexualidade. Um estudo de casos na Clínica Mayo – revelados pelo rastreamento de pacientes com certo tipo de doença ou tratamento – descreveu um homem de 57 anos tratado com L-dopa que "tinha relações sexuais duas vezes ao dia e, quando possível, até mais frequentemente. Tanto ele quanto a esposa trabalhavam em período integral e, por causa de sua agenda cheia, ela achava difícil satisfazê-lo". Depois que ele se aposentou, aos 62 anos, as coisas pioraram. Ele fez avanços sexuais contra duas moças de sua família e também contra mulheres da vizinhança. Sua esposa acabou tendo que deixar o emprego.*

Outro paciente expressou sua hipersexualidade passando horas, todos os dias, em salas de bate-papo para adultos na internet. Mas mesmo pessoas saudáveis, que não tomam nenhuma medicação, são suscetíveis ao chamado dopaminérgico da pornografia potencializado pela internet.

Ninguém precisa do remédio para Parkinson inundando o cérebro para ter sua vida perturbada pela obsessão sexual. Basta a temível tríade de dopamina, tecnologia e pornografia.

MAIS, MAIS, MAIS: A DOPAMINA E O PODER DA PORNOGRAFIA

Noah, um homem de 28 anos, procurou ajuda por não conseguir parar de assistir a pornografia. Criado em uma família católica, viu-se exposto à pornografia pela primeira vez quando tinha 15 anos. Ele estava na

---

* Esse problema afeta principalmente homens, mas as mulheres não estão imunes. Na Clínica Mayo, em um grupo de 13 pacientes, dois eram do sexo feminino, mulheres solteiras e sexualmente abstinentes antes de iniciarem o tratamento.

internet pesquisando um assunto não relacionado quando se deparou com a foto de uma mulher nua. A partir daquele momento, segundo disse, ficou viciado.

No começo, as coisas não eram tão ruins. Ele acessava a internet através de uma conexão discada e as fotos "demoravam séculos para carregar". Ele teve sorte: a tecnologia limitava sua dose diária. Ele descreveu as fotos que via no início como "comportadas". Com o tempo, tudo mudou. A banda larga lhe permitiu acessar fotos instantaneamente e ainda podia acrescentar vídeos à sua rotina diária. O material comportado deu lugar a atos mais extremos, enquanto sua tolerância à excitação pornográfica aumentava.

Ele considerava seu comportamento um pecado, uma falha moral, e usava sua ligação com a Igreja para controlar a compulsão. Confessava-se regularmente e recebia um apoio emocional que o ajudava a reduzir seus hábitos. Mas, quando a firma em que trabalhava o designou para uma filial no exterior, tudo veio abaixo. Isolado socialmente por não falar a língua local, sua compulsão aumentou mais do que nunca. Ele disse: "O que torna isso tão difícil é a luta interior, a guerra contra você mesmo." Sentindo-se totalmente fora de controle, ele já não acreditava mais que seu problema fosse estritamente moral. "Preciso lutar contra isso em um nível químico, pois em algum momento vou querer me casar."

Graças à internet, acessar conteúdo pornográfico está mais fácil do que nunca. Há quem afirme que mesmo pessoas saudáveis, que não tomam medicamentos, podem se viciar em pornografia. Em 2015, o *Daily Mail* afirmou que um em cada 25 jovens adultos no Reino Unido era viciado em sexo.

Um repórter do jornal conversou com pesquisadores da Universidade de Cambridge, os quais descreveram experimentos em que colocaram jovens em scanners cerebrais e depois exibiram vídeos pornográficos para eles. Como esperado, seus circuitos de dopamina se ativaram e voltaram ao normal quando vídeos comuns foram exibidos.

Posteriormente, os cientistas colocaram outros voluntários na frente de um computador. Descobriram que, entre todo o conteúdo da internet, os homens jovens eram mais propensos a clicar compulsivamente em fotos de mulheres nuas. Também constaram que, quando as pessoas queriam prestar atenção em outra coisa, mostrar a elas "imagens sexuais altamente excitantes" era uma boa distração. No fim do estudo, concluíram que o comportamento sexual compulsivo era alimentado pelo fácil acesso a imagens sexuais na internet.

O PODER DO ACESSO FÁCIL

Quando se trata de vício, o acesso fácil é importante. Mais pessoas ficam viciadas em cigarros e álcool do que em heroína, embora a heroína atinja o cérebro de um modo mais viciante. Cigarros e álcool são um grande problema de saúde pública porque são fáceis de obter. Na verdade, a forma mais eficaz de reduzir os problemas causados por essas substâncias é dificultar o acesso a elas.

Todos nós já vimos as embalagens de cigarros trazendo alertas sobre os perigos de fumar. Não funcionam. Ouvimos falar de programas escolares que orientam as crianças a dizer não às drogas e ao álcool. Em muitos casos, o uso aumenta após esses programas, pois despertam a curiosidade dos alunos adolescentes. Apenas duas medidas se revelaram eficientes: aumentar os impostos sobre esses produtos e estabelecer limites para quando e onde podem ser vendidos. Quando essas medidas são tomadas, o uso diminui.*

Mas à medida que as barreiras ao uso do tabaco aumentaram, as barreiras à pornografia diminuíram. No passado, obter fotos sexualmente explícitas era uma espécie de provação. As pessoas precisavam se encher de coragem para entrar em uma banca e pegar uma revista, sempre esperando que o caixa não fosse do sexo oposto. Hoje, fotos e vídeos pornográficos podem ser obtidos em questão de segundos e com total privacidade. Já não há barreiras de constrangimento ou vergonha.

---

* O aumento do preço dos cigarros e do álcool, entretanto, é controverso, sobretudo no que diz respeito aos cigarros. Há cada vez menos fumantes. Os que persistem são geralmente mais pobres e menos instruídos. Portanto, o aumento nos impostos sobre os cigarros os atinge com mais força – o que é a antítese de um sistema tributário que pretende transferir uma carga maior de tributos para quem tem mais condições de pagá-los. Os defensores dessa estratégia argumentam que os custos infligidos aos pobres são contrabalançados pela redução do risco nessa população de contrair câncer, enfisema e doenças cardíacas.

Ainda não sabemos se a visualização compulsiva de pornografia é equivalente ao vício em drogas, mas ambas as coisas têm pontos em comum. Assim como acontece com o vício em drogas, as pessoas que ficam presas ao uso excessivo de pornografia passam cada vez mais tempo nessa atividade – às vezes muitas horas por dia. Abandonam todo o restante para se concentrarem em sites adultos na internet. As relações sexuais com seus parceiros tendem a se tornar menos frequentes e menos satisfatórias. Um jovem desistiu completamente de namorar. Ele disse que preferia ver pornografia a sair com uma mulher de verdade, pois as mulheres nas fotos nunca exigiam nada dele e nunca diziam não.

Tal como ocorre com as drogas, a dependência também pode se instalar no caso da pornografia quando a "dose" inicial já não funciona tão bem. Ao ver repetidamente as mesmas imagens sexuais, o interesse dos viciados em sexo diminuía, assim como a atividade medida em seus circuitos de dopamina. O mesmo ocorria com homens saudáveis ao verem muitas vezes o mesmo vídeo pornográfico. Diante de um novo vídeo, seus sistemas de dopamina aceleravam novamente. A experiência de uma descarga de dopamina, seguida por uma queda de dopamina (imagens repetidas), seguida por outra descarga de dopamina (novas imagens) leva os viciados a buscar material novo continuamente, o que pode explicar por que navegar em sites de sexo pode se tornar uma compulsão. É difícil resistir às demandas dos circuitos de dopamina, sobretudo com algo tão importante do ponto de vista evolutivo quanto o sexo. Os pesquisadores que realizaram o estudo também identificaram uma divisão entre querer e gostar semelhante à que se vê no vício em drogas: "Os viciados em sexo revelaram níveis mais altos de desejo ao assistirem a vídeos explícitos, mas não lhes atribuíam, necessariamente, uma pontuação mais alta no quesito 'apreciação.'"

OS VIDEOGAMES TAMBÉM VICIAM?

Não é só a pornografia que pode seduzir os usuários de computadores. Alguns cientistas afirmam que os videogames podem também ser viciantes. De certa forma, se assemelham aos jogos de cassino. Assim como as máquinas caça-níqueis, os videogames surpreendem os jogadores com recompensas imprevisíveis. Porém, fazem mais do que isso, o que pode torná-los agentes ainda mais poderosos de liberação de dopamina. Ao pesquisar o problema, o psicólogo Douglas Gentile, da Universidade Estadual de Iowa, descobriu que praticamente um em cada dez jogadores de 8 a 18 anos é viciado. Uma taxa de dependência mais de cinco vezes superior à verificada entre jogadores de cassinos, segundo o Conselho Nacional de Pesquisas sobre Jogos Patológicos, e que pode acarretar problemas familiares, sociais, escolares e psicológicos. O que explica essa grande diferença no número de usuários que ficam viciados?

Parte da diferença se deve ao fato de que os jogadores estudados por Gentile eram adolescentes. É pouco comum que adultos sofram consequências negativas graves por jogarem videogames. O cérebro dos adolescentes, no entanto, ainda não está totalmente desenvolvido; assim, esse grupo pode agir como adultos com danos cerebrais. A maior diferença no cérebro do adolescente está nos lobos frontais, que não se desenvolvem completamente até os 20 e poucos anos. Isso é um problema, pois são os lobos frontais que conferem aos adultos uma boa capacidade de discernimento. Agindo como um freio, eles nos alertam quando estamos prestes a fazer algo que pode não ser uma boa ideia. Sem lobos frontais em pleno funcionamento, os adolescentes agem por impulso e correm mais riscos de tomar decisões imprudentes, mesmo quando sabem das coisas.

Há mais do que isso, porém. Os videogames são mais complexos que as máquinas caça-níqueis, pois oferecem aos programadores mais oportunidades para incorporar recursos que acionam a liberação de dopamina e dificultam a interrupção do jogo.

Videogames têm tudo a ver com a imaginação. Eles nos levam a um mundo onde nossas fantasias podem se tornar realidade e onde a dopamina, que evita a realidade, desfruta de infinitas possibilidades. Podemos explorar ambientes que mudam o tempo todo, garantindo surpresas infinitas. Podemos começar em um deserto, chegar a uma floresta tropical, entrar num beco escuro de um violento inferno urbano e, de repente, voar em um foguete na direção de um mundo extraterrestre.

Os jogadores fazem mais que apenas explorar. Os videogames têm tudo a ver com o progresso, com tornar o futuro melhor que o presente. Os jogadores progridem através de vários níveis enquanto aumentam sua força e sua habilidade. É um sonho de dopamina que se torna real. Para manter os progressos em primeiro plano na mente do jogador, a tela exibe a pontuação acumulada ou as barras de progressão. Assim ele nunca esquece que precisa buscar *mais*.

Os videogames oferecem muitas recompensas. Os jogadores coletam moedas, caçam tesouros ou talvez capturem unicórnios mágicos para passar ao nível seguinte. As expectativas estão sempre em desequilíbrio, pois o jogador nunca sabe onde estará a próxima recompensa. Em alguns jogos, ele precisa matar monstros para ganhar pontos. Em outros, tem que vasculhar baús de tesouros.

Quando um jogador abre um baú recém-descoberto, pode encontrar o que está procurando, mas nem sempre. Se tiver que coletar sete pedras preciosas, digamos, e abrir sete baús contendo uma pedra preciosa cada, o jogo será completamente previsível. Não haverá surpresas, nenhum erro de previsão de recompensa e nenhuma molécula de dopamina. Se, por outro lado, ele tiver que abrir mil baús para encontrar uma única gema, o jogo seria tão frustrante que todos desistiriam. Como um desenvolvedor decide que percentual de baús deve conter uma pedra preciosa? A resposta estará nos dados. Muitos dados.

Os jogos on-line estão sempre coletando informações sobre os jogadores. Quanto tempo jogam? Quando desistem? Que tipos de experiências os fazem jogar por mais tempo? O que os faz desistir? De acordo com o teórico de jogos Tom Chatfield, os maiores jogos on-line vêm acumulando bilhões de dados sobre seus jogadores. Sabem exatamente o que ativa a dopamina e o que a desliga – embora os projetistas de jogos não pensem nesses eventos como gatilhos de dopamina, mas simplesmente como "aquilo que funciona".

Assim, o que os dados nos dizem sobre a proporção ideal de baús que deve conter pedras preciosas? Verificou-se que 25% é o número mágico, o que mantém as pessoas jogando por mais tempo. Mas não há razão para que os outros 75% estejam vazios. Os desenvolvedores de jogos colocam recompensas de baixo valor nos baús sem gemas, de modo que cada um contenha uma surpresa. Talvez uma moeda pequena. Talvez uma nova mira para seu rifle. Talvez um par de óculos de sol que deixará seu personagem on-line com uma aparência descolada. Ou talvez algo tão poderoso que abra maneiras inteiramente novas de interagir com o jogo. Chatfield nos diz que uma recompensa como essa deve ser encontrada em apenas um entre mil baús de tesouro. (A propósito, o jogo provavelmente não permitirá que você progrida para o próximo nível com apenas sete gemas. Bilhões de dados nos dizem que 15 é o número ideal para que as pessoas joguem o maior tempo possível.)

Vale a pena mencionar que também existem prazeres A&A nos videogames que contribuem para seu apelo. Muitos jogos permitem que você interaja com amigos. A experiência de estar com outras pessoas sem outro motivo além do prazer é uma experiência A&A. Mas a experiência de nos reunirmos para atingir algum objetivo compartilhado é dopaminérgica, pois estamos trabalhando para um futuro melhor (mesmo que seja apenas a captura de uma base inimiga). Os videogames proporcionam os dois tipos de prazer social.

Muitos videogames também são bonitos, o que é outra forma de estimular o prazer do A&A. Alguns – criados por pessoas talentosíssimas a custos astronômicos – chegam a ser maravilhosos. O *Los Angeles Times* informou que o desenvolvimento do jogo *Star Wars: A Velha República* exigiu mais de oitocentas pessoas em quatro continentes a um custo de mais de 200 milhões de dólares. O mundo abarcado pelo jogo é vasto. Trabalhar em todas as linhas da história exigiria 1.600 horas. Gastar tanto dinheiro para criar um jogo é arriscado, mas o potencial de grandes lucros é real. Grand Theft Auto (GTA), uma das séries de videogames de maior sucesso, teve vendas de 1 bilhão de dólares em apenas três dias no lançamento da quinta geração. Os americanos gastam mais de 20 bilhões de dólares por ano em videogames. Em 2016 – ano de maior arrecadação com ingressos de cinema na história dos Estados Unidos –, gastaram apenas metade desse valor.

DOPAMINA X DOPAMINA

É natural confundir querer e gostar. Parece óbvio querermos o que gostaríamos de ter. E assim seriam as coisas se fôssemos as criaturas racionais que achamos que *somos*, apesar de todas as evidências em contrário. Mas não somos. Frequentemente queremos algo de que não gostamos. Nossos desejos podem nos levar a comportamentos descontrolados e a coisas que podem destruir nossa vida, como drogas e jogos de azar.

O circuito do desejo desencadeado pela dopamina é poderoso. Ele arrebata nossa atenção, nossas motivações e nossas emoções. Tem profunda influência sobre as escolhas que fazemos. No entanto, não é todo-poderoso. Há viciados que ficam limpos. Pessoas que perdem peso com dietas. Às vezes desligamos a TV, saímos do sofá e vamos correr. Que tipo de circuito no cérebro tem poder suficiente para se opor à dopamina? A própria dopamina. O circuito que se opõe ao circuito do desejo pode ser chamado de circuito da dopamina de controle.

Você deve se lembrar que, em muitas situações, a dopamina focada no futuro se opõe à atividade dos circuitos de A&As e vice-versa. Se você estiver pensando sobre onde vai jantar, provavelmente não estará apreciando o sabor, o cheiro e a textura do sanduíche do almoço. Mas também há oposição dentro do próprio sistema dopaminérgico orientado para o futuro.

Por que o cérebro desenvolveria circuitos que brigam entre si? Não faria mais sentido somarem forças na mesma direção, por assim dizer? Na verdade, não. Sistemas que contêm forças opostas são mais fáceis de controlar. Eis por que os carros têm acelerador e freio, e por que o cérebro usa circuitos que se contrapõem.

Não é nenhuma surpresa que o circuito da dopamina de controle envolva os lobos frontais, a região do cérebro às vezes chamada de neocórtex, pois evoluiu mais recentemente. É a parte que torna únicos os seres humanos. Graças ao neocórtex podemos imaginar um futuro que vai além do que o mero circuito do desejo permite e fazer planos a longo prazo. É também a área que nos permite maximizar recursos nesse futuro, criando novas ferramentas e abraçando conceitos abstratos – conceitos esses que se elevam acima da experiência aqui e agora dos sentidos, como linguagem, matemática e ciências. O neocórtex é intensamente racional. Não sente nada, já que a emoção é um fenômeno A&A. Como veremos no próximo capítulo, o neocórtex é frio, calculista, implacável e faz o que for preciso para atingir seus objetivos.

Impulso sem razão não é suficiente, e razão sem impulso é um pobre artifício. – William James, escritor

Um julgamento ponderado vale mais que uma dezena de reuniões apressadas.
– Woodrow Wilson, ex-presidente dos Estados Unidos

Capítulo 3
DOMINAÇÃO

Até que ponto você irá?

Examinaremos como a dopamina nos leva a superar a complexidade, a adversidade, as emoções e a dor para podermos controlar nosso ambiente.

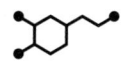

PLANEJAMENTO E CÁLCULO

O simples fato de querer raramente nos dá muita coisa. Temos que descobrir como obter o objeto de desejo e analisar se vale a pena obtê-lo. Na verdade, quando fazemos algo sem pensar em *como* e *no que vem a seguir*, o fracasso nem é o pior resultado possível. As consequências podem variar de comer um pouco mais até imprudentes jogos de azar, abuso de drogas e coisas piores.

A dopamina nos faz querer coisas. É a fonte do desejo bruto: *quero mais*. Mas não estamos à mercê desgovernada de nossos desejos. Também temos um circuito complementar de dopamina que calcula qual é o tipo de *mais* que vale a pena ter e nos torna capazes de formular planos – criar estratégias para dominar o mundo ao nosso redor de modo a obter o que queremos. Como um único composto químico faz ambas as coisas? Pense no combustível que alimenta os motores principais de uma nave espacial. Esse mesmo combustível que impulsiona o foguete pode acionar propulsores para mudar de direção e retrofoguetes para desacelerá-lo. Tudo depende do caminho que o combustível percorre antes da ignição. As funções são diferentes, mas todas operam juntas para levar a espaçonave ao seu destino. De modo semelhante – percorrendo diversos circuitos cerebrais –, a dopamina também ativa diferentes funções, mas todas direcionadas implacavelmente a um objetivo comum: melhorar o futuro.

Os impulsos têm origem na passagem da dopamina pela via mesolímbica, que chamamos de circuito do desejo dopaminérgico. Cálculos e planejamento – os meios de dominar situações – provêm da via mesocortical, que chamaremos de circuito da dopamina de controle (Figura 3). Por que chamá-lo de circuito de controle? Porque seu objetivo é administrar os des-

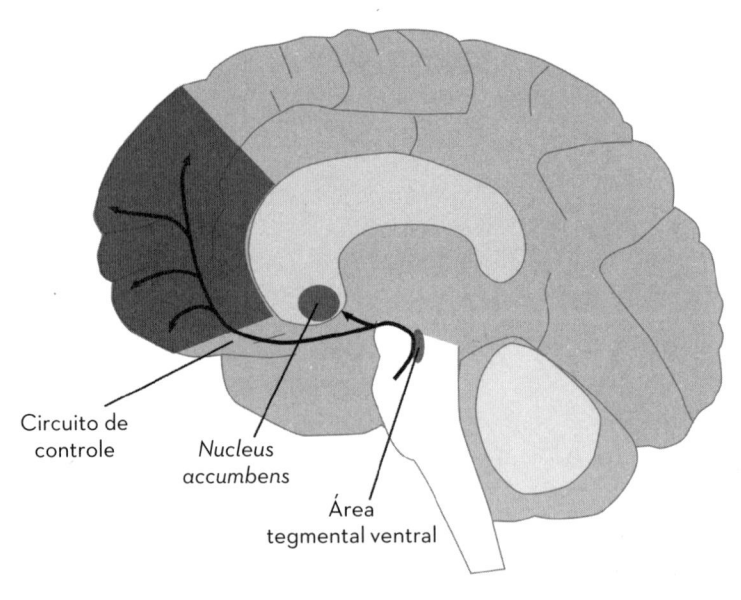

Figura 3

governados impulsos de desejo ativados pela dopamina, de modo a guiá-los para finalidades úteis. Além disso, usando conceitos abstratos e estratégias voltadas para o futuro, ele nos permite obter controle sobre o mundo ao nosso redor e dominar nosso ambiente.*

Além disso, o circuito da dopamina de controle é a fonte da imaginação, pois nos permite perscrutar o futuro e avaliar as consequências das decisões que poderíamos tomar no presente. Assim, podemos escolher o futuro que preferimos. Esse circuito também nos dá a capacidade de planejar como podemos concretizar esse futuro imaginado. Assim como o circuito do desejo, que só se preocupa com coisas que não temos, a dopamina de controle funciona no mundo irreal, mas possível. Ambos os circuitos se iniciam no mesmo lugar, mas o do desejo desemboca em uma

---

* Usaremos o termo *ambiente* de modo distinto do que é comumente usado. Quando a maioria das pessoas pensa em ambiente, pensa no mundo natural, muitas vezes como algo que precisamos proteger, e daí vem a palavra "ambientalismo". Os neurocientistas usam a palavra para se referir a tudo que influencia externamente nosso comportamento e nossa saúde, em oposição às influências que advêm de nossos genes. Assim, a expressão *ambiente*, aqui, inclui não só montanhas, árvores e grama, mas também pessoas, relacionamentos, comida e abrigo.

parte do cérebro que provoca excitação e entusiasmo, enquanto o circuito de controle se dirige para os lobos frontais, a região cerebral especializada em pensamento lógico.

Dessa forma, os dois circuitos nos permitem considerar "fantasmas" – elementos que não existem fisicamente. Para a dopamina do desejo, tais fantasmas são coisas que desejamos, mas não temos agora e queremos em nosso futuro. Para a dopamina de controle, os fantasmas são os blocos de construção da imaginação e do pensamento criativo: ideias, planos, teorias, conceitos abstratos como matemática e beleza, e mundos ainda por vir.

A dopamina de controle nos leva além do desejo primitivo ativado pela dopamina do desejo. Ela nos dá ferramentas para compreender, analisar e modelar o mundo ao nosso redor, para extrapolar possibilidades, compará-las e, assim, criar meios de alcançarmos nossos objetivos. É uma execução estendida e complexa do imperativo evolutivo: garantir o maior número possível de recursos. Em contraste, o desejo dopaminérgico é a criança no banco de trás gritando para seus pais "Olhem! Olhem!" toda vez que vê um McDonald's, uma loja de brinquedos ou um cachorrinho na calçada. A dopamina de controle é o pai ao volante, ouvindo cada pedido, refletindo se vale a pena parar e decidindo o que fazer caso pare. A dopamina de controle analisa a excitação e a motivação proporcionadas pelo desejo dopaminérgico, avalia opções, seleciona ferramentas e traça uma estratégia para conseguir o que quer.

Por exemplo, um jovem está planejando comprar seu primeiro automóvel. Se dependesse apenas do desejo dopaminérgico, ele compraria o primeiro que lhe chamasse a atenção. Mas, como também pode contar com a dopamina de controle, ele é capaz de refinar o impulso. Digamos que esse jovem seja parcimonioso e queira o melhor carro pelo menor preço possível. Aproveitando a energia do desejo dopaminérgico, passa horas na internet navegando em sites de avaliação de carros e desenvolvendo estratégias de negociação. Ele quer conhecer todos os detalhes que possam maximizar o valor de sua compra. Ao reunir-se com o vendedor, está tão bem preparado que nada o surpreenderá. Sente-se bem: dominou a situação da compra de um carro porque obteve todas as informações disponíveis.

Pense em uma mulher a caminho do trabalho. Para chegar à estação de trem, ela faz um desvio que evita o rush matinal. Quando chega à estação, dirige-se a um canto desocupado da garagem, que poucas pessoas conhecem. Logo encontra um lugar para estacionar. Já na plataforma, espera a composição no ponto exato onde sabe que as portas de um dos vagões se abrirão, posicionando-se na frente da fila, de modo a garantir algum assento vazio para a longa viagem até a cidade. Ela está se sentindo bem, pois domina seu trajeto.

É divertido inventar estratégias para "vencer o jogo" da compra de um carro e da ida diária para o trabalho. Por quê? Como sempre, a função da dopamina deriva dos imperativos de evolução e de sobrevivência. Ela nos encoraja a maximizar nossos recursos ao nos recompensar quando o fazemos – o ato de fazer algo bem-feito, de tornar nosso futuro um lugar melhor e mais seguro, nos proporciona um pequeno "barato" de dopamina.

TENACIDADE

Eu não falhei. Apenas tentei 10 mil caminhos que não funcionam.
– Thomas A. Edison

Um jovem recém-formado numa faculdade procurou um especialista em saúde mental porque se via incapaz de enfrentar seu novo mundo. Ele não havia se destacado nos estudos, mas completara o curso e se formara nos quatro anos habituais. A estrutura da faculdade e a pressão interna para cumprir prazos – acreditava ele – o haviam ajudado a se manter nos trilhos. Agora se sentia perdido.

Ele não tinha um emprego e não sabia o que queria fazer. A única coisa que o interessava era fumar maconha. Durante algum tempo trabalhou como garçom, mas foi demitido por chegar atrasado ou faltar. Seu pai conseguiu empregá-lo em um escritório, mas ele também acabou dispensado, pois era óbvio para todo mundo ali que ele não estava a fim. Era descuidado e desinteressado. As pessoas passaram a evitá-lo.

O mesmo aconteceu nos relacionamentos. Ainda na faculdade, ele teve um namoro duradouro com uma jovem, mas após a formatura ela terminou com ele. Seu terapeuta achou que foi bom, já que ela explorava o rapaz: pressionava-o a comprar presentes para ela e lhe pedia que fizesse todo tipo de tarefa – sem jamais demonstrar qualquer sinal de afeto. O jovem sabia que ela não se importava com ele, mas continuava a procurá-la, na esperança de reatar o namoro. A moça se recusava, mas continuava a tirar vantagem dele de todas as formas que podia. Certa vez, pediu a ele que dirigisse durante quatro horas para buscar uma luminária que ela queria para seu apartamento.

A terapia foi um fracasso. Terapia requer trabalho árduo, coisa que aquele jovem não estava disposto a fazer. Ele tentou quatro terapeutas diferentes, que usaram técnicas variadas, mas nada mudou. Três anos depois, ainda não sabia o que queria da vida, ainda fumava maconha e ainda tentava retomar o relacionamento com sua antiga namorada.

O mundo nem sempre funciona como esperamos. Aprendemos desde cedo que a fita adesiva é ótima para colar papel rasgado, mas não funciona tão bem com brinquedos quebrados e pratos estilhaçados. O empresário que desenvolve a próxima tecnologia arrasadora na garagem de casa pode se surpreender ao descobrir que o mundo não está fazendo fila a sua porta. Um produto de sucesso exige anos de trabalho árduo e tantas revisões da ideia original que esta mal é reconhecível quando chega ao mercado. Imaginar o futuro não basta. Para concretizar uma ideia, devemos lutar com as realidades intransigentes do mundo físico. Precisamos não só de conhecimento como também de tenacidade. A dopamina, a substância química do sucesso futuro, está aí para isso.

O CASO DOS RATOS OBSTINADOS

Uma forma de estudar a tenacidade em laboratório é medindo quanto um rato se esforçará para obter alimento. Normalmente, conta-se o número de vezes que ele pressiona a alavanca que libera uma bolinha de comida para sua gaiola. Os cientistas aumentam o número de pressões necessárias para obter o alimento e assim descobrem se seus ratos têm a determinação necessária para se esforçar mais.

Pesquisadores da Universidade de Connecticut queriam saber se era possível manipular a tenacidade de um rato alterando a atividade da dopamina em seu cérebro. Para isso, impuseram a vários ratos uma dieta de calorias reduzidas até que perdessem 15% de seu peso; para efeito de comparação, é como se um adulto perdesse cerca de 11 quilos. Quando os ratos estavam suficientemente famintos, os cientistas lhes deram a oportunidade de trabalhar para obter recompensas, no caso, pastilhas de diversos sabores, como chocolate, *piña colada* e bacon. Para os ratos, guloseimas deliciosas.

Em seguida, os cientistas dividiram os ratos em dois grupos. Designaram o primeiro como grupo de controle, que nada recebeu além da dieta. Quanto aos ratos do segundo grupo, os pesquisadores injetaram no cérebro deles uma neurotoxina que destruiu algumas células de dopamina. E o experimento teve início.

A primeira parte foi fácil. Para receber uma guloseima, cada rato tinha que pressionar a alavanca apenas uma vez. Como isso não exigia nenhum trabalho nem tenacidade, o experimento estabeleceu uma condição necessária: demonstrou que os ratos com deficiência de dopamina gostaram das guloseimas tanto quanto os ratos normais. Foi um dado importante, pois, se os ratos com deficiência de dopamina não quisessem mais os petiscos, os cientistas não seriam capazes de avaliar quanto trabalho duro eles estariam dispostos a fazer para obtê-los.

Quando nenhum trabalho era necessário, os ratos privados de dopamina pressionavam a alavanca tantas vezes quanto os ratos normais para devorar as guloseimas que obtinham. Um resultado que não foi surpreendente, já que gostar e saborear não era um resultado que mudaria como desfecho de uma alteração de dopamina. As coisas mudaram, entretanto, quando os ratos tiveram que se esforçar mais:

> Quando o número necessário de pressões na alavanca foi aumentado de um para quatro, os ratos normais pressionaram a alavanca quase mil vezes ao longo de 30 minutos. Os ratos com deficiência de dopamina não se sentiram tão motivados: fizeram-no cerca de seiscentas vezes apenas.

Quando a necessidade foi aumentada para 16 pressões, os ratos normais pressionaram a alavanca quase 2 mil vezes, enquanto o número de pressões executadas pelos ratos sem dopamina quase não aumentou. Estavam recebendo apenas um quarto do número de guloseimas, mas não se esforçavam mais.

Por fim, a exigência passou a ser de 64 pressões para a obtenção de uma única pastilha. Os ratos normais executaram cerca de 2.500 pressões – mais de uma por segundo durante os 30 minutos do experimento. Os ratos sem dopamina não se esforçaram mais. Na verdade, pressionaram a alavanca menos que antes. Simplesmente desistiram.

A redução da dopamina pareceu diminuir a vontade de trabalhar dos ratos. A experiência foi repetida com os mesmos resultados, confirmando que a redução da dopamina afetava a tenacidade, não o gosto.

Sorvete é sempre bom, mas, se você acabou de comer uma refeição farta, provavelmente não vai querer tanto quanto se tivesse comido menos. A quantidade de sorvete que você quer não tem nada a ver com ser trabalhador ou preguiçoso. A questão é que a comida não significa tanto quando você não está com fome. Assim, os cientistas adicionaram uma nova dimensão ao experimento: manipularam a fome.

Para isso, trouxeram um novo grupo de ratos, serviram a eles uma boa refeição e depois os submeteram ao experimento. Em todos os níveis de esforço – mesmo uma única vez – os ratos alimentados previamente pressionaram a alavanca metade do número de vezes que os ratos faminto. Quando a exigência foi dobrada, eles dobraram seus esforços. Quando a exigência foi quadruplicada, eles quadruplicaram seus esforços. Mas sempre paravam próximo à metade do número de pressões executadas pelos ratos faminto. Não haviam afrouxado. Não haviam desistido. Simplesmente não queriam comer tantas pastilhas, pois não estavam com fome.

Os resultados revelam uma distinção sutil, mas vital. A sensação de fome (ou a ausência de fome) mudou quanto os ratos valorizavam as pastilhas, mas não diminuiu sua vontade de trabalhar. A fome é um fenômeno A&A, uma experiência imediata – não antecipatória, impulsionada pela dopamina. Manipule a fome, ou alguma outra experiência sensorial, e você afetará o *valor* da recompensa obtida por meio do trabalho. Mas é a dopamina que torna o trabalho possível: sem ela, nada de esforço.

Isso nos leva à compreensão de como a dopamina afeta as escolhas que fazemos entre trabalhar duro ou seguir o caminho mais fácil. Às vezes desejamos uma refeição elaborada e estamos dispostos a grandes esforços para prepará-la. Outras vezes, tudo que queremos fazer é relaxar. Abrimos então um saco de Cheetos na frente da TV em vez de investir nos poucos minutos que gastaríamos para fazer uma refeição simples. Consequentemente, o passo seguinte nos experimentos foi introduzir um elemento de escolha.

Para isso, os cientistas montaram uma gaiola com uma máquina das tais pastilhas saborosas e uma tigela de ração produzida no laboratório. A comida de laboratório era sem graça, mas disponível à vontade – sem exigir qualquer trabalho. Mas, para obter as pastilhas, um rato teria que pressionar quatro vezes a alavanca – esforço mínimo, mas esforço, de qualquer forma. Os ratos com dopamina logo avançaram nas guloseimas. Estavam dispostos a trabalhar um pouco para conseguir algo melhor. Os ratos sem dopamina, por outro lado, escolheram a ração produzida no laboratório, de fácil acesso.

A capacidade de fazer esforço é dopaminérgica. A qualidade do esforço pode ser influenciada por diversos outros fatores, mas sem dopamina não há esforço algum.

AUTOEFICÁCIA: DOPAMINA E O PODER DA CONFIANÇA

Uma pastilha com sabor de bacon pode ser suficiente para motivar um rato, mas os seres humanos são mais complicados. Precisamos *acreditar* que podemos obter sucesso antes de sermos *capazes* de obter sucesso. Isso influencia a tenacidade. Somos mais tenazes quando obtemos sucesso logo de início. Alguns programas de emagrecimento ajudam uma pessoa a perder 3 ou 4 quilos nas primeiras semanas. Seus criadores os planejam assim porque sabem que, se você não perder mais que 1 quilo nesse período, é provável que desista. E sabem que você se animará a ir em frente caso perceba que pode perder bem mais. Os cientistas chamam isso de *autoeficácia*.

Drogas como cocaína e anfetaminas aumentam os níveis de dopamina, e um dos resultados é um aumento na autoeficácia, muitas vezes a níveis patológicos. Pessoas que abusam dessas drogas podem assumir confiantemente tantos projetos que se torna impossível completá-los todos. Grandes usuários chegam a desenvolver delírios grandiosos. Sem qualquer evidência, podem acreditar que escreverão o tratado mais brilhante já produzido ou que inventarão um dispositivo que resolverá os problemas do mundo.

Em circunstâncias normais, a autoeficácia realista é um ativo valioso, podendo até agir como profecia autorrealizável. Uma expectativa confiante no sucesso pode derreter os obstáculos diante de nossos olhos.

DOMINAÇÃO EM PÍLULAS: EFEITOS COLATERAIS PODEM INCLUIR OTIMISMO, PERDA DE PESO E MORTE

No início da década de 1960, os médicos receitavam grandes quantidades de anfetaminas que aumentam a dopamina para promover "alegria, alerta mental e otimismo", conforme descreve um anúncio da época. As mulheres tinham duas vezes mais probabilidade que os homens de receber prescrições de anfetaminas – para "ajustar seu estado mental". Como um médico descreveu, essas drogas permitiam que elas fossem "não só capazes de cumprir seus deveres, mas de realmente apreciá-los". Em outras palavras, se a mulher não gostasse de cozinhar ou de limpar a casa, algumas "bolinhas" – como eram chamadas – ajudariam.

Mas isso não era tudo. Além de deixar as donas de casa felizes e produtivas, as anfetaminas também as mantinham magras. Na década de 1960, segundo a revista *Life*, 2 bilhões de comprimidos eram prescritos anualmente com essa finalidade. Embora as pessoas de fato perdessem peso, o efeito era temporário e os riscos, altos. Além disso, se parassem de usar a droga, logo voltavam ao peso anterior. Se continuassem a usá-la, a tolerância aumentava e o usuário, ou a usuária, tinha que tomar doses cada vez maiores para obter o mesmo resultado. Algo muito perigoso. Grandes doses de anfetaminas podem desencadear mudanças de personalidade. Também podem provocar psicoses, ataques cardíacos, derrames e morte.

"Eu me sentia charmosa, espirituosa e inteligente. Conversava com todo mundo", escreveu uma usuária de anfetaminas. "Fazia comentários sutis e condescendentes aos clientes mais obtusos no trabalho sob o pretexto de ser direta e prestativa. Minha família também me dizia que eu havia me tornado muito mais arrogante, sarcástica e complacente. Meu irmão me disse que, nos últimos tempos, eu estou me achando melhor que os outros. Mas talvez ele esteja com inveja de mim." Um usuário disse simplesmente: "Eu costumava me sentir como um jovem deus quando tomava anfetamina." A diferença é que os jovens deuses não sofrem efeitos colaterais que matam.

Nas férias de primavera, uma estudante universitária precisava ir para o aeroporto e pegar um voo para casa. Fez então uma reserva numa empresa de transportes que a levaria ao aeroporto por apenas 15 dólares. Como o ônibus tinha horários regulares, ela combinou que passaria para pegá-la às 12h30 em um hotel próximo.

Ela se manteve calma até uma da tarde. Quando deu 1h30 e o veículo ainda não chegara, percebeu que havia algo errado. Por volta das 14 horas, ela começou a suar. Ligou para a empresa várias vezes e, em todas, alguém lhe garantiu que o motorista estava a caminho. Ela recusou a amigável oferta do porteiro de chamar um táxi, mas já estava ficando sem tempo.

Trinta minutos e 40 dólares mais tarde, ela desceu de um táxi no aeroporto, foi direto para o balcão de reservas do ônibus e exigiu que a reembolsassem pela diferença entre os valores do ônibus e do táxi. Fora claramente culpa deles. Eles haviam prometido buscá-la às 12h30 e não cumpriram a promessa. Não era justo que ela tivesse que pagar a diferença. O atendente da empresa não tinha autorização para lhe dar o dinheiro, mas a mulher tinha tanta certeza de estar com a razão que era inconcebível que sua argumentação não prevalecesse. O atendente acabou abrindo a caixa registradora e entregando a ela os 25 dólares de diferença.

Como isso funciona? Como uma expectativa confiante no sucesso faz os outros cederem, mesmo quando tudo indica que serão prejudicados ao fazê-lo? Isso se deve, geralmente, a algo que acontece fora de nossa percepção consciente.

Pesquisadores da Escola Superior de Negócios da Universidade Stanford queriam saber como um comportamento sutil e não verbal afetava a percepção que as pessoas tinham umas das outras. Eles notaram que quando os indivíduos se expandem, ocupando um grande espaço, são percebidos como dominantes. Quando se contraem, ocupando o mínimo de espaço possível, são percebidos como submissos.

Eles então elaboraram um estudo para analisar os efeitos de exibições não verbais de dominação ou de submissão. Colocaram dois indivíduos do mesmo sexo em uma sala e, para esconder a verdadeira natureza do estudo, pediram a eles que discutissem fotos de pinturas famosas. Só um dos indivíduos participava realmente do teste. O outro era um cúmplice, trabalhando secretamente para os pesquisadores. O cúmplice podia assumir uma postura dominante (um braço apoiado nas costas de uma cadeira vazia ao lado dele, pernas cruzadas de modo que o tornozelo direito repousasse sobre a coxa esquerda) ou uma postura submissa (pernas juntas, mãos no colo, tronco levemente curvado para a frente). A questão era: o participante espelharia a postura do cúmplice ou adotaria uma postura complementar, oposta?

Na maioria das vezes, espelhamos as ações das pessoas com quem estamos conversando. Se uma pessoa toca o rosto de seu interlocutor ou gesticula com as mãos, ele fará o mesmo. Mas dessa vez foi diferente. Quando se trata de posturas dominantes e submissas, os participantes da pesquisa se mostraram mais propensos a adotar uma postura complementar. A dominação ensejou submissão, e a submissão ensejou dominação.

No entanto, isso não aconteceu o tempo todo. Uma minoria de participantes espelhou o cúmplice. O que poderia afetar o relacionamento subjacente? Os pesquisadores deram aos participantes um questionário para preencher. Queriam saber como haviam vivenciado a interação com o cúmplice. Haviam gostado dele? Haviam se sentido à vontade com ele? Não importava a postura – dominante ou submissa – assumida pela outra pessoa. Os participantes que adotaram a postura complementar não só gostaram mais dos cúmplices como também se sentiram mais à vontade com eles, em comparação com os participantes que os espelharam.

Por fim, os pesquisadores fizeram aos voluntários uma série de perguntas para descobrir se eles estavam conscientes de como haviam reagido. Será que sabiam que sua postura estava sendo influenciada pela postura da outra pessoa na sala? A resposta foi que eles não faziam ideia. Tudo ocorrera fora de sua consciência.

Inconscientemente, sabemos quando alguém tem uma grande expectativa de sucesso e nos colocamos fora do caminho. Nós nos submetemos à vontade dessas pessoas – à expressão esmagadora de sua autoeficácia, alimentada pela dopamina. Nosso cérebro evoluiu assim por um bom motivo: é má ideia entrar em brigas que não podemos vencer. Se você está captando sinais de que seu adversário tem uma alta expectativa de sucesso, as chances são de que essa seja uma luta que deve ser evitada. É um tipo de comportamento que se vê claramente em primatas não humanos. Chimpanzés que observam uma postura de dominação se encolhem, de modo a parecerem tão pequenos quanto possível. Por outro lado, quando os chimpanzés respondem a demonstrações de dominação com atitudes idênticas, isso em geral assinala o início de um longo período de conflitos, que quase sempre terminam em violência.

EM UM DOMINGO QUALQUER

O folclore esportivo está repleto de histórias sobre azarões: o jogador fenomenal que superou uma infância difícil, os corajosos reservas que vencem o campeonato, os aspirantes que chegam à equipe profissional – em suma, a vitória suada sobre outro jogador, outro time ou sobre a própria vida. Filmes que têm o esporte como tema são quase exclusivamente sobre superação: *Duelo de titãs, Rudy, Garotos em ponto de bala, Uma equipe muito especial, Rocky, Basquete blues, Karatê Kid: A hora da verdade.* Mas a questão permanece: como um jogador ou uma equipe claramente inferior em destreza e capacidade prevalece sobre um oponente superior? Com muita frequência isso é atribuído apenas à sorte. Mas a resposta é outra: autoeficácia. Um dos exemplos mais impressionantes de autoeficácia nos esportes ocorreu em 3 de janeiro de 1993, em um jogo decisivo da Liga Nacional de Futebol (americano) que os fãs do esporte chamam simplesmente de "A Reação".

Já perto do fim do jogo, o Buffalo Bills perdia do Houston Oilers por 35 x 3. Quando os torcedores dos Bills já estavam se dirigindo para as saídas, um locutor de rádio comentou que, embora as luzes do estádio estivessem acesas desde cedo, "poderiam ser apagadas agora mesmo".

Quando o tempo já se esgotava, as coisas começaram a mudar. É verdade que a sorte desempenhou algum papel – um chute ruim, uma decisão duvidosa a favor dos Bills –, mas não explica, por si só, a reviravolta da equipe: os Bills marcaram 21 pontos em 10 minutos. Um de seus jogadores lembrou mais tarde: "Nós estávamos pontuando à vontade." Como os Oilers se mostravam incapazes de detê-los, um jogador dos Bills que estava no banco de reservas começou a gritar: "Eles não aguentam mais! Eles não aguentam mais!" A vontade dos Bills – sua crença de que estavam destinados a prevalecer, sua *autoeficácia* – foi mais forte naquele dia do que a destreza e a capacidade de seus oponentes. O jogo foi para a prorrogação e os Bills acabaram vencendo por 41 x 38, após um gol marcado por um chute a 30 metros de distância. Essa vitória assinalaria a maior virada na história da LNF.

Importante: o zagueiro Jim Kelly, dos Bills, havia se lesionado na semana anterior e foi substituído no jogo contra os Oilers por seu reserva, Frank Reich. Reich fizera parte do time que havia emplacado a maior virada na história do futebol universitário americano. Uma década antes, ele tinha levado o Maryland Terrapins a sair de um placar de 31 x 0 no primeiro tempo para uma vitória de 42 x 40 sobre o invicto Miami Hurricanes. Quatro anos após a vitória dos Bills sobre os Oilers, a equipe, liderada pelo zagueiro Todd Collins, derrotaria o Indianapolis Colts após superar uma diferença de 26 pontos no placar, estabelecendo o segundo recorde de pontos de virada numa temporada regular. A autoeficácia dos Buffalo Bills parecia se propagar. O sucesso inspirava confiança. A confiança produzia sucesso.

E SE VOCÊ TENTAR SER EDUCADO?

James foi encaminhado para tratamento por seu empregador depois que, em um ataque de raiva, arremessou um grampeador no outro lado da sala. Ele era um homem de meia-idade que subira na hierarquia até se tornar vice-presidente de uma grande empresa. Não era querido; determinação e trabalho duro explicavam seu sucesso. À terapeuta ele disse que teria sido demitido muito tempo antes se não tivesse se tornado um ativo tão valioso para a firma. Seu problema era que estava sempre com raiva.

Vítima de abusos quando criança, ele jamais superou o que aconteceu. E nunca falou a ninguém sobre o assunto, convencido de que aquilo não tinha importância, pois ocorrera havia muito tempo. Divorciado duas vezes, já tinha desistido dos relacionamentos, dedicando-se inteiramente ao trabalho.

Ao longo dos anos, sua raiva foi piorando cada vez mais. Em certa ocasião ele foi expulso de um mercadinho por gritar obscenidades para uma mulher que esbarrara em seu carrinho de compras. Em outra, foi preso após empurrar um taxista durante uma discussão sobre o preço da corrida. As acusações foram retiradas e James continuou a dizer que tinha razão. Mas agora estava preocupado. Seu trabalho significava tudo para ele. Estava disposto a fazer qualquer coisa para mantê-lo, até confrontar seu passado.

James tinha pouca resiliência e sua terapeuta temia que a investigação do trauma ativasse emoções perturbadoras e piorasse seu comportamento. Então, antes de começarem a explorar o passado, eles conversaram sobre formas de tornar o presente um pouco menos estressante. A terapeuta queria encontrar um modo de reduzir os conflitos constantes de James com praticamente todas as pessoas que ele conhecia. Portanto, ensinou-o a ser manipulador.

Levaria muito tempo até que James pudesse confiar em alguém, mas ele não era tolo. Logo aprendeu que poderia conseguir mais facilmente o que queria se sorrisse para as pessoas em vez de fulminá-las com o olhar. E começou a cumprimentar os colegas pela manhã, não porque se importasse com eles, mas porque assim ficava mais fácil fazê-los terminar os projetos no prazo. James pedia pizza para todos quando tinham que trabalhar até tarde e elogiava as pessoas por sua aparência. Tornou-se um exímio manipulador.

E gostou disso. Gostou dessa nova fonte de poder, mas também dos sorrisos que recebia de volta. Um ponto de virada ocorreu quando uma das assistentes administrativas irrompeu em seu escritório, em lágrimas, e lhe contou que alguém tinha feito um cartão de crédito no nome dela – e a mulher agora estava sendo ameaçada por uma agência de cobrança. Em busca de consolo e conselhos, recorrera a James. Mais tarde, naquela mesma semana, James e sua terapeuta começaram a falar sobre o passado dele.

Até agora nos concentramos na dominação como uma busca individual, mas não podemos alcançar todos os objetivos sozinhos. Tratemos então da dominação necessária para trabalhar com outras pessoas.

Um relacionamento estabelecido com o propósito de atingir um objetivo é chamado de *agêntico* e seu maestro é a dopamina. A outra pessoa age como uma extensão de você, um agente que o ajuda a alcançar seu objetivo. Por exemplo, os relacionamentos que fazemos em eventos de *networking* são principalmente agênticos e, de modo geral, resultam em benefício mútuo. As relações *afiliativas*, por outro lado, têm a finalidade de desfrutar de interações sociais. O simples prazer de estar com outra pessoa, vivenciado no aqui e agora, está associado a neurotransmissores A&As, como a oxitocina, a vasopressina, a endorfina e os endocanabinoides.

A maioria dos relacionamentos tem elementos afiliativos e agênticos. Amigos que gostam de sair juntos no aqui e agora (o que é afiliativo) também podem trabalhar juntos em projetos futuros, como planejar uma viagem para fazer *rafting* ou passar uma noite em alguma casa noturna (o que é agêntico). Colegas de trabalho com relacionamentos que são principalmente agênticos costumam gostar da companhia um do outro. Algumas pessoas se sentem mais à vontade em relacionamentos agênticos, que são mais estruturados, enquanto outras preferem os afiliativos, pois os acham mais divertidos. Há quem se sinta confortável em ambos os tipos de relacionamento ou em nenhum deles.

Há diferentes tipos de personalidade associados a cada tipo de relacionamento. Pessoas agênticas tendem a ser frias e distantes. Já as afiliativas são afetuosas e calorosas, além de sociáveis, e procuram outras pessoas em busca de apoio. Indivíduos que são bons em relacionamentos afiliativos e agênticos, como os ex-presidentes americanos Bill Clinton e Ronald Reagan, tornam-se líderes amigáveis e acessíveis. Os menos capazes de estabelecer relacionamentos agênticos tendem a ser seguidores amigáveis e acessíveis. Os que têm problemas com relacionamentos afiliativos, mas são habilidosos nas relações agênticas, podem ser vistos como frios e indiferentes, enquanto os que são deficientes em ambos parecem distantes e isolados.

As relações agênticas são estabelecidas com o propósito de dominar o ambiente para extrair o máximo possível dos recursos disponíveis (o domínio da dopamina de controle). Embora pensemos na dominação como uma atividade ativa e até agressiva, ela não precisa ser assim. A dopamina não se importa com a forma de obter algo: só quer conseguir o que deseja. Assim, uma relação agêntica pode ser totalmente passiva. Por exemplo, quando um gestor que conduz uma reunião de funcionários obtém o resultado desejado se mantendo calado.

Os relacionamentos agênticos podem facilmente se tornar abusivos, como quando um cientista inscreve participantes em uma experiência perigosa sem lhes informar os riscos ou quando um empresário contrata alguém usando uma falsa desculpa para explorar seus esforços. Mas um relacionamento agêntico também pode ser maravilhosamente humano. Ralph Waldo Emerson, o poeta americano, escreveu: "Posso lhe contar o segredo do verdadeiro erudito? É o seguinte: todo homem que encontro é meu mestre em alguma coisa. Assim, aprendo com ele."

Por mais ignorante, degradado ou tolo que fosse um homem, sempre havia algo que ele sabia, algo que dominava – e que Emerson valorizava. O poeta buscava valor intelectual em todas as pessoas, independentemente de sua posição social. Um relacionamento assim é agêntico, pois tem a ver com a obtenção de algo – no caso, conhecimento. Não se trata do prazer A&A de ter companhia. O que torna essa citação dopaminérgica particularmente interessante é que Emerson chamou esse homem genérico de "meu mestre". Ele se referia à dominação mediante submissão – sob a forma de deferência, humildade e obediência.

MACACOS SUBMISSOS, ESPIÕES HUMILDES

Quando pesquisadores do Instituto Psiquiátrico do Estado de Illinois injetaram em macacos uma droga que aumentava a dopamina, observaram um aumento nos gestos submissos, como estalar os lábios, fazer caretas (a versão símia de um sorriso) e estender o braço até outro macaco para levar uma suave mordida. À primeira vista, essa resposta não faz sentido. Por que a dopamina, o neurotransmissor da dominação, desencadearia um comportamento submisso? Haveria aqui alguma contradição? De modo algum. No circuito de controle, a dopamina estimula a dominação do ambiente, não necessariamente das pessoas **que estão nele**. A dopamina quer mais, e tanto faz como consegue. Se o comportamento é moral ou imoral, dominante ou submisso, é indiferente para a dopamina, desde que conduza a um futuro melhor.

Pensemos em um espião em um país hostil, tentando acessar um prédio governamental. Ao dar a volta por um beco, ele esbarra com o zelador do prédio. Para ganhar sua cooperação, trata o homem de igual para igual, talvez até como superior – tentando, com seu comportamento submisso, dominar o ambiente e alcançar seus objetivos.

O comportamento submisso pode ter conotações negativas – deixar as pessoas "pisarem em você", por exemplo –, mas seu escopo é muito mais amplo do que isso. Na sociedade moderna, o comportamento submisso é muitas vezes um sinal de status social elevado – pense na adesão às boas maneiras, na atenção às convenções sociais e, nas conversas, na deferência com os demais que é parte integral do comportamento do grupo que podemos chamar de "elite". O nome comum para esse comportamento é *cortesia*, palavra derivada de *corte*, pois era originalmente adotado pela nobreza. O comportamento dominante, por sua vez, representa o oposto da cortesia. Pode ter origem na insegurança pessoal ou em uma educação falha.

Planejamento, tenacidade e força de vontade, tanto pessoal quanto colaborativa: eis como a dopamina do circuito de controle nos permite dominar nosso ambiente. Mas de que modo nos comportamos – e nos sentimos – quando o sistema se desequilibra? Em particular, o que acontece quando a dopamina de controle é excessiva ou escassa?

DESAFIO DO ESPAÇO SIDERAL, LUTA NO ESPAÇO TERRESTRE

GQ *Magazine*: Qual é a sensação de ir à Lua?
Buzz Aldrin: Olha, não sabíamos o que estávamos sentindo. Não estávamos sentindo.

GQ: Quais foram suas emoções quando você caminhou na superfície da Lua?
BA: Pilotos de caça não têm emoções.

GQ: Mas você é um ser humano!
BA: Tínhamos gelo nas veias.

GQ: Bem, você já disse a si mesmo: "Vou entrar naquele frágil módulo lunar e pousar na Lua"? Isso alguma vez o deixou abismado?
BA: Eu entendi como o módulo é construído. Tem trem de aterrissagem. Tem suportes de compressão e suportes móveis. Era uma maravilha da engenharia.

Em vez de se envaidecer por ter caminhado na Lua, o coronel Buzz Aldrin, Ph.D., disse a seus admiradores: "Foi uma coisa que fizemos. Agora vamos fazer outra coisa." Parecia que, para ele, era mais ou menos como ter pintado uma cerca. Seu desejo não era aproveitar o momento de glória, mas encontrar "outra coisa" – o próximo grande desafio que poderia atrair seu interesse. Essa necessidade perpétua de identificar um objetivo e planejar uma forma de alcançá-lo talvez tenha sido o fator mais importante de sua conquista histórica. Mas não é fácil ter tanta dopamina circulando pelos circuitos de controle. É quase certo que isso tenha desempenhado um papel significativo na luta pós-lunar de Aldrin contra depressão, alcoolismo, três divórcios, impulsos suicidas e uma estadia na ala psiquiátrica de um hospital, que ele descreveu em sua autobiografia, *Magnificent Desolation: The Long Journey Home from the Moon* (Magnífica desolação: O longo regresso da Lua para casa).

Assim como a dopamina do desejo facilita a dependência de drogas – perseguindo o "barato" e recebendo cada vez menos –, algumas pessoas têm tanta dopamina de controle que se tornam viciadas em conquistas. No entanto, são incapazes de desfrutar o aqui e agora. Pense em indivíduos que trabalham incansavelmente em direção a seus objetivos mas nunca param para desfrutar suas realizações. Eles nem se gabam delas. Alcançam algo e passam para o próximo alvo. Uma mulher assumiu a liderança de um departamento de sua empresa que estava um caos. Após anos de muita dedicação, ela conseguiu consertar tudo. Imediatamente ficou entediada. Durante alguns meses, tentou aproveitar o ambiente novo e descontraído que havia criado, mas não aguentou e pediu transferência para outro departamento, que também estava uma bagunça completa.

Sofrendo os efeitos de um desequilíbrio entre a dopamina, que olha para o futuro, e as A&As, focadas no aqui e agora, pessoas como essa mulher fogem das experiências emocionais e sensoriais do presente. Para elas, a vida é sobre o futuro, sobre melhorias, sobre inovações. Apesar do dinheiro e até da fama que conquistam com seus esforços, geralmente são infelizes. Não importa quanto façam, nunca é suficiente. O brasão da família de James Bond, o agente secreto engenhoso, inflexível e muitas vezes implacável, contém o lema *Orbit Non Sufficit*. Ou seja: o mundo não basta.

O coronel Aldrin enfrentou esse problema de uma forma mais profunda do que qualquer ser humano talvez já tenha enfrentado: *Eu andei na superfície da Lua. O que posso fazer para superar isso?*

A DOPAMINA EXPLICA OS MISTÉRIOS DO TDAH

E os indivíduos no outro lado do espectro, cujos circuitos de dopamina de controle são fracos? Sua luta com o controle interno se manifesta em forma de impulsividade e dificuldade para manter o foco em tarefas complexas. Esse problema pode resultar em uma condição conhecida: transtorno de déficit de atenção com hiperatividade (TDAH).* Falta de atenção, de concentração e de controle sobre os impulsos pode interferir seriamente na vida dessas pessoas e dificultar a convivência. Às vezes elas não prestam atenção em detalhes nem terminam suas tarefas. Podem começar pagando contas, depois vão lavar roupa, trocam uma lâmpada, então se sentam e assistem a TV, deixando tudo espalhado pelo recinto. Nas conversas, podem se distrair facilmente e não ouvir o que lhes dizem. Às vezes não controlam o tempo e chegam atrasadas; e podem perder coisas, como chaves de carros, celulares e até passaportes.

O TDAH afeta com mais frequência crianças, e por boas razões. Os lobos frontais, onde atua a dopamina de controle, desenvolvem-se por último e não se conectam totalmente com o restante do cérebro até o final da adolescência e início da idade adulta. Uma das funções do circuito de controle é

---

* Essa doença é comumente chamada de transtorno de déficit de atenção, ou TDA, pois os adultos geralmente não têm a hiperatividade observada em crianças. No entanto, manteremos o termo científico TDAH.

manter o circuito do desejo sob rédea curta; daí o problema de controle de impulso associado ao TDAH. Quando a dopamina de controle é fraca, as pessoas vão em busca do que querem sem pensar nas consequências a longo prazo. Crianças com TDAH surrupiam brinquedos e furam filas. Adultos com TDAH fazem compras por impulso e interrompem seus interlocutores.

Os tratamentos mais comuns para o TDAH são Ritalina e anfetaminas, estimulantes que aumentam a dopamina no cérebro. Quando esses medicamentos são usados para tratar pessoas com TDAH, a tolerância geralmente não se desenvolve como acontece com quem os toma para perder peso, ficar chapado ou melhorar seu desempenho. Mas os estimulantes são drogas que viciam. A FDA os coloca na mesma classe dos opioides, como morfina e OxyContin. São medicamentos considerados de alto risco no que diz respeito a abuso e devem ser prescritos com muito rigor pelos médicos.

As pessoas com TDAH possuem alto risco de dependência, sobretudo adolescentes, por conta do mau funcionamento dos lobos frontais. Anos atrás, quando a doença era menos compreendida, médicos e pais relutavam em dar a crianças drogas viciantes como Ritalina e anfetaminas. Parecia razoável não prescrever substâncias que viciam a pessoas com risco de dependência. No entanto, testes rigorosos mostraram inequivocamente que os adolescentes tratados com drogas estimulantes eram menos propensos a desenvolver vícios. Os que haviam feito o tratamento em idade mais jovem e tomado as doses mais altas foram os menos propensos a desenvolver problemas com drogas ilícitas. Eis por quê: se a pessoa fortalece o circuito da dopamina de controle, é muito mais fácil tomar decisões sábias. Por outro lado, se o tratamento eficaz for interrompido, a fragilidade do circuito de controle não será corrigida. Então o circuito do desejo agirá sem oposição, aumentando a probabilidade de condutas de alto risco na busca por prazer.

UM RISCO SURPREENDENTE ENTRE PACIENTES COM TDAH

O vício em drogas não é o único risco que essas crianças enfrentam. Uma criança com TDAH tem dificuldade em obter sucesso em seu ambiente – geralmente na forma de boas notas – se não consegue se concentrar nem controlar seus impulsos. Mas notas baixas são só o começo. Jovens com TDAH têm dificuldade em fazer amigos. Quem quer estar perto de alguém que interrompe os outros, se apropria das coisas e não espera sua vez? Muitas vezes, por causa das distrações constantes, esses jovens precisam ler a matéria várias vezes antes de entender os deveres de casa. Gastar tanto tempo com as tarefas não permite abrir espaço para atividades extracurriculares, como esportes e convívio social. Com poucos amigos, notas baixas e sem fontes saudáveis de prazer, as crianças cujo TDAH não é tratado ficam mais propensas a buscar fontes pouco saudáveis. Além das drogas, podem também ter problemas com atividade sexual precoce e comida em excesso – particularmente "alimentos prazerosos", ricos em sal, gordura e açúcar.

Um amplo estudo envolvendo 700 mil crianças e adultos, incluindo 48 mil com TDAH, descobriu que as crianças com essa condição tinham 40% mais chances de serem obesas que as crianças sem TDAH; e os adultos, 70% mais chances. Com quase três quartos de milhão de participantes de várias culturas, o estudo não apenas foi maior que a maioria das investigações do tipo, mas também muito mais diversificado, permitindo aos cientistas comparar os resultados de diferentes países, com diferentes dietas e rituais alimentares. No entanto, apesar das diferenças dietéticas entre, por exemplo, Catar, Taiwan e Finlândia, os resultados foram os mesmos. O país de residência não afetou a relação entre TDAH e obesidade. Também não houve diferença entre homens e mulheres.

Mas o estudo também tinha pontos fracos. A descoberta de que pessoas com TDAH são mais propensas a serem obesas não significa que ter TDAH *provoca* obesidade. Mas e se fosse o contrário? E se o excesso de peso afetasse o cérebro de modo a causar TDAH? A resposta científica a isso é dizer que *associação não implica causalidade*. Só porque duas coisas são encontradas juntas, não significa que uma tenha causado a outra.

Poderíamos dizer com segurança que o TDAH leva à obesidade se demonstrássemos que as pessoas desenvolvem sintomas de TDAH *antes* de se tornarem obesas. Assim, pesquisadores das Universidades de Chicago e Pittsburgh avaliaram cerca de 2.500 meninas para descobrir se havia uma conexão entre peso pouco saudável e problemas de impulsividade. O pesquisador-chefe observou: "As crianças são constantemente estimuladas a comer por comerciais de alimentos, máquinas de venda automática, etc. Por isso é fácil imaginar como uma criança com pouco autocontrole possa ter dificuldade em resistir a esses estímulos para comer."

Os resultados foram os esperados. Meninas com problemas de impulsividade e planejamento aos 10 anos engordaram mais nos seis anos seguintes. Os cientistas relataram que uma quantidade significativa do peso adquirido por essas meninas adveio de arroubos alimentares provocados pela falta de autocontrole.

Por uma razão semelhante, crianças com excesso de peso são mais propensas a serem atropeladas quando atravessam a rua. Não por andarem mais devagar, e sim porque são impulsivas. Pesquisadores da Universidade de Iowa reuniram 240 crianças de 7 e 8 anos e fizeram um experimento usando realidade virtual, pedindo que "atravessassem" uma rua movimentada para medir quanto tempo esperavam e com que frequência uma delas era atropelada por um carro.

Embora pessoas com excesso de peso às vezes andem mais devagar, o peso, nesse experimento, não teve efeito sobre a velocidade das crianças ao atravessarem a rua. No entanto, houve uma relação direta entre excesso de peso da criança e sua rapidez para iniciar a travessia. Crianças com menos excesso de peso aguardavam mais do que crianças com mais excesso de peso. As crianças com mais excesso de peso também deixavam uma margem menor entre elas e os carros que vinham em sua direção. Sem nenhuma surpresa, foram atingidas com mais frequência.

É importante lembrar que biologia não é destino. Pessoas cujos sistemas de controle da dopamina estão em um extremo ou outro podem mudar. Quem tem TDAH pode melhorar radicalmente com medicação, psicoterapia e, às vezes, apenas com o tempo. O coronel Aldrin, que enfrentou um problema diferente, acabou encontrando modos de canalizar a intensidade de seu impulso criativo. Desde que voltou da Lua, ele escreveu uma dezena de livros, sozinho ou em coautoria, criou um jogo de estratégia para computador e propôs um método revolucionário de viagem espacial que poderia facilitar uma missão tripulada a Marte. Também encontrou tempo para aparecer em vários programas de TV, incluindo *Dancing with the Stars*, *The Price Is Right*, *Top Chef* e *The Big Bang Theory*.

A QUÍMICA DA FRAUDE

Sei que seu caráter nobre abomina a ideia de traição ou fraude. Mas que prêmio glorioso é a vitória!
– Sófocles, *Filoctetes*

Gosto de ganhar, mas, acima de tudo, não suporto a ideia de perder. Perder, para mim, significa a morte.
– Lance Armstrong

Em 1999, após sobreviver a um câncer em estágio avançado, o ciclista Lance Armstrong venceu seu primeiro Tour de France. Um repórter do The New York Times o descreveu de uma forma que se tornaria frequente nos anos seguintes: "um homem com força de vontade e foco" que "dominou o Tour". Em seguida, Lance venceu sete edições consecutivas do Tour de France, dominando não só essa famosa competição como também o próprio esporte.

A determinação de Armstrong fez dele uma lenda. Preferia pedalar contra o vento, pois isso tornava o percurso mais difícil e lhe dava mais chances de vitória. A autora Juliet Macur ilustrou a determinação de Armstrong com a seguinte história: "Havia uma árvore a 50 metros da casa dele. Armstrong a queria diante da escadaria frontal. O transplante custou 200 dólares. Seus amigos íntimos brincam que Armstrong, que é agnóstico, imaginou o projeto para provar que não precisava de Deus para mover céus e terra."

"Acho que enlouqueceria se estivesse com 35 ou 40 anos e não houvesse competições na minha vida", disse Armstrong.

Em 2012, o ciclista campeão mundial perdeu seus sete títulos do Tour de France quando se revelou que ele usara drogas para melhorar seu desempenho. Por que esse homem de determinação férrea, que jamais desistiu, mesmo diante do câncer, um atleta lendário, trapacearia? Talvez, curiosamente, por ter sido tão bem-sucedido.

A dopamina não vem equipada com consciência. Pelo contrário, é uma fonte de astúcia alimentada pelo desejo. Quando acelerada, suprime o sentimento de culpa, que é uma emoção A&A. É capaz de inspirar um esforço honesto, mas também engodo, e até violência, em busca do que deseja.

A dopamina persegue *mais*, não *moralidade*. Para a dopamina, força e fraude não passam de ferramentas.

Pesquisadores israelenses projetaram um experimento para entender melhor por que as pessoas trapaceiam. Montaram dois jogos que colocariam um jogador contra outro. O primeiro era um jogo de adivinhação no qual os competidores tentavam antecipar quais imagens iriam aparecer na tela do computador. Nesse era impossível trapacear. O segundo jogo foi diferente: o primeiro jogador lançava um par de dados e anunciava os resultados ao segundo. Quanto mais altos os números, mais dinheiro o primeiro jogador ganhava e menos dinheiro seu oponente levava. Nesse jogo, trapacear não era apenas possível, mas fácil. Como o segundo jogador não tinha como ver os dados, o primeiro podia relatar o que quisesse. O vencedor e o perdedor do primeiro jogo se revezavam para rolar os dados e anunciar o resultado.

Por causa do modo como os dados são marcados, se todos fossem honestos, a pontuação média ficaria em torno de sete. Os perdedores do primeiro jogo relataram um resultado médio de pouco mais de seis no segundo jogo, o que era consistente com o acaso. Os vencedores do primeiro jogo, por sua vez, relataram uma média de quase nove no segundo. A análise estatística revelou que era extremamente improvável que esse número tivesse aparecido por acaso. Havia uma probabilidade superior a 99% de que os vencedores do primeiro jogo tivessem trapaceado no segundo.

Na fase seguinte do experimento, os pesquisadores fizeram mudanças. Em vez de uma competição, o primeiro jogo foi substituído por uma loteria, o que produziu um resultado muito diferente. Os jogadores que ganharam na loteria não trapacearam no segundo jogo. Na verdade, pareciam ter subnotificado suas pontuações, permitindo que os oponentes compartilhassem os despojos da vitória.

Os cientistas não sabiam ao certo como explicar esse resultado. Acharam que os vencedores, em vez de contar com a pura sorte, talvez tivessem desenvolvido uma noção de direito que lhes permitisse justificar trapaças subsequentes. Porém, se lembrarmos que a dopamina nos motiva a dominar nosso ambiente, podemos encontrar uma explicação melhor.

Vencer competições, além de comer e fazer sexo, é fundamental para o sucesso evolutivo. A vitória, na verdade, nos dá acesso a alimentos e parceiros reprodutivos. Portanto, libera dopamina – a onda de prazer que sentimos quando fazemos a bola de tênis voar sobre a rede, tiramos uma boa nota em uma prova ou recebemos elogios de nosso chefe. A onda de dopamina é boa, mas diferente de uma onda de prazer A&A, que se expressa por meio de satisfação. E essa diferença é fundamental: a onda de dopamina que advém da vitória nos deixa querendo mais.

VENCER PARA NÃO PERDER

Não basta vencer o Tour de France. Não é suficiente vencer duas ou sete vezes. Vencer nunca é suficiente. *Nada* basta para a dopamina. É a busca que importa – e a vitória, mas não há linha de chegada, e nunca haverá. Vencer, assim como as drogas, pode ser viciante.

No entanto, a onda de prazer que nunca satisfaz é só metade da equação. A outra metade é a queda da dopamina, que parece terrível.

Todos os anos, médicos de Washington, nos Estados Unidos, preenchem uma cédula e votam nos melhores colegas de profissão, de diversas especialidades. Os resultados são publicados na famosa edição Top Doc da revista *Washingtonian* – a edição mais vendida do ano. Ser nomeado um Top Doc, além de ser uma honra, faz o médico se sentir bem. Seus colegas o veem na imprensa, seus amigos e familiares o veem, todo mundo o vê. Mas, depois que a auréola de satisfação se desvanece, surge uma pergunta desconfortável: *Será que vou conseguir no ano que vem? O que vão pensar todas as pessoas que me parabenizaram quando meu nome sumir da lista? Ninguém fica na lista para sempre; como vou suportar a humilhação de ser descartado?* Ninguém gosta de perder, mas é dez vezes pior depois que você ganha. Quando você abre a revista esperando ver seu nome e ele não está lá, surge uma sensação desagradável na boca do estômago.

Os vencedores trapaceiam pela mesma razão que os adictos usam drogas. O barato é ótimo, mas a retirada é terrível. Tanto uns quanto outros sabem que seu comportamento tem o potencial de destruir sua vida, mas o circuito do desejo não se importa com isso. Só quer mais. Mais drogas, mais sucesso. O verdadeiro sucesso, no entanto, não vem da trapaça. Quando você comete um erro, as pessoas o perdoam, mas, se agir de maneira desonesta, ficará estigmatizado por muito tempo. Eis por que que o circuito de controle é tão importante. Ele é racional, capaz de tomar decisões que maximizarão seu bem-estar não apenas hoje, mas também no futuro. Mas, para muitas pessoas, a fraude é uma tentação poderosa, às vezes irresistível, quando perseguem o barato da vitória. Pelo menos a curto prazo, a fraude funciona.

Ou você pode simplesmente dar um soco em alguém.

VIOLÊNCIA QUENTE E FRIA

A Dra. Jones estava no elevador, tensa com a conversa que teria com um paciente daí a pouco. Era 1h quando ela foi chamada ao setor de emergência para avaliar uma pessoa que estava dizendo que ia matar alguém. Ela não poderia errar. Quando um paciente psiquiátrico concretiza uma ameaça de assassinato e a vítima morre, o médico que o liberou pode ser responsabilizado.

Desgrenhado e malcheiroso, o paciente olhava para a médica sem piscar. Ele já estivera ali antes. Era problemático e não cooperava. Durante uma internação, foi acusado de tocar inapropriadamente uma mulher em tratamento de esquizofrenia. Ele alegava ser alérgico a todos os medicamentos psiquiátricos, exceto Xanax.

Além do uso de cocaína, não havia nada muito errado com ele do ponto de vista psiquiátrico, mas naquela noite o homem tinha exigido ser internado. Mencionou várias detenções e um período de três anos na prisão. Se não fosse levado para "a unidade", declarou, ele executaria seu plano e mataria alguém.

"Vou só dizer que é alguém que fez uma coisa comigo, ok?", disse ele.

A paranoia é uma das condições psiquiátricas mais tratáveis associada a pessoas com comportamento violento. A paranoia as faz sentir medo e, às vezes, concluem que a única forma de se proteger é matar aqueles que, imaginam, estão tramando contra elas. Com medicamen-

tos antipsicóticos, os delírios, juntamente com os riscos de violência, em geral desaparecem em cerca de uma semana.

Mas o paciente sentado em frente à Dra. Jones, com os olhos ainda cravados nos dela, não era psicótico.

A Dra. Jones enfrentava um dilema. Ela sabia que o paciente não se beneficiaria de uma internação, e admiti-lo na unidade colocaria outros pacientes em risco. Por outro lado, ele tinha um histórico de violência. Temendo pela segurança da vítima, que o homem se recusou a identificar, ela o admitiu no hospital. Mas se sentia culpada por, potencialmente, pôr em risco os pacientes da enfermaria.

A violência às vezes resulta de uma disfunção ou patologia. Mas quase sempre é uma escolha – uma forma coercitiva e calculada de conseguir o que se quer.

A força, muitas vezes expressa em forma de violência, é o instrumento definitivo de dominação, mas seria dopaminérgica?

A violência tem duas modalidades: a planejada, infligida com um propósito, e a espontânea, provocada pela paixão. A violência com um propósito, projetada para obter algo que o perpetrador deseja, pode ser tão corriqueira quanto assaltar alguém na rua, ou tão devastadora quanto iniciar uma guerra global. A ênfase, em ambos os casos, está na estratégia eficaz, calculada com antecedência, às vezes nos mínimos detalhes, e sempre visando obter recursos ou controle. Trata-se de uma agressão induzida pela dopamina e costuma ter baixo conteúdo emocional. É violência fria.

Pensemos no cálculo dopaminérgico e na resposta instintiva como extremidades opostas de uma gangorra: quando um está alto, o outro está baixo. A capacidade de suprimir emoções como medo, raiva ou desejo avassalador oferece uma vantagem em meio ao conflito. A emoção é quase sempre um peso morto que interfere na ação calculada. De fato, uma estratégia comum de dominação é estimular reações emocionais no adversário, de modo a interferir em sua capacidade de executar seus planos. Nos esportes, isso vem sob a forma de insultos na quadra de basquete ou no campo de futebol.

A violência movida pela paixão é um ataque diante de uma provocação. Não se trata de uma ação calculada, dirigida pelo circuito de controle da dopamina – muito pelo contrário. Quando a paixão impulsiona a agressão em resposta à provocação, a dopamina é suprimida pelos circuitos de A&As. Indivíduos que exibem esse tipo de comportamento em geral degradam seu bem-estar futuro. Podem acabar feridos, presos ou simplesmente envergonhados. Pensemos em um pai perdendo a paciência no jogo de futebol de seu filho. Ceder a qualquer impulso, como dar um soco em alguém por um ataque de raiva, não será um movimento calculado, mas uma reação emocional impensada. Do ponto de vista da dopamina, não há nada a ganhar com isso, nenhum recurso a ser maximizado, nenhuma vantagem. A emoção supera a cautela, as análises e o cálculo da dopamina.

Anthony Trollope, romancista inglês, comparou as duas abordagens ao descrever um debate político entre os personagens Daubeny e Gresham, líderes de partidos opostos no Parlamento:

> Enquanto o Sr. Daubeny golpeava sempre com força estudada, premeditando cada golpe e pesando seus resultados de antemão, calculando até seus efeitos numa ferida aberta, o Sr. Gresham golpeava a torto e a direito; em sua fúria, poderia até assassinar seu oponente antes de se dar conta de que já havia tirado sangue.

A violência pode nos oferecer dominação, mas para ser bem-sucedida deve se originar nos frios circuitos da dopamina de controle.

O QUE É UMA PERSONALIDADE DOPAMINÉRGICA?

Algumas pessoas têm circuitos dopaminérgicos mais ativos que outras. Pesquisadores identificaram vários genes que contribuem para o desenvolvimento desse tipo de personalidade. É importante notar que uma atividade elevada da dopamina pode se expressar de diversas formas. Alguém com um circuito do desejo extremamente ativo pode ser impulsivo ou difícil de satisfazer, pois está sempre buscando mais. Sua contrapartida seria alguém que se satisfaz facilmente. Em vez de beber em uma boate barulhenta, uma pessoa menos dopaminérgica pode preferir passar o dia cuidando do jardim e depois dormir cedo.

Alguém com um circuito de controle extremamente ativo, por sua vez, pode ser frio, calculista, implacável e desprovido de emoção. Seu oposto seria uma pessoa calorosa e generosa, mais interessada em cultivar amizades do que em vencer competições. O cérebro é complicado, e o modo pelo qual a atividade em um circuito se traduz em comportamento depende de muitos circuitos, todos trabalhando juntos. Além desses exemplos, uma personalidade dopaminérgica pode ser expressa de outras maneiras, que descreveremos mais adiante. No entanto, esses indivíduos têm algo em comum. Estão obcecados em tornar o futuro mais gratificante, mesmo que seja à custa das alegrias do presente.

SUPRESSÃO DA EMOÇÃO

Se puderes manter a calma quando todos ao redor
Estiverem perdendo a deles e culpando a ti...
Se puderes forçar teu coração, teus nervos e tendões
A te serem úteis muito depois de estarem esgotados,
E a resistirem quando já não te reste nada
Exceto a Vontade que lhes diz: "Resistam!"...
Tua é a Terra e tudo que nela existe.
– Rudyard Kipling, "Se"

A emoção é uma experiência A&A. É o que sentimos aqui e agora. E é fundamental para a nossa capacidade de compreender o mundo, mas às vezes pode nos dominar. Quando isso acontece, tomamos decisões menos lógicas. Felizmente, a oposição da dopamina aos circuitos de moléculas A&As pode reduzir a intensidade da emoção. Em situações complexas, pessoas mais dopaminérgicas, que têm o que chamamos de "sangue-frio", são capazes de suprimir essa resposta e fazer escolhas mais prudentes, que em geral funcionam melhor. Algum de nossos ancestrais evolucionários, dotado de um circuito de controle da dopamina particularmente robusto, pode ter reagido à investida de um leão suprimindo o impulso de entrar em pânico; assim, em vez de tentar fugir, pegou na fogueira um graveto em brasa e afugentou a fera. Quando em meio ao caos uma ação ousada é necessária, aquele que consegue manter a calma, fazer um balanço dos recursos disponíveis e desenvolver sem demora um plano de ação é quem vai se safar.

COMO SE ESQUIVAR DE UM SOCO

Embora as complexidades da sociedade moderna possam fazer as decisões automáticas de lutar ou fugir contrariarem nossos melhores interesses, em situações mais primitivas isso funciona muito bem. Um jovem médico conversando com um usuário de drogas na sala de emergência se viu incapaz de atender à demanda por drogas do paciente. Quando este percebeu que não iria conseguir o que queria, ficou furioso e desfechou um soco contra o médico. Felizmente este se esquivou e, antes que o paciente tivesse tempo de dar outro soco, dois seguranças surgiram e conseguiram acalmar o agressor. Ao fim do episódio, o médico disse: "Eu não tinha ideia do que estava acontecendo. Não tive tempo para pensar. Simplesmente desviei." Ele ficou satisfeito ao descobrir que era o feliz proprietário de circuitos de A&As que sabiam quando uma esquiva era necessária, sem necessidade de um cálculo dopaminérgico.

Junto com um membro da tripulação, peguei meu barco de 12 metros e navegamos rumo ao mar aberto. Logo nos deparamos com ventos de 56 quilômetros por hora e ondas com 3 metros de altura. Nenhum de nós estava preocupado. Tínhamos visto esse tipo de clima muitas vezes.

Peguei a roda do leme para virarmos. De repente ouvi um estalo alto e a roda começou a girar em falso. Eu tinha perdido o controle do leme. Nunca fiquei tão assustado na vida.

Estávamos perto de um recife em forma de L. O coral era visível logo acima da água e as ondas nos empurravam em direção a ele. Meu primeiro pensamento foi colocar um colete salva-vidas, pular do barco e nadar para longe do perigo. Logo percebi que seria impossível. As ondas me atirariam contra o recife ou a ressaca me puxaria mais para o mar. Senti o pânico se aproximando; sabia que, se permitisse que ele me dominasse, eu perderia a capacidade de pensar. Tudo isso se passou em cerca de 10 segundos.

Para me salvar, tive que começar a pensar. Após enviar pelo rádio uma mensagem de socorro, meu tripulante e eu começamos a manejar as velas tentando nos afastar do recife. Depois descobrimos uma forma de controlar o leme com os pés e conseguimos apontar o barco na direção da costa. Tão logo comecei a planejar e agir, o pânico retrocedeu e pude pensar com clareza.

Depois de chegarmos à praia, quando eu estava retornando ao meu quarto, comecei a chorar e tremer incontrolavelmente.

Essa história real é um excelente exemplo da interação entre a dopamina e o produto químico de luta ou fuga do neurotransmissor A&A, a norepinefrina. Quando o mecanismo de direção quebrou, a norepinefrina assumiu o comando. A emoção de medo desencadeada por esse neurotransmissor tomou conta do velejador. Ele só queria sair daquela encrenca. A princípio, a inundação neuroquímica inicial da substância A&A suplantou sua capacidade dopaminérgica de planejar. No entanto, o fato de sentir a chegada do pânico e ser capaz de refreá-lo é uma indicação de que seu sistema de dopamina não foi completamente desligado.

Em questão de segundos, o controle da dopamina foi totalmente ativado e o velejador começou a fazer planos racionais. A norepinefrina do sistema de A&As foi desativada e o medo refluiu, dando lugar a uma abordagem racional e desapaixonada para a sobrevivência. Quando a crise terminou e ele se viu em segurança, a dopamina recuou, abrindo espaço para que o neurotransmissor A&A voltasse com tudo, provocando tremores e choro.

A sabedoria convencional atribuiria essa história de sobrevivência no mar à atuação da adrenalina. Na verdade, ocorreu o contrário. O velejador não agiu com base na adrenalina, e sim na dopamina. Nos frenéticos momentos em que ele salvou o barco, a dopamina estava no controle e a adrenalina (chamada norepinefrina quando está no cérebro) tinha sido suprimida.

No século XVIII, Samuel Johnson resumiu a situação assim: "Quando um homem sabe que será enforcado em 15 dias, sua mente fica maravilhosamente concentrada." Um médico contemporâneo, Dr. David Caldicott, do pronto-socorro do Calvary Hospital, na cidade de Camberra, Austrália, se expressou assim: "Medicina de emergência é como pilotar um avião. Horas de trivialidades pontuadas por momentos de puro terror. Se você for competente, no entanto, não terá medo. Ficará apenas concentrado."

É MAIS FÁCIL MATAR À DISTÂNCIA

Em *Duna*, o clássico de ficção científica escrito por Frank Herbert, o herói tem que provar que é humano suprimindo seu instinto animal para agir no aqui e agora. Assim, sua mão é colocada dentro de uma caixa preta que contém um dispositivo diabólico, capaz de produzir uma dor inimaginável. Se o homem retirar a mão da caixa, a velha que aplica o teste perfurará seu pescoço com uma agulha envenenada e ele morrerá. Ela diz a ele: "Você já ouviu falar de animais que roem uma pata para escapar de uma armadilha? Isso é típico da astúcia animal. Um ser humano permaneceria na armadilha, aguentaria a dor e fingiria ter morrido, para poder matar o caçador e remover uma ameaça à sua espécie."

Algumas pessoas são naturalmente melhores em suprimir emoções do que outras. Na verdade, nascem assim, em parte por causa da quantidade e da natureza de seus receptores de dopamina – moléculas cerebrais que reagem quando a dopamina é liberada. A diferença tem base genética. Pesquisadores mediram a densidade de receptores de dopamina (quantos existem e quão próximo se aglomeram) no cérebro de várias pessoas e compararam os resultados com testes que mediram o "desapego emocional" de cada uma delas.

O teste de desapego mediu traços como tendência a evitar o compartilhamento de informações privadas e a se envolver com outras pessoas. Os cientistas descobriram uma relação direta entre a densidade dos receptores e o envolvimento pessoal. A alta densidade foi associada a um alto nível de distanciamento emocional. Em um estudo separado, aqueles que obtiveram as mais altas pontuações de distanciamento se descreveram como "frios, socialmente distantes e vingativos em seus relacionamentos". Por outro lado, aqueles com as pontuações mais baixas de desapego descreveram a si mesmos como "excessivamente protetores e fáceis de explorar".

A personalidade da maioria dos indivíduos fica em algum lugar entre as pontuações mais altas e mais baixas na escala de desapego. Não somos distantes nem excessivamente protetores. Nossa reação depende das circunstâncias. Se estivermos envolvidos com o peripessoal – bem próximos, em contato direto, focados no momento presente –, os circuitos de A&As são ativados e os aspectos calorosos e emocionais de nossa personalidade emergem. Quando estamos engajados no extrapessoal – mais distantes, pensando de modo abstrato, focados no futuro –, é mais provável que as partes racionais e menos emotivas de nossa personalidade sejam percebidas. Essas duas formas distintas de pensamento são ilustradas pelo dilema ético chamado "o problema do trem":

Um trem desgovernado desce pelos trilhos em direção a um grupo de cinco trabalhadores. Se nada for feito, todos morrerão. É possível, no entanto, desacelerar o trem empurrando um transeunte para os trilhos. A morte dessa pessoa deterá o trem durante o tempo necessário para salvar os cinco trabalhadores. Você empurraria o transeunte para os trilhos?

Nesse cenário, a maioria das pessoas seria incapaz de empurrar o transeunte para os trilhos – incapaz de matar uma pessoa com as próprias mãos, mesmo para salvar a vida de cinco outras. Seus neurotransmissores A&As ativados são responsáveis por gerar empatia e suplantarão o cálculo dopaminérgico. A reação das substâncias A&As é tão forte nessa situação porque estamos próximos demais, em pleno espaço peripessoal. Teríamos que pôr as mãos na vítima enquanto a enviamos para a morte. O que seria impossível para quase todo mundo, exceto os indivíduos mais desapegados.

No entanto, como a influência mais forte das A&As está no espaço peripessoal – no âmbito imediato do que os cinco sentidos nos informam –, o que aconteceria se recuássemos um passo de cada vez, diminuindo aos poucos a influência das A&As em nossa decisão? Nossa vontade – nossa capacidade – de negociar uma vida por cinco aumentaria à medida que nos afastamos (literalmente) de nossa vítima, à medida que saímos do espaço peripessoal das A&As para o espaço extrapessoal dopaminérgico?

Comece eliminando a sensação de contato físico. Imagine-se a alguma distância, observando a cena se desenrolar. Um botão que você pode acionar desviará o trem dos trilhos onde estão cinco pessoas para os trilhos em que só uma será morta. Se não fizer nada, cinco pessoas morrerão. Você acionaria o botão?

Afaste-se mais ainda. Imagine que está em uma cidade no outro lado do país. O telefone toca e um ferroviário em desespero descreve a situação. De sua mesa você pode controlar o caminho do trem. Ativando um botão, você desviará o trem para os trilhos com apenas uma pessoa. Se não fizer nada, permitirá que o trem atinja cinco pessoas. Você acionaria o botão?

Por fim, torne a situação o mais abstrata possível: exclua todas as moléculas A&As e conserve apenas as dopaminérgicas. Imagine que você é um engenheiro de sistemas de transporte projetando recursos de segurança para a ferrovia. Câmeras foram instaladas ao lado dos trilhos para fornecer informações sobre os trens. Você foi incumbido de escrever um programa de computador que controlará o botão. O programa usará as informações das câmeras para escolher qual caminho matará menos pessoas. Você criaria um software que, no *futuro*, poderá salvar cinco pessoas matando uma?

Os cenários podem mudar, mas os resultados serão sempre os mesmos: uma vida é sacrificada para que cinco possam ser salvas, ou cinco vidas são perdidas para evitar a morte de uma pessoa. Pouquíssimos indivíduos pousariam as mãos nas costas de um inocente e o empurrariam para a morte. Mas pouquíssimas pessoas hesitariam em escrever o software que gerenciaria as mudanças de trajeto do trem de um modo que minimizasse a perda de vidas. É quase como se houvesse duas mentes separadas avaliando a situação. Uma delas é racional, toma decisões baseadas apenas na razão. A outra é empática, incapaz de matar uma pessoa, independentemente do resultado geral. Uma procura dominar a situação impondo um controle para maximizar o número de vidas salvas; a outra, não. A escolha dependerá parcialmente da atividade nos circuitos de dopamina.

DECISÕES DIFÍCEIS NO MUNDO REAL

O dilema do trem é mais que apenas teórico: confronta os desenvolvedores de carros autônomos. Se um acidente fatal entre dois carros for inevitável, o que um carro autônomo deve ser programado para fazer? Deve mudar de direção para proteger a vida de seu proprietário ou se desviar para a direção oposta – matando seu proprietário – se isso poupar quem está no outro carro? Dica para o consumidor: na hora de comprar um carro autônomo, pergunte ao vendedor como ele foi programado.

Outro exemplo do problema foi retratado no filme *Decisão de risco*, de 2015. Terroristas no Quênia estão preparando dois homens-bomba para um ataque que matará cerca de duzentas pessoas. Há pouquíssimo tempo para detê-los. No outro lado do mundo, o piloto remoto de um drone está prestes a lançar um míssil para matar os terroristas. Pouco antes que o míssil seja disparado, uma garotinha monta uma banca para vender pão ao lado da casa que será alvo do ataque. Se o piloto do drone nada fizer, centenas morrerão. Só que, para matar a fim de salvar essas vidas, ele deve matar a garota junto com os terroristas. O filme documenta o intenso debate sobre que escolha fazer nesse retrato realista do "dilema do trem".

Às vezes somos frios, calculistas, buscamos dominar o ambiente para obter ganhos futuros. Outras vezes agimos de modo caloroso, empático, compartilhando o que temos pela pura alegria de fazer os outros felizes. Os circuitos da dopamina de controle e os circuitos de A&As funcionam em oposição, criando um equilíbrio que nos permite agir com humanidade em relação aos outros ao mesmo tempo que cuidamos da nossa sobrevivência. Como o equilíbrio é essencial, o cérebro geralmente conecta circuitos opostos. Isso funciona tão bem que não raro há circuitos divergentes atuando no mesmo sistema neurotransmissor. Mas, se o sistema de dopamina opera assim, o que acontece quando dopamina se opõe a dopamina?

O DESAFIO DOS RABANETES E BISCOITOS

A dopamina, um neurotransmissor, é a fonte do desejo (através do circuito do desejo) e da tenacidade (através do circuito de controle). É a paixão que aponta o caminho e a força de vontade que nos leva ao objetivo. Em geral, paixão e força de vontade trabalham juntas, mas, quando o desejo se fixa em algo que nos prejudicará a longo prazo – um terceiro pedaço de bolo, um caso extraconjugal ou uma injeção intravenosa de heroína –, a força de vontade dopaminérgica se volta contra seu circuito companheiro.

A força de vontade não é a única ferramenta que a dopamina de controle tem em seu arsenal quando precisa se opor ao desejo. Ela também pode recorrer ao planejamento, à estratégia e à abstração – como a capacidade de imaginar as consequências a longo prazo de más escolhas. Mas, quando precisamos resistir a impulsos nocivos, a força de vontade é a ferramenta que buscamos primeiro. O que pode não ser uma boa ideia. A força de vontade pode ajudar um alcoólatra a recusar um drinque uma vez, mas provavelmente não funcionará se ele tiver que dizer não durante meses ou anos. A força de vontade é como um músculo: fatiga-se com o uso e, após um período de tempo bastante curto, acaba cedendo. Um dos melhores experimentos que demonstraram os limites da força de vontade foi o famoso estudo dos rabanetes e biscoitos, baseado no engano. Os voluntários foram informados de que iriam participar de um estudo sobre degustação de alimentos. Eis como um cientista descreveu o teste:

> *O laboratório foi cuidadosamente preparado antes da chegada dos participantes. Biscoitos de chocolate foram assados em um pequeno forno na sala e, como resultado, o laboratório foi inundado de um aroma delicioso. Dois tipos de alimento foram então colocados sobre a mesa diante da qual o voluntário estava sentado. A um lado, uma pilha de biscoitos de chocolate e alguns bombons; no outro lado, uma tigela de rabanetes vermelhos e brancos.*

Os participantes chegaram com fome. Tinham sido instruídos a pular uma refeição antes de vir para o laboratório. Assim, a visão e o cheiro dos biscoitos recém-assados eram por demais tentadores. Um de cada vez, os voluntários foram conduzidos à sala onde os biscoitos de chocolate haviam acabado de sair do forno e orientados a provar dois ou três biscoitos ou dois ou três rabanetes, dependendo do grupo para o qual tinham sido designados. Antes que começassem a comer, o pesquisador saía da sala, lembrando que o participante só deveria ingerir o alimento que lhe fora designado.

Nenhum dos participantes do grupo dos rabanetes quebrou as regras e comeu biscoito, mas obviamente ficaram tentados. Os pesquisadores espiaram por uma cortina para ver o que eles faziam. "Vários olharam ansiosamente para os biscoitos de chocolate e, em alguns casos, chegaram a cheirá-los."

Após cerca de cinco minutos, o cientista retornava e dizia ao voluntário que o próximo passo do estudo era bem diferente: um teste de capacidade de resolução de problemas. O problema não tinha solução, mas isso não foi dito aos participantes. A questão era: quanto tempo cada voluntário insistiria naquela tarefa impossível?

Os participantes autorizados a comer biscoitos trabalharam no problema por cerca de 19 minutos. Os que só haviam obtido permissão para comer rabanetes, e que tiveram que reprimir seu desejo de biscoitos, persistiram na tarefa por apenas oito minutos – menos da metade do tempo do outro grupo – antes de desistirem. A conclusão dos pesquisadores: "Resistir à tentação parece ter cobrado um custo psíquico, pois após o primeiro teste os voluntários desistiram facilmente diante da frustração." Se você estiver de dieta, quanto mais vezes resistir à tentação, mais probabilidade terá de falhar da próxima vez. A força de vontade é um recurso limitado.

A MÁQUINA PARA EXERCITAR A FORÇA DE VONTADE

Se a força de vontade é como um músculo, seria possível fortalecê-la com exercícios? Sim, mas isso exigiria "equipamentos de exercícios" de alta tecnologia, do tipo que os cientistas do Centro de Neurociência Cognitiva da Universidade Duke usaram para verificar se poderiam melhorar a parte do cérebro que as pessoas usam para acionar a força de vontade.

No início, eles facilitaram as coisas e deram dinheiro aos participantes que concluíram com sucesso uma tarefa. É fácil ficar motivado quando há uma recompensa imediata. Com um scanner cerebral, os cientistas constataram a ativação da área tegmental ventral do cérebro, o lugar onde os circuitos do desejo e de controle se originam. Em seguida, pediram aos voluntários que encontrassem formas de se automotivar. Sugeriram uma série de estratégias, como dizerem a si mesmos: "Você consegue!" Também encorajaram os participantes a serem criativos e a usarem o que achassem que os motivaria mais. Alguns imaginavam treinadores encorajando-os. Outros se concentraram nas possíveis recompensas. Durante todo o tempo, eles permaneceram no scanner cerebral, enquanto os pesquisadores observavam o que ocorria na área do cérebro que controla a motivação. Ficaram surpresos ao verem o que acontecia: nada. O dinheiro funcionava, mas, quando os participantes tentaram se motivar por conta própria, falharam.

Em seguida, os cientistas deram aos voluntários uma pequena ajuda sob a forma de biofeedback, que é quando uma pessoa recebe informações sobre como seu corpo e seu cérebro estão funcionando. Essas informações a ajudam a encontrar modos eficazes de controlar coisas que geralmente são inconscientes. A forma mais conhecida de biofeedback é por relaxamento. Um dispositivo que mede pequenas quantidades de suor é preso ao dedo de uma pessoa. Quanto menos suor, maior o relaxamento. O sinal é expresso como um tom, que o usuário tenta manipular na direção do relaxamento. Funciona.

No experimento de motivação, os participantes receberam um termômetro com duas linhas. Uma indicava o nível real de atividade na região da motivação; a outra assinalava uma meta mais elevada, que eles deveriam tentar alcançar. Assim poderiam ver quais estratégias funcionavam e quais não. Após um tempo, eles imaginaram uma série de cenas que efetivamente aumentavam a atividade de motivação. Essas estratégias continuaram a funcionar mesmo depois que o termômetro foi removido. Fortalecer a força de vontade era possível, mas exigia uma janela de alta tecnologia que permitisse aos participantes do teste uma observação profunda de seu cérebro.

DOPAMINA X DOPAMINA

Embora seja possível fortalecer a força de vontade, isso ainda não é a resposta para mudanças duradouras e de longo prazo. Então, o que funciona? Eis uma pergunta de grande interesse para os médicos que ajudam as pessoas que lutam para superar vícios. Não se pode vencer as drogas apenas com força de vontade. É preciso mais do que isso. Existem medicamentos que funcionam com alguns vícios, mas não quando são administrados sozinhos. Precisam ser combinados com alguma forma de psicoterapia.

O objetivo da psicoterapia no combate a vícios é colocar uma parte do cérebro contra a outra. Parte do circuito do desejo dopaminérgico se torna maligna no caso do vício em drogas, levando o viciado a usá-las de modo compulsivo e incontrolável. Só uma força igualmente potente poderá dar bom combate a isso. Sabemos que a força de vontade não será suficiente. Que outros recursos podem então ser convocados para vencer essa luta?

O problema foi estudado exaustivamente e o conhecimento adquirido gerou diversas psicoterapias. Entre as mais estudadas estão a *terapia de intensificação motivacional*, a *terapia cognitivo-comportamental* e a *terapia de facilitação em 12 passos*. Cada uma adota uma abordagem diferente, mas todas utilizam os recursos disponíveis no cérebro humano para neutralizar os impulsos destrutivos do mau funcionamento do circuito do desejo dopaminérgico.

TERAPIA DE INTENSIFICAÇÃO MOTIVACIONAL: DOPAMINA DO DESEJO X DOPAMINA DO DESEJO

Os viciados ficam desesperados por drogas. Usam drogas mesmo quando elas destroem suas vidas e quase todos sabem que estão se prejudicando. As substâncias químicas não os enganam totalmente. Mas eles são ambivalentes: embora uma parte deles queira apenas usar drogas, existem outros desejos, ainda que mais fracos. Esses desejos podem ser fortalecidos. Pode haver o desejo de ser um cônjuge melhor, de ser um pai/mãe melhor ou de ter um desempenho melhor no trabalho. O viciado em drogas pode ver sua conta bancária se esgotando e desejar a paz de espírito proveniente da segurança financeira. Ou pode acordar sentindo-se doente todos os dias e desejar voltar ao tempo em que era forte e saudável.

Esses desejos não são capazes de provocar uma liberação de dopamina, como fazem as drogas, mas proporcionam motivação para agir e paciência para suportar. Na terapia de intensificação motivacional (TIM), os pacientes toleram os sentimentos de rancor e carência – a punição imposta pela dopamina desapontada –, pois sabem que isso os conduzirá a algo melhor. O objetivo da terapia é avivar as chamas do desejo de uma vida melhor.

Os terapeutas adeptos da TIM constroem a motivação incentivando seus pacientes a falar sobre seus desejos saudáveis, pondo em prática um velho ditado: "Não acreditamos no que ouvimos, acreditamos no que dizemos." Por exemplo: se você fizer para alguém um sermão sobre a importância da honestidade e logo depois convidar esse alguém a entrar em um jogo que premia a trapaça, provavelmente descobrirá que a pregação teve pouco efeito. Por outro lado, se você pedir a alguém que lhe faça um sermão sobre a importância da honestidade, será menos provável que esse alguém trapaceie quando for entrar no tal jogo.

A TIM é um tanto manipulativa. Quando o paciente faz uma *declaração a favor de mudanças*, como "Às vezes tenho dificuldade em chegar pontualmente ao trabalho após uma noite de bebedeira", o terapeuta responde com um reforço positivo ou com um pedido do tipo: "Fale mais sobre isso." Por outro lado, se o paciente fizer uma *declaração contra mudanças*, como "Trabalho duro o dia todo e mereço relaxar à noite tomando uns drinques", o terapeuta não discute, pois isso provocaria mais declarações contra mudanças. Em vez disso, ele simplesmente muda de assunto. Os pacientes em geral não percebem o que está acontecendo, pois a técnica dribla suas defesas conscientes e eles passam a maior parte da consulta fazendo declarações a favor de mudanças.

TERAPIA COGNITIVO-COMPORTAMENTAL: DOPAMINA DE CONTROLE X DOPAMINA DO DESEJO

É melhor ser inteligente do que ser forte. Em vez de tentar atacar de frente um vício por meio da força de vontade, a terapia cognitivo-comportamental (TCC) usa a capacidade de planejamento da dopamina de controle para derrotar o poder bruto da dopamina do desejo. Os viciados que lutam para se manter limpos são mais frequentemente derrotados quando incapazes de resistir à ânsia por drogas. Os terapeutas da TCC ensinam aos pacientes que a ânsia é desencadeada por estímulos: as próprias drogas, álcool e coisas que fazem o viciado se lembrar de drogas e álcool (pessoas, lugares e objetos). Os estímulos que repentina e inesperadamente despertam a ânsia em um viciado produzem um erro de previsão de recompensa, como no caso do homem que sentiu um desejo irresistível por heroína quando viu uma garrafa de alvejante. A dopamina do desejo então aumenta, motivando o viciado a usar a droga e ameaçando se desligar totalmente caso não consiga o que quer.

Na TCC, os alcoólatras aprendem a se precaver de muitas formas contra a ânsia provocada por estímulos. Por exemplo, podem recrutar um amigo sóbrio para ir com eles a eventos onde bebidas alcoólicas serão servidas. Eles também trabalham para eliminar o maior número possível de estímulos. Juntamente com um amigo, o paciente pode participar de uma "missão de busca e destruição" na qual tudo que lembre bebidas alcoólicas é removido de sua casa: copos de coquetel, coqueteleiras, frascos de bolso, azeitonas e assim por diante. Qualquer elemento que o bebedor conecte ao uso de álcool é um gatilho e tem que ser retirado do local. Caso contrário, pode ser o estopim da ânsia que põe fim a um período de sobriedade duramente conquistado. Um paciente alcoólatra fabricava cerveja em seu porão. Ele resistia a se livrar do equipamento, pois aquilo era um hobby, segundo ele, e nada tinha a ver com bebida. A dopamina do desejo venceu aquela batalha, mas com o tempo ele cedeu à dopamina de controle e jogou o equipamento no lixo. Agora está sóbrio.

VÍCIO: É PIOR DO QUE SE PENSA

Os vícios são difíceis de tratar, mais que muitas outras doenças psiquiátricas. Pacientes com depressão, por exemplo, querem melhorar – não há dúvida quanto a isso. Mas, quando um indivíduo é viciado em alguma droga, ele não tem tanta certeza. Pode compartilhar o sentimento que Santo Agostinho expressou quando mantinha um caso com uma jovem: *Senhor, dai-me castidade, mas ainda não.*

Por serem tão difíceis de superar, médicos e pacientes costumam considerar que substâncias viciantes, como o álcool, são inimigas. Inimigas que respeitamos, pois não são simplesmente poderosas: são inteligentes.

Um de seus "truques" é o uso de gatilhos inesperados que despertam o desejo: fotos tiradas com amigos em um piquenique, um copo favorito, um abridor de garrafas ou até uma faca de cozinha usada para cortar limões. Esses gatilhos podem ser tão sutis que a pessoa não os reconhece até sucumbir à tentação.

Mas livrar-se dos gatilhos não é suficiente. Cientistas descobriram recentemente uma tática inesperada – e um tanto assustadora – do inimigo. Imaginemos um alcoólatra que, sem motivo aparente, decide mudar sua rotina e tomar um caminho alternativo do trabalho para casa. Ao passar por um boteco que costumava frequentar, é dominado pelo desejo. Na sessão de terapia seguinte, ele diz não ter ideia de como isso aconteceu. Não relaciona a decisão de mudar sua rotina, aparentemente inocente, com a recaída.

Mas a recaída não foi coincidência. O vício em álcool altera o funcionamento de certos segmentos do DNA essenciais para que os circuitos de controle da dopamina nos lobos frontais atuem. Uma enzima-chave é suprimida, interferindo na capacidade dos neurônios para transmitir sinais. Como um hacker que, em meio a uma batalha, desativa os canais de comunicação do inimigo. Assim, o alcoólatra pode não querer passar por seu antigo refúgio, mas o inimigo prejudicou sua capacidade de avaliar as consequências de tomar outro caminho para casa.

A pesquisa que desvendou as mudanças perigosas no DNA foi feita com ratos, portanto não temos certeza se o mesmo acontece com humanos, mas os resultados foram impressionantes. Ratos com DNA modificado para o vício ingeriram mais álcool – mesmo quando o álcool era misturado a quinina, alcaloide de sabor amargo que os ratos normalmente evitam. A descoberta sugeriu que a alteração do DNA leva os bebedores a consumir álcool apesar das consequências desagradáveis.

Os alcoólatras ainda podem superar o vício, mas, como a capacidade da dopamina de controle de bloquear os impulsos da dopamina do desejo foi prejudicada, isso ficou mais difícil. O álcool não se limita a criar um desejo perpétuo; também sabota o foco no futuro, necessário para que o viciado permaneça no caminho da recuperação. A boa notícia é que agora sabemos que essa arma existe e poderemos neutralizá-la se encontrarmos uma forma de reverter as mudanças no DNA.

TERAPIA DE FACILITAÇÃO EM DOZE PASSOS: A&A X DOPAMINA DO DESEJO

O grupo de autoajuda mais bem-sucedido do mundo – o Alcoólicos Anônimos (AA) – não é para qualquer um. Isso porque exige que as pessoas aceitem o rótulo de *alcoólatra*, algo desagradável para muitos. Além disso, baseia-se na crença em um poder superior, que alguns não têm. E, por fim, requer o compartilhamento de histórias pessoais num ambiente de grupo, algo que deixa certas pessoas pouco à vontade. Mas os que se adaptam bem podem se beneficiar do acesso a um valioso recurso.

Superar um vício é uma batalha a longo prazo, às vezes até de uma vida inteira. Dito isso, o AA tem vantagens importantes sobre os programas de tratamento contra o vício em drogas. Para começar, uma pessoa pode se manter no grupo pelo tempo que quiser, sem limitações. É gratuito e está disponível em todo o mundo. Nas áreas metropolitanas existem grupos por toda parte, que se reúnem dia e noite.

O AA é uma associação, não um tratamento. O indivíduo melhora por meio de relacionamentos com outros membros do grupo e com um poder superior. A parte social do nosso cérebro faz conexões com outras pessoas usando neurotransmissores A&As. Há poucas coisas neste mundo tão poderosas quanto relacionamentos. De acordo com a Alexa, uma empresa de análise de internet, o Facebook é o segundo site mais visitado da rede. (O Google é o número 1 e o Pornhub, o site de pornografia mais frequentado, é o número 67, o que nos faz acreditar na capacidade humana de resistir às partes menos saudáveis da dopamina do desejo.)

Os participantes do AA distribuem livremente seus números de telefone para que alcoólatras em dificuldades possam ligar quando precisam de apoio e encorajamento. Se um membro do AA escorregar e sofrer uma recaída, ninguém o condenará, mas ele inevitavelmente sentirá que decepcionou o grupo. A experiência de culpa vivenciada no aqui e agora é um motivador poderoso (sua mãe sabe disso). A combinação de apoio emocional com ameaça de culpa ajuda muitos viciados a manter uma sobriedade duradoura.

Um bom exemplo da atividade A&A na supressão do vício causado pela dopamina é a observação de que, quando engravidam, mulheres fumantes respondem por um aumento na taxa de abandono do tabaco. A Dra. Suena Massey – do Instituto de Saúde da Mulher da Northwestern University, Estados Unidos –, que fez um estudo aprofundado dessa rápida mudança, notou que as etapas usuais que um fumante percorre no caminho para deixar de fumar são completamente ignoradas. O nível de empatia das A&As pelo feto em desenvolvimento é tão alto que muitas mulheres fumantes pulam direto para a linha de chegada, parando de fumar sem qualquer esforço consciente. Uma vez desarmada a racionalização dopaminérgica de que "não estou prejudicando ninguém além de mim mesma", a porta se abre para um rápido reajuste no equilíbrio A&A-dopamina.

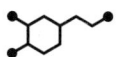

O sistema de dopamina, como um todo, evoluiu para maximizar recursos futuros. Além do desejo e da motivação, que fazem a bola rolar, também possuímos um circuito mais sofisticado que nos torna capazes de pensar a longo prazo, fazer planos e usar conceitos abstratos como matemática, razão e lógica. Olhar para o futuro a longo prazo também nos dá a tenacidade de que precisamos para superar desafios e realizar façanhas que demandarão muito tempo, como estudar ou voar para a Lua. Também nos dá a capacidade de domar os impulsos hedonistas do circuito do desejo, suprimindo a gratificação imediata para conseguir algo melhor. O circuito de controle suprime a emoção do aqui e agora, permitindo-nos pensar do modo frio e racional que muitas vezes é necessário quando decisões difíceis precisam ser tomadas, como sacrificar o bem-estar de uma pessoa em benefício de outras.

O circuito de controle pode ser astuto. Às vezes avança e domina uma situação usando o poder da confiança. Outras vezes enseja comportamentos submissos que induzem outros a cooperar conosco, multiplicando nossa capacidade de realização e de alcançar nossos objetivos.

A dopamina produz não só desejo como também dominação. Ela nos faz capazes de dobrar o ambiente, e até mesmo outras pessoas, à nossa vontade. Mas pode fazer mais do que nos proporcionar domínio sobre o mundo: pode criar mundos inteiramente novos, mundos tão surpreendentes que só poderiam ter sido criados por um gênio... ou um louco.

*Criatividade é o poder de conectar
o que parece desconectado.*
– William Plomer, escritor

Capítulo 4
CRIATIVIDADE E LOUCURA

Riscos e recompensas do cérebro altamente dopaminérgico

Investigaremos como a dopamina quebra as barreiras do trivial.

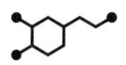

Os mesmos pensamentos continuaram percorrendo minha mente o tempo todo. Eu só queria que parassem... Então eu disse: quem eu devo chamar? Liguei para os Caça-Fantasmas. Quer dizer, não, falei errado. Eu não liguei para os Caça-Fantasmas, liguei para o setor de intervenção de crises... Posso voltar para dentro agora? Acho que talvez haja alguém querendo atirar em mim.

– Extraído de uma entrevista com um homem com esquizofrenia

A mente criativa é a força mais poderosa da Terra. Nenhum poço de petróleo, mina de ouro ou fazenda de mil hectares pode competir com as possibilidades de enriquecimento oferecidas por uma ideia criativa. A criatividade é o cérebro em sua máxima expressão. Uma doença mental é o oposto: reflete um cérebro lutando para gerenciar até os desafios mais banais da vida cotidiana. No entanto, loucura e genialidade, o pior e o melhor que o cérebro pode fazer, dependem da dopamina. Por conta dessa conexão química básica, loucura e genialidade estão mais intimamente ligadas uma à outra que ao modo como os cérebros comuns funcionam. De onde vem essa conexão e o que ela nos diz sobre a natureza essencial de ambas? Comecemos pela loucura.

ROMPENDO COM A REALIDADE

William teve que ser trazido para casa pelos pais, pois se recusava a admitir que tinha uma doença mental. Sua mãe e seu pai eram escritores talentosos, que haviam viajado pelo mundo visitando zonas de guerra, coletando material para seus livros. William também dava mostras de inteligência superior, embora tivesse momentos de instabilidade. Durante o último ano do ensino médio, seus pais prometeram comprar um carro para ele se tirasse boas notas, e ele conseguiu notas excelentes.

Mas as coisas mudaram drasticamente depois que ele foi para a faculdade. Ideias estranhas invadiram sua mente. William fez amizade com uma jovem e desenvolveu a crença equivocada de que ela estava apaixonada por ele. Quando ela negou, ele chegou à conclusão de que ela era HIV positiva e estava tentando protegê-lo da infecção. Logo essa ideia se espalhou para outras pessoas. Ele se convenceu de que vários conhecidos eram soropositivos e contavam com ele para viajar para a África e encontrar uma cura. Ele imaginou isso porque as vozes de sua falecida avó e de Deus estavam explicando as coisas para ele.

Quando seus amigos sugeriram que ele procurasse um profissional de saúde mental, William pensou que era armação de seus pais, subornando-os para dizer isso. Era parte de uma conspiração, pensou, para fazê-lo pensar que estava doente. Ele se convenceu de que seus pais eram impostores e deixou o país para procurar sua verdadeira família.

Não ficou muito tempo longe. Quando voltou para casa, acusou os pais de monitorá-lo com dispositivos de escuta ocultos. Viajou então para Nova York no intuito de escapar do estresse esmagador da perseguição imaginária, que chamou de "maus-tratos generalizados". Tudo estava se tornando por demais intenso, e ele precisava de uma pausa. Queria ir para algum lugar aonde ninguém pudesse segui-lo.

Quando voltou para casa, pagando a um taxista 600 dólares pela corrida, seus pais já estavam fartos. E lhe disseram que ele não poderia morar na casa deles a menos que consultasse um especialista em saúde mental. William, agora enfrentando a perspectiva de se tornar um sem-teto, concordou. Sob a supervisão de um psiquiatra, ele começou a tomar um medicamento antipsicótico. Melhorando do transtorno, decidiu se matricular em uma faculdade local, onde começou a estudar desenho gráfico. Mas estava no início da recuperação, e o plano era ambicioso demais. Desistiu após alguns meses.

Com o tempo, os sintomas melhoraram, mas convencer William a tomar os remédios regularmente era um desafio para seus pais. Ele continuava a duvidar que tinha uma doença psiquiátrica. Seu médico decidiu trocar o medicamento por outro que não fosse de uso diário: William só precisaria ir ao consultório uma vez por mês para tomar uma injeção, o que lhe permitiu seguir um tratamento ininterrupto. William melhorou a ponto de poder trabalhar em tempo integral como cozinheiro e viver de maneira independente em seu apartamento.

A esquizofrenia* é uma forma de psicose caracterizada pela presença de alucinações e delírios. Alucinações podem fazer uma pessoa ver, tocar e até cheirar coisas que não estão realmente próximas dela. O tipo mais comum de alucinação é a auditiva – ouvir vozes. As vozes podem comentar o comportamento da pessoa ("Você está almoçando agora"). Pode haver mais de uma voz ("Você já notou que todo mundo o odeia?" "É porque ele não toma banho"). Às vezes são alucinações de comando ("Se mate!"). Ocasionalmente, as vozes são amigáveis e encorajadoras ("Você é um cara ótimo. Continue fazendo um bom trabalho"). Alucinações amigáveis têm menos probabilidade de desaparecer, o que pode ser bom. No geral, exercem uma influência positiva.

Outro componente da psicose são os delírios, crenças fixas incompatíveis com a visão geralmente aceita da realidade. Por exemplo: "Os alienígenas implantaram um chip no meu cérebro." Os delírios são aceitos com absoluta certeza, um nível de certeza raramente atingido por ideias não delirantes. Por exemplo, quase todos os indivíduos não têm dúvidas de

---

* "Loucura" não é um diagnóstico psiquiátrico. Empregamos a palavra aqui como é usada em conversas informais, com o sentido de doença mental grave, incluindo delírios e pensamentos caóticos. O problema mais comumente designado pelo termo coloquial "loucura" é a esquizofrenia.

que seus pais são realmente seus pais; mas, se você lhes perguntar se eles têm certeza *absoluta*, vão confessar que não têm. Por outro lado, quando perguntaram a um paciente esquizofrênico se ele tinha certeza de que o FBI estava usando ondas de rádio para implantar mensagens em sua mente, ele disse que não tinha nenhuma dúvida. Nenhuma prova poderia convencê-lo do contrário.

Um bom exemplo desse fenômeno vem de John Nash, matemático ganhador do Prêmio Nobel, que tinha esquizofrenia. Sylvia Nasar, que o biografou em seu livro *Uma mente brilhante*, relatou a seguinte conversa entre Nash e o professor de Harvard George Mackey:

"Como você consegue", começou Mackey, "como você, um matemático, um homem dedicado à razão e a provas lógicas... como você consegue acreditar que extraterrestres estão enviando mensagens a você? Como consegue acreditar que está sendo recrutado por alienígenas do espaço sideral para salvar o mundo? Como consegue?"

Nash ergueu a cabeça e, sem pestanejar, lançou a Mackey um olhar tão frio e desapaixonado quanto o de qualquer pássaro ou cobra. "Porque", disse ele lentamente em seu suave sotaque sulista, como se estivesse falando para si mesmo, "as ideias que eu tive sobre seres sobrenaturais vieram a mim da mesma forma que vieram minhas ideias matemáticas."

De onde, na verdade, vêm essas ideias? Uma pista vem do que sabemos sobre como tratar a esquizofrenia. Os psiquiatras prescrevem medicamentos chamados antipsicóticos, que reduzem a atividade no circuito da dopamina do desejo. À primeira vista, isso parece estranho. A estimulação do circuito do desejo normalmente produz excitação, desejo, entusiasmo e motivação. Como o excesso de estimulação pode causar psicose? A resposta vem do conceito de *proeminência*, fenômeno que também desempenha um papel crucial na compreensão das raízes da criatividade.

PROEMINÊNCIA E A CONEXÃO DA DOPAMINA

A palavra "proeminência" se reporta ao grau em que as coisas são importantes, conspícuas ou atraem atenção. Um tipo de proeminência é ser incomum. Por exemplo, um palhaço andando na rua é mais proeminente – mais fora de lugar – do que um homem de terno. Outro tipo de proeminência diz respeito a valor. Uma maleta com 10 mil dólares é mais proeminente do que uma carteira com 20 dólares. Coisas diferentes são proeminentes para pessoas diferentes. Um pote de requeijão é mais importante para um menino com alergia a lactose do que para um sem alergia. E também é mais importante para uma garota que adora sanduíches recheados com requeijão do que para uma que prefere os seus recheados com salada de atum.

Pense em como são proeminentes as seguintes coisas: uma mercearia que você viu centenas de vezes antes comparada com uma que abriu ontem; o rosto de um estranho comparado com o rosto da pessoa que você ama secretamente; um policial quando você está apenas dirigindo pela rua e um policial depois que você acaba de fazer uma curva não permitida à esquerda. As coisas são proeminentes quando são importantes para você, quando têm o potencial de afetar seu bem-estar. As coisas são proeminentes quando têm o potencial de influenciar seu futuro. São proeminentes quando acionam a dopamina do desejo transmitindo mensagens como: *Acorde. Preste atenção. Fique empolgado. Isso é importante.* Você está sentado em um ponto de ônibus, lendo um artigo de jornal sobre um acordo comercial com o Canadá. A menos que os tediosos detalhes da negociação afetem você de algum modo, seu circuito da dopamina do desejo permanecerá em repouso. Então, de repente, você depara com o nome de uma colega dos tempos de colégio que está envolvida nas negociações. *Bingo! Proeminência. Dopamina.* À medida que você continua a leitura, seu interesse vai aumentando. De repente você depara com seu próprio nome. Dá para imaginar como isso afetaria sua dopamina.

UM CURTO-CIRCUITO PSICÓTICO

O que acontece, porém, se a função de proeminência do cérebro funcionar mal – se disparar mesmo quando nada que seja realmente importante para você estiver acontecendo? Imagine que você está assistindo ao noticiário. O âncora está falando sobre um programa de espionagem do governo e, de repente, seu circuito de proeminência é acionado sem motivo algum. Você pode então achar que a história no noticiário tem algo a ver com você. Proeminência em demasia ou na hora errada pode criar delírios. O evento deflagrador passa da obscuridade para a relevância.

Um delírio comum entre os indivíduos com esquizofrenia é que as pessoas na TV estão falando diretamente com eles. Outro é que são alvo de investigações da Polícia Federal, do Serviço Secreto, do FBI ou da KGB. Um paciente contou que viu um sinal de PARE e pensou que era uma mensagem de sua mãe lhe dizendo para não olhar para mulheres. Outro viu um carro vermelho estacionado em frente ao seu apartamento, no Dia dos Namorados, e achou que era uma mensagem de amor de sua psiquiatra. Mesmo pessoas que jamais foram psicóticas podem passar a dar importância a coisas que parecem sem importância para os outros, como gatos pretos ou o número 13.*

Há uma grande variação na relevância que as pessoas atribuem a coisas diferentes. Todo mundo tem um limite mínimo, no entanto. Temos que categorizar algumas coisas como tendo pouca ou nenhuma relevância para que, assim, possamos ignorá-las. Fazemos isso pela simples razão de que perceber cada detalhe do mundo ao nosso redor seria esmagador.

---

* A superstição seria uma forma branda de ilusão ou uma escolha? Pesquisas indicam que nas pessoas supersticiosas há uma preponderância de traços dopaminérgicos. Portanto, provavelmente existe uma tendência genética que leva algumas pessoas a ter crenças supersticiosas.

BLOQUEANDO A DOPAMINA PARA TRATAR PSICOSES

Pessoas com esquizofrenia mantêm sua atividade dopaminérgica sob controle tomando medicamentos que bloqueiam os receptores de dopamina (Figura 4). Os receptores são moléculas que se situam do lado de fora das células cerebrais, onde capturam moléculas de neurotransmissores (como dopamina, serotonina e endorfinas). As células cerebrais têm receptores diferentes para neurotransmissores diferentes e cada qual afeta a célula de maneira diferente. Alguns receptores estimulam as células cerebrais e outros as deixam em um estado de tranquilidade. O cérebro processa informações modificando o comportamento das células. Um procedimento que lembra a ativação e a desativação de transístores em um chip.

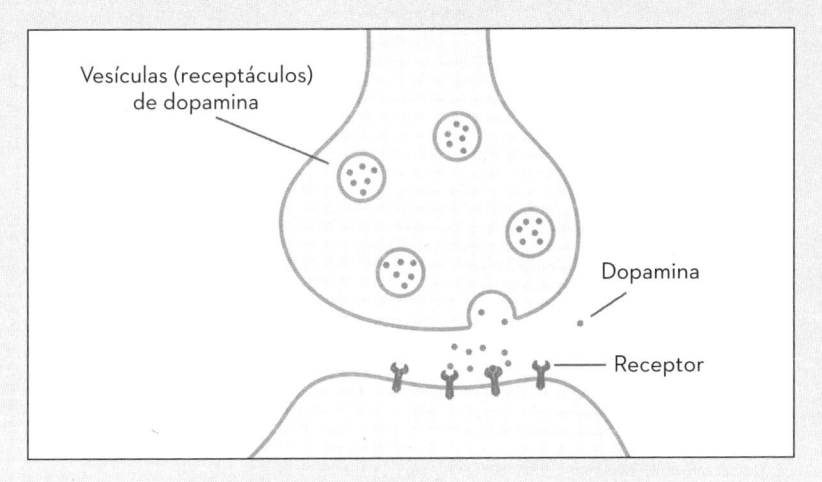

Figura 4

Quando um medicamento antipsicótico bloqueia um receptor, o neurotransmissor (no caso, a dopamina) não pode comunicar seu sinal. É como cobrir um buraco de fechadura com fita adesiva. O bloqueio da dopamina em geral não elimina todos os sintomas da esquizofrenia, mas pode excluir delírios e alucinações. Infelizmente, os medicamentos antipsicóticos bloqueiam a dopamina em todo o cérebro, e o bloqueio do circuito de controle nos lobos frontais pode agravar alguns aspectos da doença, como a dificuldade de concentração e a de compreensão de conceitos abstratos.

Para maximizar os benefícios e minimizar os danos, os médicos precisam encontrar a dose certa, de modo a suprimir o excesso de atividade dopaminérgica no circuito de proeminência sem enfraquecer excessivamente o circuito de controle – responsável pelo planejamento de longo prazo. A meta é prover medicação suficiente para bloquear de 60% a 80% dos receptores de dopamina. Mas, quando uma onda de dopamina sinaliza algo importante no ambiente, o ideal seria que as moléculas antipsicóticas saíssem do caminho, pelo menos por um momento, permitindo a passagem do sinal. Se você estiver tentando derrotar seu chefe em um jogo de videogame ou se candidatando a um novo emprego, é bom que haja um pouco de empolgação para criar a motivação que faz as coisas acontecerem.

Antipsicóticos mais antigos não fazem isso muito bem, pois se grudam demais ao receptor. Se algo interessante acontecer e a dopamina disparar, paciência. A medicação aderiu de tal modo aos receptores que nenhuma dopamina pode passar – e isso não é bom. Sem os picos naturais de dopamina o mundo se torna um lugar monótono; fica difícil encontrar razões para sair da cama de manhã. Medicamentos mais novos não bloqueiam tanto os receptores. Um pico dopaminérgico é capaz de mudar o cenário, e a sensação de *isso é interessante* consegue passar.

BEBENDO POR UMA MANGUEIRA DE INCÊNDIO

Na esquizofrenia, o cérebro entra em curto-circuito e dá proeminência a coisas triviais, que deveriam ser familiares e, portanto, ignoradas. Outro nome para isso é *baixa inibição latente*. O termo *latente* em geral é usado para descrever algo que está oculto, como "um talento latente para a música" ou "uma demanda latente por carros voadores". Mas seu sentido na expressão *inibição latente* é um tanto diverso, pois não é algo escondido na origem; nós é que o escondemos por não o acharmos importante.

Inibimos nossa capacidade de perceber coisas sem importância para não desperdiçarmos nossa atenção com elas. Se formos conferir a limpeza das vitrines enquanto estivermos andando pela rua, podemos não perceber o sinal vermelho em um cruzamento. Se atribuirmos igual importância à cor da gravata de uma pessoa e à expressão em seu rosto, podemos deixar passar algo muito importante para nosso bem-estar futuro. Se você mora próximo a um quartel de bombeiros, até mesmo o som das sirenes pode ser amortecido se seus circuitos dopaminérgicos perceberem que nada acontece quando eles começam a tocar. Alguém que estiver visitando sua casa poderá dizer: "Que som é esse?" E você responderá: "Que som?"

Às vezes nosso ambiente fica tão abarrotado de novidades que a inibição latente é incapaz de escolher o que é mais importante. Essa experiência pode ser emocionante ou assustadora, dependendo da situação e da pessoa que a vive. Se você estiver em um país exótico, não há muito a inibir, o que pode ocasionar um grande prazer, mas também confusão e desorientação provocadas pelo choque cultural. O autor e jornalista Adam Hochschild descreveu assim: "Quando estou em um país radicalmente diferente do meu, percebo muito mais coisas. É como se eu tivesse tomado uma droga que alterasse minha mente e me permitisse perceber o que em geral não notaria. Sinto-me muito mais vivo." À medida que o novo ambiente se torna familiar, vamos nos ajustando até o dominarmos. Separamos então as coisas que nos afetarão das que não nos afetarão, e a inibição latente retorna, deixando-nos confortáveis e confiantes outra vez – e capazes, novamente, de separar o essencial do secundário.

Mas e se o cérebro for incapaz de fazer esse ajuste? E se os lugares mais conhecidos parecerem estranhos? Trata-se de um problema que não está confinado à esquizofrenia. Um grupo de pessoas com esse transtorno criou um site chamado Low Latent Inhibition Resource and Discovery Centre (Centro de descoberta e tratamento da baixa inibição latente). Elas descrevem assim o que sentem:

> Um indivíduo com baixa inibição latente pode tratar estímulos familiares quase como o faria com novos estímulos. Pense nos detalhes que você percebe quando vê algo novo pela primeira vez e como isso chama sua atenção. A partir daí, todos os tipos de pergunta podem surgir em sua mente. "O que é isso? O que faz? Por que está aí? O que significa? Como pode ser utilizado?" e assim por diante.

Um visitante do site descreveu sua experiência:

> Estou enlouquecendo! Há muita informação na minha cabeça, e eu durmo muito pouco. Não suporto olhar para mais nada! Estou cansado de ser um observador! Cansei de perceber tudo! Quero ir para uma floresta profunda e não ver mais nada, não ouvir mais nada, não ler mais nada. Quero me afastar de toda a tecnologia. Não quero confusão, não quero nada fora do lugar, não quero nada mudado. Quero dormir sem sonhos que me tragam respostas a problemas e me façam começar a trabalhar assim que acordo! Estou cansado e não quero mais pensar!

Vemos formas mais brandas de baixa inibição latente nas artes criativas. Eis um exemplo simples extraído de um clássico da literatura infantil, *O ursinho Pooh*. Pooh, que é um poeta, recita para seu pequeno amigo Leitão alguns versos sobre Tigrão, um barulhento recém-chegado ao Bosque dos Cem Acres. Leitão, um animal tímido, lembra que o Tigrão é muito grande. Pooh pensa no que Leitão disse e acrescenta uma estrofe final ao seu poema:

> *Mas qualquer que seja seu peso em libras,*
> *xelins e onças,*
> *Ele sempre parece maior*
> *por causa de seus saltos.*

"E esse é o poema todo", disse ele. "Você gostou, Leitão?"

"De tudo, menos dos xelins", disse Leitão. "Acho que não deveriam estar aí."

"Eles queriam entrar depois das libras", explicou Pooh, "então eu deixei. É a melhor forma de escrever poesia, deixar as coisas acontecerem."

Talvez exista um caos em nossa mente que precisa ser domado pelas partes mais lógicas do cérebro. Mas também há tesouros. Quer você ache ou não que "xelins" melhora o poema de Pooh, uma das regras fundamentais da escrita criativa é desligar seu censor interior ao produzir o primeiro rascunho. Se você tiver sorte, as coisas que saírem do seu inconsciente ressoarão no inconsciente de seus leitores e sua história irá tocá-los fundo.

Eis uma citação de um paciente portador de esquizofrenia que ilustra uma tendência mais patológica de "deixar as coisas acontecerem":

Eu tenho esquizofrenia, eles dizem. Esquizofrenia é quando eles te surpreendem e colocam agulhas no teu crânio e te escutam durante anos, quer você saiba ou não. Eu não sabia. Eles têm esse equipamento caro, realmente fantástico. Eles me disseram, ei, nós podemos checar sua cabeça para, bem, se um calombo aparecer machucando, e a eletricidade ficar um pouco diferente no alto do seu couro cabeludo, nós garantimos que o plano de saúde cubra. É como paralisia cerebral.

Nessa situação, o falante é incapaz de reter qualquer coisa. À medida que os pensamentos lhe vêm à cabeça, são imediatamente convertidos em palavras com pouco processamento. Em geral, escolhemos o que dizemos. Fazemos isso para censurar o discurso inaceitável ou ilógico, mas também para terminar um pensamento antes de iniciar o próximo. Uma leitura atenta da citação acima nos permite ter uma noção geral do que o orador está dizendo, mas com dificuldade.

Com um pensamento logo tomando o lugar de outro e uma capacidade limitada de contê-los, a expressão se torna extremamente desorganizada. Uma forma menos severa deste tipo de locução errática é a chamada *tangencialida-*

de, em que o falante salta de um pensamento a outro, mas de um modo que faz sentido. Por exemplo: "Mal posso esperar para ir a Ocean City. Eles têm as melhores margaritas lá. Preciso encontrar um lugar para consertar meu carro esta tarde. Onde você vai almoçar?" Costumamos falar dessa maneira quando estamos empolgados. É quando a dopamina do desejo ganha impulso na comunicação e supera a abordagem mais lógica da dopamina de controle.

Na extremidade do espectro está a *salada de palavras*, manifestação mais severa de um discurso descontrolado. Nesse caso, há tanta desorganização que a elocução parece não fazer sentido. Por exemplo, à pergunta "Como você está se sentindo esta manhã?", a pessoa responde: "Lápis de hospital e tinta de jornal cuidados intensivos mãe quase lá."

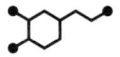

Estão vendendo cartões-postais do enforcamento
Estão pintando os passaportes de marrom
O salão de beleza está cheio de marinheiros
O circo está na cidade.
– "Desolation Row (Fila da desolação)", Bob Dylan

Assim como portadores de doenças mentais, pessoas criativas como artistas, poetas, cientistas e matemáticos às vezes vivenciam pensamentos livres. O pensamento criativo exige que abandonemos as interpretações convencionais do mundo para ver as coisas de maneira totalmente nova. Em outras palavras, elas devem quebrar os modelos preconcebidos de realidade. Mas o que são modelos e por que os construímos?

UM MUNDO ALÉM DOS SENTIDOS

Coisas materiais, objetos que estão no espaço peripessoal A&A, podem ser vivenciadas com os cinco sentidos. À medida que um objeto se afasta de nós, do A&A peripessoal para a dopamina extrapessoal, nossa capacidade de percebê-lo diminui ao ritmo de uma modalidade sensorial por vez. Primeiro, o paladar; depois, o tato. À medida que o objeto se afasta, perdemos nossa capacidade de cheirá-lo, de ouvi-lo e, finalmente, de vê-lo. É quando tudo fica mais interessante. Como podemos perceber algo tão distante que nem sequer podemos vê-lo? Usando nossa imaginação.

Modelos são representações imaginárias do mundo criadas por nós para melhor compreendê-lo. De certa forma, a construção de modelos é como uma inibição latente. Os modelos contêm apenas os elementos que seu construtor considera essenciais. Outros detalhes são descartados. Isso torna o mundo mais fácil de entender para que, mais tarde, seja possível imaginar diversas formas de manipulá-lo de modo a obter o máximo benefício. A elaboração de modelos não é algo consciente. O cérebro constrói modelos automaticamente durante o dia e os atualiza à medida que aprendemos coisas novas.

Os modelos não se limitam a simplificar nossa concepção do mundo; também nos permitem *abstrair*, ou seja, usar experiências específicas para criar regras gerais. A partir daí, podemos prever situações com que nunca nos deparamos antes e lidar com elas. Eu posso nunca ter visto um Ferrari, mas assim que vejo um, sei que é um veículo que pode ser dirigido. Não preciso examiná-lo nem testar tudo que posso fazer com ele. Seria enlouquecedor se eu tivesse que fazer isso com todos os carros que encontrasse. Com base na minha experiência com automóveis reais, construí um modelo abstrato. Se um carro que nunca vi antes se encaixa nos contornos gerais da minha concepção abstrata, posso classificá-lo rapidamente e saber que é feito para ser dirigido.

Reconhecer um automóvel pode ser trivial, mas a construção de modelos também nos ajuda com abstrações mais cósmicas. Observando o movimento de objetos reais, Newton desenvolveu a lei abstrata da gravitação universal, que não só explica como as maçãs caem das árvores, mas também como se movem os planetas, as estrelas e as galáxias.

VIAGEM MENTAL NO TEMPO

Modelos podem ser úteis quando precisamos escolher entre várias opções diferentes, já que nos permitem avaliar cenários diversos em nossa imaginação. Por exemplo, se eu precisar ir de Washington a Nova York, posso pegar um trem, um ônibus ou um avião. Para decidir qual será o meio mais rápido, mais confortável ou mais conveniente, avalio mentalmente cada opção e, com base em minha experiência interior, faço minha escolha no mundo real. Esse processo é chamado de *viagem mental no tempo*. Usando a imaginação, podemos nos projetar em diversos futuros possíveis, vivenciá-los em nossa mente e assim decidir como tirar o máximo proveito do que vemos e maximizar nossos recursos, seja um assento espaçoso, uma passagem barata ou uma viagem rápida.

A viagem mental no tempo é uma ferramenta poderosa do sistema dopaminérgico. Ela nos permite experimentar um futuro possível – embora irreal – como se lá estivéssemos. Essa viagem depende de modelos, pois temos que fazer previsões sobre situações que ainda não vivemos. Minha vida seria diferente se eu comprasse uma lava-louças nova? Que problemas um astronauta poderá enfrentar durante uma viagem a Marte? O que acontecerá se eu ignorar o sinal vermelho?

Sendo o mecanismo que nos permite fazer todas as escolhas conscientes na vida, a viagem mental no tempo é de uso constante. Para o cérebro, cada decisão deliberada sobre o futuro é atribuição do sistema dopaminérgico e de seus modelos, seja você um cliente decidindo o que vai pedir no Burger King, seja o presidente de um país decidindo se dará início a uma guerra. A viagem mental no tempo é responsável por cada "próximo passo" em nossa vida.

COMO CHEGUEI A UM MODELO TÃO RUIM E COMO POSSO CONSERTÁ-LO?

Antes que o psiquiatra conhecesse sua paciente – uma estudante universitária de 20 anos chamada May –, seu pai tratou de prepará-lo para sua primeira consulta com ela. "Ela nunca nos deu nenhum problema", disse ele. "É uma boa menina." May tinha sido a aluna perfeita. Oradora da turma do ensino médio, fora admitida em um prestigioso programa de estudos em uma universidade local. Nunca se envolvera com drogas nem com álcool, nunca ficara fora de casa até tarde. Era sempre respeitosa com seus pais imigrantes e correspondera a todas as expectativas que estes tinham para ela. Naquele momento, tinha acabado de receber alta, após uma semana na unidade de terapia intensiva de um hospital. May havia tentado se matar.

Ela chegou meia hora adiantada para sua consulta inicial, mas aguardou pacientemente a vez na sala de espera. Era uma jovem esbelta, vestida como se fosse a uma entrevista de emprego. Falava baixo. Às vezes era difícil ouvir o que estava dizendo. Era como se ela não acreditasse que o que tinha a dizer era importante o suficiente para ser enunciado em voz alta.

May contou ao médico que não conseguia se concentrar, não conseguia dormir e às vezes chorava horas a fio. Deixara de ir às aulas e passava o dia inteiro em seu quarto, com as cortinas fechadas. Como ficou claro que ela não poderia render bem no ambiente altamente estressante do curso intensivo em que se inscrevera, tirou uma licença. Mais do que qualquer outra coisa, sentia-se culpada. Sempre uma filha perfeita, ela achava que tinha se tornado uma fonte de vergonha para os pais.

Quando a família de May chegou aos Estados Unidos, ela era apenas uma menina, mas rapidamente aprendeu a falar inglês e ficou responsável por cuidar de toda a família. Era ela quem garantia que as contas fossem pagas. Era ela quem chamava um encanador quando a pia ficava entupida. E, quando seus pais brigavam, era ela quem mediava o conflito. May acreditava que a felicidade e o sucesso de sua família recaíam sobre seus ombros. Tinha que ser a melhor aluna. Tinha que ser magra e andar bem-vestida. Mas não tinha permissão para se rebelar, como outros adolescentes. Tinha sempre que fazer o que lhe diziam, sem permissão para discordar.

O médico esperava que ela respondesse bem ao tratamento. Era cooperativa e inteligente. No entanto, independentemente do que ele fizesse, nada mudava. A depressão dela não desaparecia. Quando sua licença chegou ao fim, May abandonou a escola.

Demorou muito para que May revelasse seu segredo: estava abusando de anfetaminas. Era o único modo de conseguir acompanhar os estudos, manter um peso aceitável e dar conta de todas as tarefas associadas às responsabilidades familiares que assumira. Isso funcionou durante algum tempo, mas era um mecanismo de enfrentamento destinado a falhar. Havia problemas emocionais também. Como não tinha vivenciado a rebeldia normal da adolescência, uma confusão de raiva e ressentimento se instalou dentro dela, e May não sabia o que fazer com sentimentos tão assustadores. Em última análise, o único tratamento possível para ela era se mudar para outra cidade. Precisaria colocar muitos quilômetros de distância entre sua família e ela antes de poder começar a descobrir quem realmente era.

O ajuste de nossos modelos ao mundo real é de grande importância. Se nossos modelos forem ruins, faremos más previsões sobre o futuro e, posteriormente, más escolhas. Modelos ruins da realidade podem advir de muitas circunstâncias: falta de informações, dificuldades com o pensamento abstrato ou uma obstinada persistência em suposições erradas. Pressupostos ruins podem ser prejudiciais a ponto de provocarem doenças psiquiátricas, como ansiedade e depressão. Por exemplo, se uma criança cresce com pais que a criticam sob qualquer pretexto, poderá desenvolver a convicção de que é incompetente; essa crença, por sua vez, poderá dar forma aos modelos de mundo que ela criará ao longo da vida. Os terapeutas podem tratar essas suposições defeituosas, muitas vezes inconscientes, por meio da psicoterapia orientada para a percepção, na qual paciente e terapeuta trabalham para detectar lembranças suprimidas, trancafiadas nas suposições negativas. Outra técnica útil é a terapia cognitivo-comportamental (TCC), que aborda as suposições diretamente e ensina ao paciente estratégias práticas para mudá-las.

À medida que adquirimos experiência com o mundo, desenvolvemos modelos cada vez melhores, o que é a base da sabedoria. Abraçamos os que funcionam bem e descartamos os que não nos levam aonde queremos ir. O conhecimento transmitido por gerações anteriores também pode nos ajudar a melhorar nossos modelos. Temos ao nosso dispor tanto a sabedoria popular, que nos ensina que "mais vale prevenir que remediar", quanto a bagagem que herdamos de grandes cientistas e filósofos.

DESCARTANDO MODELOS: INICIANDO O CAMINHO DA CRIATIVIDADE

Se você só tem um martelo, tudo parece prego.
– Provérbio

Os modelos são ferramentas poderosas, mas têm desvantagens. Podem nos prender a determinado modo de pensar, levando-nos a desperdiçar oportunidades de melhorar nosso mundo. A maioria das pessoas, por exemplo, sabe que os computadores precisam de instruções para funcionar. Os programadores digitam essas instruções em um teclado, o que sugere um modelo simples: *opera-se um computador digitando-se instruções em um teclado*. Os cientistas da Xerox PARC tiveram que se libertar desse modelo antes de inventar o mouse e a interface gráfica para o usuário. A dopamina constrói os modelos e a dopamina os destrói. Ambos os casos exigem que pensemos em coisas que ainda não existem, mas podem existir no futuro.

A ruptura de modelos está presente em certos tipos de enigma, chamados de problemas de percepção. Modelos preexistentes precisam ser desmontados para que o problema seja visto de uma forma nova. Eis um exemplo:

Estou em anos, mas não em meses. Estou em horas, mas não em minutos. O que sou eu?

Esse enigma é difícil e, a menos que você já o tenha ouvido antes ou tenha uma baixa inibição latente, é improvável que descubra que a resposta é a letra "a". O enigma atrai você para um modelo baseado em medidas de tempo e o leva a inibir informações aparentemente irrelevantes, como as letras que compõem as palavras.

Aqui está outro enigma, que algumas décadas atrás exigiria uma quebra de modelo significativa para ser solucionado. Hoje, é muito mais fácil.

Um pai e seu filho sofrem um acidente de carro. O pai morre instantaneamente e o filho é levado para o hospital mais próximo. A pessoa mais competente do centro cirúrgico aparece e exclama: "Não posso operar esse menino. Ele é meu filho!" Como isso é possível?

DESCOBRINDO A ORIGEM DA CRIATIVIDADE...

Oshin Vartanian, pesquisador da Universidade York, em Toronto, queria descobrir qual parte do cérebro era mais ativa quando as pessoas descobriam novas soluções para problemas. Assim, escaneou o cérebro de alguns voluntários enquanto estes tentavam solucionar um problema que exigia criatividade. Descobriu que, quando chegavam à solução, a parte frontal de seu cérebro, no lado direito, era ativada. Ele perguntou a si mesmo se essa região cerebral também estava envolvida na ruptura de modelos.

Em um segundo experimento, ele pediu aos participantes não que resolvessem um problema, mas simplesmente usassem a imaginação. Primeiro, pediu que imaginassem coisas reais, como "uma flor que é uma rosa". Depois lhes pediu que imaginassem coisas que não existem, que não se encaixam no modelo convencional de realidade, como "um ser vivo que é um helicóptero". Através do scanner, ele descobriu que a mesma parte do cérebro se ativava, tal como antes, mas apenas quando os participantes pensavam em objetos que não existiam na realidade. Ao imaginar coisas reais, a região permanecia escura.

Varreduras no cérebro de pessoas com esquizofrenia mostram mudanças nessa mesma área, o córtex pré-frontal ventrolateral direito. Talvez porque, quando somos criativos, nos comportamos um pouco como alguém com esquizofrenia. Deixamos de inibir aspectos da realidade que antes descartávamos porque não tinham importância e atribuímos proeminência a coisas que pensávamos ser irrelevantes.

... E DANDO VIDA A ELA

Encontrar a base neural da criatividade é um exercício de enorme potencial, pois se trata do recurso mais valioso do mundo. Novas formas de cultivo alimentam milhões de pessoas. Das velas às lâmpadas, as inovações que transformaram combustíveis em luz reduziram mil vezes o custo da iluminação. Poderia haver uma forma de aumentar esse tesouro inestimável? Seria possível alguém se tornar mais criativo se um cientista estimulasse as partes do cérebro que se ativam durante o pensamento criativo?

Pesquisadores financiados pela Fundação Nacional da Ciência, nos Estados Unidos, decidiram tentar. Para isso, usaram uma técnica chamada estimulação transcraniana por corrente contínua (ETCC). Como o nome sugere, regiões específicas do cérebro são estimuladas por meio de corrente contínua (CC) – o tipo de corrente produzida por uma bateria, em oposição à corrente alternada (CA), fornecida por uma tomada na parede. A corrente contínua é mais segura que a corrente alternada e consome uma quantidade de eletricidade pequena. Alguns dispositivos são alimentados por uma simples bateria de 9 volts, do tipo retangular que se coloca em detectores de fumaça. As máquinas de ETCC usadas em pesquisas podem ser muito simples. Embora custem mais de mil dólares no comércio, alguns indivíduos corajosos gastaram apenas 15 dólares montando artefatos rudimentares com peças compradas em lojas de equipamentos eletrônicos. (Dica para o consumidor: não faça isso.)

Em pequenos estudos, constatou-se que esses dispositivos aceleram o aprendizado, aumentam a concentração e até mesmo amenizam a depressão clínica. No intuito de estimular a parte do cérebro que fica atrás dos olhos e aumentar a criatividade, eletrodos foram fixados na testa de 31 voluntários. A criatividade foi medida avaliando-se a capacidade dos participantes para fazer analogias.

As analogias representam uma forma bastante dopaminérgica de se pensar sobre o mundo. Eis um exemplo: a luz às vezes pode agir como balas disparadas de uma arma e outras vezes como ondulações se alastrando em um lago. Uma analogia extrai a essência abstrata e invisível de um conceito e a combina com uma essência semelhante de um conceito aparentemente não relacionado. Os sentidos do corpo percebem duas coisas diferentes, mas a razão entende a semelhança entre elas. Emparelhar uma ideia totalmente nova com uma antiga e já conhecida torna a nova ideia mais fácil de compreender.

A capacidade de estabelecer uma conexão entre duas coisas que antes não pareciam estar relacionadas é parte importante da criatividade e, ao que parece, pode ser aprimorada pela estimulação elétrica. Em comparação com os participantes que receberam falsas ETCCs, os que receberam eletricidade criaram analogias mais incomuns – isto é, entre elementos que pareciam muito diversos. Além disso, essas analogias extremamente criativas eram tão precisas quanto as mais óbvias criadas pelos participantes cujos dispositivos foram secretamente desligados.

Drogas dopaminérgicas podem fazer a mesma coisa. Embora alguns pacientes que as utilizam para controlar o mal de Parkinson desenvolvam compulsões devastadoras, outros se tornam mais criativos. Um paciente, nascido em uma família de poetas, jamais havia escrito algo criativo. Após começar a tomar drogas que aumentam a dopamina para tratar o mal de Parkinson, ele escreveu um poema que ganhou o concurso anual da Associação Internacional de Poetas. Pintores tratados com medicamentos contra o Parkinson geralmente usam mais cores vivas em suas telas. Um paciente que desenvolveu um novo estilo após o tratamento disse: "O novo estilo é menos preciso, porém mais vibrante. Tenho necessidade de me expressar mais. Eu apenas me deixei levar." Como disse o Ursinho Pooh: "É a melhor forma de escrever poesia, deixar as coisas acontecerem."

SONHOS: ONDE CRIATIVIDADE E LOUCURA SE ENCONTRAM

Poucos de nós somos gênios ou loucos, mas todos experimentamos o ponto médio desse espectro: os sonhos. Sonhos são semelhantes ao pensamento abstrato, pois trabalham com material extraído do mundo exterior, mas o organizam de maneiras não limitadas pela realidade física. Nos sonhos, muitas vezes aparece o tema de "elevação", como voar ou cair de uma grande altura. Eles também tratam de temas futuros, às vezes na forma da busca de algum objetivo intensamente desejado e sempre fora de alcance. Abstratos, desvinculados do mundo real dos sentidos, os sonhos são dopaminérgicos.

Freud chamou a atividade mental que ocorre nos sonhos de "processo primário". Impulsionado por desejos primitivos, esse processo não leva em conta as limitações da realidade. Portanto, é desorganizado e ilógico. O processo primário também tem sido usado para descrever os processos de pensamento observados em pessoas com esquizofrenia. Como escreveu o filósofo alemão Arthur Schopenhauer: "Os sonhos são uma loucura breve e a loucura é um sonho prolongado."

Durante os sonhos, livre da influência restritiva dos neurotransmissores A&As, focados na realidade, a dopamina é liberada. As atividades nos circuitos de A&As são suprimidas porque a entrada sensorial do mundo exterior no cérebro está bloqueada. Essa liberdade permite que os circuitos dopaminérgicos produzam as conexões bizarras que são a marca registrada dos sonhos. O trivial, o despercebido e o estranho podem ganhar posições de destaque, suprindo a mente com novas ideias que, de outro modo, jamais seriam descobertas.

A semelhança entre sonhos e psicoses fascinou muitos pesquisadores e gerou uma rica literatura científica. Um grupo da Universidade de Milão, na Itália, observou a presença de pensamentos bizarros nos sonhos de pessoas saudáveis e os comparou a fantasias tanto de participantes saudáveis quanto de esquizofrênicos em estado de vigília.

Os cientistas estimularam as fantasias durante o estado de vigília* utilizando o Teste de Apercepção Temática (TAT), uma série de cartões com imagens ambíguas, às vezes carregadas de emoção, de pessoas em várias situações. Os temas incluem sucesso e fracasso, competição e inveja, agressão e sexualidade. Pede-se aos participantes que estudem a imagem e, em seguida, criem uma história explicando a cena.

Os pesquisadores italianos compararam as histórias obtidas no TAT e as descrições de sonhos feitas por pacientes esquizofrênicos com as histórias criadas por participantes saudáveis. Avaliaram o resultado com uma escala chamada Índice de Densidade de Bizarrice. Os testes confirmaram que sonhos são muito parecidos com psicoses. O Índice de Densidade de Bizarrice foi praticamente o mesmo para três categorias de atividade mental: (1) descrições de sonhos de pessoas com esquizofrenia, (2) histórias de TAT de pessoas com esquizofrenia em estado de vigília e (3) descrições de sonhos feitas por pessoas saudáveis. Mas a quarta categoria, histórias de TAT criadas por pessoas saudáveis em estado de vigília, obteve pontuação muito menor. Esse estudo corrobora a concepção de Schopenhauer de que viver com esquizofrenia é como viver em um sonho.

---

* Nesse contexto, *fantasia* se refere, de modo geral, a produtos da imaginação, não a devaneios comuns como sonhar acordado com ganhar na loteria.

COMO APROVEITAR A CRIATIVIDADE DE UM SONHO

Se sonhar é semelhante à psicose, como voltamos ao nosso estado normal? Recuperar os padrões lógicos de pensamento acontece de repente ou leva algum tempo? Se leva algum tempo, permanecemos um tanto loucos durante a transição? Eis outro ponto a ser considerado: quando estamos dormindo, às vezes sonhamos; outras vezes, não. Ao despertar de um sono com sonhos ou de um sono sem sonhos, nossos processos de pensamento serão diferentes?

Pesquisadores da Universidade de Nova York usaram o TAT para avaliar os tipos de história que as pessoas criavam após serem acordadas de um sono com sonhos e as compararam com histórias do TAT produzidas após despertarem de um sono sem sonhos. Descobriram então que as fantasias que surgiam imediatamente após um sonho eram mais elaboradas, mais longas e continham mais ideias. As imagens eram mais vívidas e o conteúdo, mais bizarro. Eis um exemplo de história contada por um voluntário saudável que foi acordado após um sonho quando lhe mostraram a foto de um menino olhando para um violino:

Ele está pensando em seu violino. Dá uma impressão de tristeza. Esperem um minuto! Ele está sangrando pela boca! E os olhos... parece que ele é cego!

Outro voluntário, ao ser acordado após um sonho, viu a foto de um jovem caído no chão com a cabeça apoiada em um banco. Há uma pistola no chão ao lado dele. Eis a resposta:

Há um menino numa cama. Talvez ele tenha algum problema emocional. Ele está quase chorando, ou pode estar rindo, ou talvez jogando um jogo. Também pode ser uma menina. Os dois estão mortos. Ou quem sabe é um gato? Há alguma coisa no chão... chaves, uma flor, talvez seja um brinquedo ou um barco.

Após ser acordado de um sono sem sonhos, esse mesmo participante recebeu outro cartão e escreveu uma descrição notavelmente menos bizarra, afirmando apenas que era "um menino vestindo uma camisa e sem meias. Não vejo muita coisa mais".

Ao despertar de um sonho, muitas pessoas tiveram a experiência de se sentir presas entre dois mundos. Seus pensamentos eram mais fluidos, saltavam de um tópico a outro sem obedecer às regras da lógica. Algumas relatam que têm pensamentos mais criativos nessa fenda entre os dois mundos. O filtro do A&A que concentra nossa atenção no mundo exterior dos sentidos ainda não foi reativado; os circuitos de dopamina continuam a disparar sem oposição e as ideias fluem livremente.

Friedrich August Kekulé ficou famoso quando descobriu a estrutura da molécula do benzeno, importante produto químico industrial da época. Os cientistas haviam estabelecido que a molécula era composta por seis átomos de carbono e seis átomos de hidrogênio, o que foi uma surpresa. Em geral, moléculas desse tipo têm mais átomos de hidrogênio do que de carbono. Ficou claro que, independentemente da estrutura que a molécula assumisse, não seria uma estrutura comum.

Os cientistas tentaram organizar os átomos de carbono e os de hidrogênio de todos os modos que não violassem as regras das ligações químicas. Eles sabiam que os átomos de carbono podiam ser amarrados juntos como contas em um colar, e que também poderia haver ramificações laterais formando ângulos retos. No entanto, nenhuma das estruturas que tentaram agrupar era consistente com as propriedades conhecidas da molécula de benzeno. A natureza de sua verdadeira forma era um mistério. Kekulé descreveu o momento revelador em que compreendeu o que era aquela forma:

"Eu estava sentado ali, escrevendo meu livro de química, mas não conseguia me concentrar, minha mente estava em outro lugar. Então virei a cadeira para a lareira e meio que dormi. Uma vez mais, os átomos saltaram diante dos meus olhos. Dessa vez, em grupos menores, que se mantiveram modestamente em segundo plano. Os olhos de minha mente, treinados por visões semelhantes, distinguiam agora formações maiores com várias configurações. Filas longas, mais densamente unidas e de muitos modos, tudo em movimento, ziguezagueando e se enroscando como cobras. E o que era aquilo? Uma cobra abocanhou a

própria cauda e, de modo zombeteiro, a forma girou diante dos meus olhos. Como que atingido por um raio, despertei."

A visão da cobra com a cauda na boca, o antigo ouroboros, levou à compreensão de que os seis átomos de carbono da molécula de benzeno formavam um anel. Como nessa visão da cobra – completa em si mesma –, os sonhos são representações interiores de ideias interiores. Separados dos sentidos, permitem que a dopamina corra livremente, sem restrições impostas pelos fatos concretos da realidade exterior.

A Dra. Deirdre Barrett, psicóloga e pesquisadora de sonhos da Escola de Medicina de Harvard, observa que não é surpresa o fato de que a resposta ao problema de Kekulé tenha assumido uma forma visual. Grande parte do cérebro se mantém tão ativa durante o sonho quanto durante a vigília, mas há diferenças fundamentais. Os lobos frontais – as partes que filtram detalhes aparentemente irrelevantes – estão desligados. Mas há um aumento de atividade em uma área chamada córtex visual secundário. Essa área do cérebro não recebe sinais diretamente dos olhos, que não captam informações durante os sonhos. No entanto, é responsável pelo processamento de estímulos visuais. Ajuda o cérebro a entender o que os olhos veem.

Os sonhos são extremamente visuais. Em seu livro *The Committee of Sleep: How Artists, Scientists, and Athletes Use Dreams for Creative Problem Solving – and How You Can Too* (O comitê do sono: como artistas, cientistas e atletas usam os sonhos para a solução criativa de problemas – e como você também pode fazer isso), a Dra. Barrett explica que, assim como Kekulé descobriu a estrutura do benzeno em um estado onírico, as pessoas comuns também podem usar os sonhos para resolver problemas práticos. Ela testou o poder dos sonhos na resolução de problemas com um grupo de alunos de Harvard.

A Dra. Barrett pediu que escolhessem um problema relevante para eles. Poderia ser pessoal, acadêmico ou mais genérico. Em seguida, ensinou técnicas de incubação de sonhos – estratégias que as pessoas podem usar para aumentar sua probabilidade de terem um sonho solucionador de problemas. Os alunos foram orientados a escrever sobre o que sonharam todas as noites durante uma semana ou até acharem que tinham resolvido a questão. Os problemas e os sonhos foram então submetidos a um painel de juízes, que decidia se o sonho havia de fato oferecido uma solução.

Os resultados foram impressionantes. Cerca de metade dos alunos teve um sonho relacionado ao seu problema e 70% dos que sonharam com o problema acreditavam que seus sonhos traziam uma solução. Quase todos os juízes concordaram, mas concluíram que somente cerca de metade oferecia uma solução.

Um dos alunos estava tentando decidir que tipo de carreira seguiria após a formatura. Então se candidatou a dois programas de pós-graduação em psicologia clínica, ambos em seu estado natal, Massachusetts. Ele também tentou uma vaga em dois programas de psicologia industrial, um no Texas e outro na Califórnia. Certa noite, sonhou que estava em um avião sobrevoando um mapa dos Estados Unidos. O avião apresentou problemas no motor e o piloto anunciou que precisava encontrar um local seguro para pousar. Como estavam bem sobre Massachusetts, o estudante sugeriu que pousassem lá, mas o piloto disse que era muito perigoso aterrissar em qualquer lugar daquele estado. Ao acordar, o aluno percebeu que, após passar a vida inteira em Massachusetts, era hora de seguir em frente. Para ele, o lugar onde faria a pós-graduação era mais importante do que a área de estudo. Seus circuitos de dopamina lhe haviam oferecido uma nova perspectiva.

SONHANDO COM HISTÓRIAS E CANÇÕES

Sonhar é uma fonte frequente de criatividade artística. Paul McCartney disse que ouviu a melodia de "Yesterday" em um sonho. Keith Richards declarou que a letra e o refrão de "Satisfaction" lhe ocorreram em um sonho. "Eu sonho com cores, formas e sons", disse Billy Joel em entrevista ao jornal *Hartford Courant*, falando sobre sua canção "River of Dreams". "Acordei cantando essa música, e ela não ia embora." O mesmo ocorreu com Michael Stipe, do R.E.M., que escreveu a letra da canção "It's the End of the World as We Know It (And I Feel Fine)" (É o fim do mundo como o conhecemos [e eu me sinto bem]), considerada inovadora, da mesma forma. "Sonhei com uma festa", disse ele à revista *Interview*. "Todos na festa tinham nomes que começavam com as iniciais L. B., exceto eu. Era Lester Bangs, Lenny Bruce, Leonard Bernstein. Foi assim que um verso da música surgiu." O escritor Robert Louis Stevenson citou sonhos como fonte para O médico e o monstro; e Stephen King diz que seu romance Misery também nasceu assim.

INCUBAÇÃO DE SONHOS: COMO RESOLVER PROBLEMAS DURANTE O SONO

Escolha um problema que considera importante e que você tenha um forte desejo de resolver. Quanto mais forte o desejo, maior é a probabilidade de que o problema apareça em um sonho. Pense no problema antes de ir para a cama. Se possível, tente transformá-lo em imagens. Se envolver relacionamento, imagine a outra pessoa. Se você estiver procurando inspiração, imagine um papel em branco. Se está pelejando com algum tipo de projeto, imagine um objeto que o represente. Mantenha a imagem na mente para que seja a última coisa em que você pense antes de adormecer.

Deixe caneta e papel ao lado da cama. Assim que acordar de um sonho, escreva sobre ele, quer acredite ou não que está relacionado ao assunto. Os sonhos podem ser complicados e a resposta pode estar disfarçada. É importante escrever imediatamente, pois a lembrança se desvanecerá em segundos caso comece a pensar em outra coisa. Muitas pessoas acordam de um sonho intenso, transbordante de significados pessoais, e segundos depois já não conseguem se lembrar de nenhum detalhe.

Podem se passar algumas noites até você encontrar o que está procurando, e a solução sugerida pelo sonho pode não ser a melhor. Mas pode ser uma solução nova, que aborde o problema sob outra perspectiva.

POR QUE OS GANHADORES DO PRÊMIO NOBEL GOSTAM DE PINTAR

As belas-artes e as ciências exatas têm mais em comum do que a maioria das pessoas acredita, pois ambas são movidas pela dopamina. O poeta que escreve sobre um amante desesperado não é tão diferente do físico que rabisca fórmulas sobre elétrons agitados. Ambas as atividades requerem a capacidade de olhar para um mundo além dos sentidos – o mundo mais profundo das ideias abstratas. Sociedades de cientistas de elite estão repletas de almas artísticas. Os membros da Academia Nacional de Ciências dos Estados Unidos têm probabilidade uma vez e meia maior de cultivar um hobby artístico do que o restante de nós. Entre os membros da Royal Society, do Reino Unido, a probabilidade é duas vezes maior, e entre os ganhadores do Prêmio Nobel, quase três vezes. Quanto melhor você gerenciar as ideias mais complexas e abstratas, maior a probabilidade de ser um artista.

Essa semelhança entre arte e ciência se tornou especialmente importante durante a crise de programação de computadores que ocorreu na virada do milênio. Os programadores haviam desenvolvido o hábito de abreviar os anos usando apenas os dois últimos dígitos (por exemplo, 99 em vez de 1999) no intuito de poupar espaço de memória, algo então caro (e pressionar menos teclas). Eles não estavam pensando no próximo milênio, quando 99 poderia significar 2099. Milhares de programas corriam o risco de falhar – não só navegadores da internet e processadores de texto, mas também softwares que controlavam aviões, barragens e usinas nucleares. O problema Y2K, como ficou conhecido, afetaria tantos sistemas que não haveria programadores em número suficiente para consertá-los. Há relatos de empresas que chegaram a contratar músicos desempregados porque estes aprendiam programação com muita facilidade.

POR QUE OS GÊNIOS SÃO IDIOTAS

Música e matemática andam juntas porque níveis elevados de dopamina geralmente vêm como um pacote: se você é altamente dopaminérgico em uma área, é provável que seja altamente dopaminérgico em outras. Cientistas são artistas e músicos são matemáticos. Mas há uma desvantagem: ter muita dopamina às vezes é um risco.

Altos níveis de dopamina suprimem o funcionamento das A&As, de modo que pessoas brilhantes em geral são ruins em relacionamentos humanos. Precisamos de empatia A&A para entender o que está acontecendo na mente de outras pessoas, uma habilidade imperiosa nas interações sociais. O cientista que você conhece no coquetel não vai parar de falar sobre a pesquisa dele, pois não consegue perceber como você está entediado. Na mesma linha, Albert Einstein disse uma vez: "Meu apaixonado senso de justiça e responsabilidade social sempre contrastou, estranhamente, com minha acentuada falta de necessidade de contato direto com outros seres humanos." Ele disse também: "Eu amo a humanidade, mas odeio os humanos." Os conceitos abstratos de justiça social e humanidade lhe vinham com facilidade, mas para ele a experiência concreta de encontrar outra pessoa era muito difícil.

A vida pessoal de Einstein refletia suas dificuldades de relacionamento. Ele estava muito mais interessado em ciência do que em pessoas. Dois anos antes de sua esposa e ele se separarem, Einstein iniciou um caso com a própria prima, com quem acabou se casando. Mais uma vez, ele foi infiel, traindo a prima com sua secretária e, possivelmente, com mais meia dúzia de namoradas. Sua mente dopaminérgica era tanto uma bênção quanto uma maldição – os níveis elevados de dopamina que lhe permitiram descobrir a relatividade eram provavelmente os mesmos que o levavam a saltar de um relacionamento a outro, nunca permitindo que ele encontrasse o amor companheiro de longo prazo, orientado pelas A&As.

Compreender como funciona o cérebro dos gênios proporciona uma percepção maior sobre a personalidade dopaminérgica e suas diferentes manifestações. Já vimos o impulsivo hedonista que tem dificuldade em manter relacionamentos de longo prazo e é vulnerável ao vício. Também vimos o planejador desapegado que prefere ficar até tarde no escritório a aproveitar o tempo com os amigos. Agora surge uma terceira possibilidade: o gênio criativo – pintor, poeta ou físico – que tem tantos problemas com relacionamentos humanos que pode parecer levemente autista.* Além disso, o

---

* O autismo também está associado a níveis anormalmente altos de atividade dopaminérgica no cérebro.

gênio dopaminérgico está tão focado em seu mundo interior que usa meias de cores diferentes, se esquece de pentear os cabelos e, em geral, negligencia tudo que tem a ver com o mundo real do aqui e agora. Platão escreveu sobre um incidente em que Sócrates, o antigo filósofo grego, ficou parado no mesmo lugar durante um dia e uma noite pensando em um problema, completamente alheio ao que acontecia ao redor.

Esses três tipos de personalidade podem ser muito diferentes à primeira vista, mas todos têm algo em comum: estão excessivamente focados em maximizar recursos futuros em detrimento de apreciar o presente. O hedonista sempre quer mais. Não importa quanto ganhe, nunca é suficiente. Não importa quanto anseie por um prazer prometido, é incapaz de ficar satisfeito quando o obtém. Tão logo chega aonde queria, ele volta a atenção para o que vem a seguir. O planejador desapegado também apresenta um desequilíbrio entre o futuro e o presente. Assim como o hedonista, ele também precisa sempre de algo mais; no entanto, tem uma visão de longo prazo e persegue modos mais abstratos de gratificação, como honra, riqueza e poder. O gênio vive no mundo do desconhecido, do ainda não descoberto, obcecado em fazer do futuro um lugar melhor por meio de seu trabalho. Os gênios mudam o mundo – mas sua obsessão quase sempre adquire a forma de indiferença em relação aos outros.

MISANTROPOS BENEVOLENTES

Pessoas altamente inteligentes, altamente bem-sucedidas e altamente criativas – em geral, extremamente dopaminérgicas – muitas vezes expressam um sentimento estranho: são apaixonadas pelas outras pessoas, mas têm pouca paciência com elas enquanto indivíduos:

Quanto mais amo a humanidade em geral, menos amo o homem em particular. Em meus sonhos, muitas vezes faço planos para servir à humanidade... No entanto, sou incapaz

de conviver no mesmo quarto com alguém por dois dias seguidos... Torno-me hostil às pessoas no momento em que se aproximam de mim.
– Fiódor Dostoiévski

Sou um misantropo, mas totalmente benevolente; tenho mais de um parafuso solto, mas sou um superidealista que digere filosofia com mais eficiência do que comida.
– Alfred Nobel

Amo a humanidade, mas odeio as pessoas.
– Edna St. Vincent Millay

Às vezes eles até usam uma linguagem quase idêntica:

Eu amo a humanidade... o que não suporto são as pessoas.
– Charles Schulz (pela boca de Linus, um dos personagens de *Peanuts*, as histórias em quadrinhos que criou)

Essas declarações podem parecer indecorosas, mas são explicáveis. Pessoas altamente dopaminérgicas costumam preferir o pensamento abstrato à experiência sensorial. Para elas, a diferença entre amar a humanidade e amar o próximo equivale a amar a visão de um cachorrinho e ter que cuidar dele.

AS CONSEQUÊNCIAS TRÁGICAS

É quase certo que havia uma contribuição genética para os traços dopaminérgicos de Einstein. Um de seus dois filhos se tornou um especialista internacionalmente reconhecido em engenharia hidráulica. O outro foi diagnosticado com esquizofrenia aos 20 anos e morreu em um asilo. Grandes estudos populacionais também encontraram um componente genético de caráter dopaminérgico. Um estudo islandês que avaliou o perfil genético de mais de 86 mil pessoas revelou que indivíduos com genes que os situavam no grupo com maior risco de desenvolver esquizofrenia ou transtorno bipolar eram mais propensos a ser atores, dançarinos, músicos, artistas visuais ou escritores.

Isaac Newton, que descobriu o cálculo e a lei da gravitação universal, foi um desses gênios problemáticos. Ele tinha dificuldade em se relacionar com outras pessoas e se envolveu em uma infame discussão científica com o matemático e filósofo alemão Gottfried Leibniz. Reservado e paranoico, Newton demonstrava pouca emoção, a ponto de ser implacável. Quando trabalhou como Mestre da Casa da Moeda Real, levou muitos falsificadores à forca, apesar das objeções de seus colegas.

Newton era assombrado pela insanidade. Passava horas tentando encontrar mensagens ocultas na Bíblia e escreveu mais de um milhão de palavras sobre religião e ocultismo. Dedicou-se à arte medieval da alquimia, procurando obsessivamente a pedra filosofal, uma substância mítica que os alquimistas acreditavam ter propriedades mágicas, como ajudar os seres humanos a alcançar a imortalidade. Aos 50 anos, totalmente psicótico, Newton passou um ano em um manicômio.

Com base nas evidências, parece provável que ele tivesse níveis elevados de dopamina, o que contribuiu para sua genialidade, seus problemas de relacionamento e seu colapso psicótico. E ele não está sozinho. Acredita-se, ou sabe-se, que muitos artistas, cientistas e líderes empresariais brilhantes tiveram doenças mentais. Entre eles, Ludwig van Beethoven, Edvard Munch (que pintou *O grito*), Vincent van Gogh, Charles Darwin, Georgia O'Keeffe, Sylvia Plath, Nikola Tesla, Vaslav Nijinsky (o maior dançarino do sexo masculino do início do século XX, que coreografou um balé que iniciou um tumulto), Anne Sexton, Virginia Woolf, o grande mestre de xadrez Bobby Fischer e muitos outros.

A dopamina nos dá o poder de criar, além de nos permitir imaginar o irreal, conectando elementos aparentemente não relacionados. Graças a ela, somos capazes de construir modelos mentais do mundo que transcendem a mera descrição física e as impressões sensoriais para descobrir o significado mais profundo do que vivenciamos. Então, como uma criança derrubando uma torre de blocos, a dopamina destrói seus modelos para que possamos começar de novo e encontrar um novo significado para o que antes era familiar.

Mas esse poder tem um custo. Os sistemas dopaminérgicos hiperativos dos gênios criativos podem fazê-los desenvolver doenças mentais. Às vezes o mundo irreal rompe seus limites naturais, criando paranoia, delírios e a excitação febril dos comportamentos maníacos. Além disso, o aumento da atividade dopaminérgica pode sobrecarregar os sistemas de A&As, dificultando que o indivíduo estabeleça relacionamentos humanos e navegue no mundo cotidiano da realidade.

Para alguns, isso não importa. A alegria da criação é a mais intensa que conhecem, sejam artistas, cientistas, profetas ou empreendedores. Qualquer que seja a vocação que têm, eles nunca param de trabalhar. O que mais lhes interessa é a paixão pela criação, descoberta ou iluminação. Eles jamais relaxam, jamais param para aproveitar suas conquistas. Estão obcecados em construir um futuro que nunca chega, pois, quando o futuro se transforma em presente, apreciá-lo requer a ativação das "sentimentaloides" substâncias químicas do aqui e agora, algo que os indivíduos extremamente dopaminérgicos não apreciam e até evitam. Eles prestam bons serviços ao público, mas mesmo que se tornem ricos, famosos ou bem-sucedidos, quase nunca são felizes e, com certeza, nunca estão satisfeitos. Forças evolutivas que promovem a sobrevivência das espécies produzem essas pessoas extraordinárias. A natureza as leva a sacrificar a própria felicidade para trazer ao mundo novas ideias e inovações que beneficiam o restante de nós.

SURFE, AREIA E PSICOSE

Brian Wilson, dos Beach Boys, é um dos músicos mais revolucionários da música pop. Nos primeiros anos da banda, seu trabalho era enganosamente simples: melodias cativantes sobre surfe, carros e garotas. Com o passar do tempo, ele começou a produzir experimentos sonoros sem precedentes – música muito agradável de ouvir, mas cada vez mais nuançada e complexa. Como compositor, arranjador e produtor, ele introduziu novos sons e novas combinações sonoras na música pop. Algumas dessas escolhas eram variações de fórmulas conhecidas: voz incomum em acordes comuns, misturas improváveis de tons em forma de acordes e progressões padrão que começam e terminam em lugares inesperados. Wilson empregava instrumentos exóticos, como o cravo e o teremim, anteriormente usados para criar zumbidos misteriosos em filmes de terror. Ele também recorria a elementos que não eram considerados instrumentos musicais: um apito de trem, campainhas de bicicleta, bodes balindo. Tais experimentações culminaram no álbum *Pet Sounds* (1966), uma coleção de canções criativas aclamada pela crítica e diferente de tudo que havia até ali. Se artistas como Bob Dylan elevaram as letras – até então ruins – do pop e do rock ao nível da poesia, Brian Wilson transformou as possibilidades da própria música de três acordes com uma estrutura de verso-refrão que o publicitário da banda, Derek Taylor, batizou de "sinfonia de bolso".

A gama de conexões criativas incomuns sugere que Brian Wilson convivia com uma baixa inibição latente associada a elevados níveis de dopamina. Mas esses níveis elevados também podem ter contribuído para sua doença mental. "Ele ouve vozes", disse a esposa dele, Melinda Ledbetter, à revista *People* em 2012. "Posso dizer se são vozes boas ou vozes ruins pela expressão que surge em seu rosto. Para nós é difícil entender, mas para ele são muito reais." Wilson recebeu o diagnóstico de esquizofrenia, depois modificado para transtorno esquizoafetivo, uma combinação entre os sintomas de esquizofrenia e os de humor anormal que inclui alucinações e paranoia. Em 2006, ele disse à revista *Ability* que começou a ouvir vozes aos 25 anos, uma semana após ter tomado drogas psicodélicas. "Nos últimos 40 anos, tenho alucinações auditivas em minha mente o dia todo, todos os dias, e não consigo me livrar delas. A cada poucos minutos, as vozes dizem algo depreciativo para mim... Acredito que elas começaram a implicar comigo porque são ciumentas. As vozes na minha cabeça têm inveja de mim."

Wilson diz que o tratamento para reduzir os sintomas não reduziu significativamente sua criatividade. Ao contrário da percepção popular, o sofrimento provocado pela doença mental não tratada é um obstáculo, não uma ajuda. "Eu costumava ficar longos períodos sem poder fazer nada, mas agora toco todos os dias."

Conservador: estadista apaixonado pelos males existentes; diferentemente do liberal, que deseja substituí-los por outros.
– Ambrose Bierce, em *Dicionário do diabo*

Capítulo 5
POLÍTICA

Por que não podemos simplesmente nos entender

Discutiremos como superpoderes e desinfetantes para as mãos afetam nossa ideologia política.

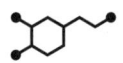

OS AUTORES LAMENTAM...

Em abril de 2002, a *American Journal of Political Science* publicou um relatório de pesquisa intitulado "Correlation not Causation: The Relationship Between Personality Traits and Political Ideologies" (Correlação, não causa: a relação entre traços de personalidade e ideologias políticas). Foi escrito por pesquisadores da Universidade da Comunidade da Virgínia, que estudaram a ligação entre crenças políticas e características da personalidade. Eles descobriram que ambas estavam conectadas e que a conexão poderia ser atribuída aos genes. Ao longo do caminho, os pesquisadores perceberam que certos traços da personalidade estavam associados a liberais e outros a conservadores.

Eles estavam particularmente interessados em uma coleção de características de personalidade – que os psiquiatras chamam de *constelação da personalidade* – chamada P. Os autores observaram que as pessoas com baixos valores de P são mais propensas a serem "altruístas, sociáveis, simpáticas e convencionais". Por outro lado, aquelas com altos valores de P são "manipuladoras, obstinadas e práticas", apresentando características como "disposição para correr riscos, busca por sensações, impulsividade e autoritarismo". Então concluíram: "Dessa forma, supomos que valores mais altos de P estão relacionados a uma atitude política mais conservadora."

Eles encontraram exatamente o que tinham previsto. Os estereótipos, disseram, eram verdadeiros: conservadores tendem a ser impulsivos e autoritários, enquanto liberais tendem a ser sociáveis e generosos. Mas, em ciência, encontrar exatamente o que se espera pode ser um sinal de alerta.

Assim, em janeiro de 2016, 14 anos após a reportagem original, a revista publicou uma retratação:

> Os autores lamentam um erro ocorrido na versão publicada de "Correlação, não causa: a relação entre traços de personalidade e ideologias políticas". A interpretação do código foi invertida.

Alguém tinha trocado as etiquetas. A interpretação correta do estudo era o oposto do que foi relatado. Os liberais – não os conservadores – é que eram manipuladores, obstinados e práticos. E os conservadores, não os liberais, tendiam a ser altruístas, sociáveis, simpáticos e tradicionalistas. Muitas pessoas ficaram surpresas com essa reversão. No entanto, se considerarmos o que o estudo revelou em seu nível mais básico e como essa descoberta se relaciona com o sistema dopaminérgico, os resultados revisados fazem sentido – com certeza mais sentido que as conclusões originais, amplamente divulgadas, porém invertidas.

AS LIMITAÇÕES DOS ESTUDOS DA PERSONALIDADE

Psicólogos trabalham há décadas para desenvolver métodos para a medição da personalidade. Eles descobriram que a personalidade pode ser dividida em diferentes domínios, como até que ponto um indivíduo é aberto a novas experiências ou disciplinado. Os psicólogos americanos dividem a personalidade em cinco domínios, enquanto os britânicos preferem três. De qualquer forma, quando um cientista se concentra em um dos domínios, estará medindo apenas uma fatia da personalidade de alguém, não uma pessoa inteira. Considere duas enfermeiras que têm pontuações altas em compaixão. À primeira vista, pode-se imaginar duas pessoas semelhantes. Mas existem outros domínios da personalidade. Uma delas pode ser extrovertida e expansiva, e a outra, introvertida e contida. Embora as enfermeiras possam ter alguns traços

> de personalidade em comum, elas formam um grupo formado por indivíduos únicos.
>
> Outra limitação das avaliações da personalidade é que os cientistas geralmente relatam a pontuação *média* de um grupo. Portanto, se um estudo descobrir que os liberais têm mais disposição para correr riscos que os conservadores, é provável que naquele grupo de liberais haja alguns que priorizam a segurança. Os estudos da personalidade nos ajudam a prever o que um grupo de pessoas fará, mas não são tão úteis para antecipar o que um indivíduo fará.

PROGRESSISTAS IMAGINAM UM FUTURO MELHOR

As características que o estudo finalmente associou aos liberais – disposição para correr riscos, busca por sensações, impulsividade e autoritarismo – são típicas da dopamina elevada.* Mas pessoas dopaminérgicas tendem a apoiar políticas liberais? Parece que a resposta é sim. Os liberais muitas vezes se referem a si mesmos como *progressistas*, termo que sugere melhorias constantes. Os progressistas abraçam as mudanças. Imaginam sempre um futuro melhor e, em alguns casos, acreditam que a combinação certa entre tecnologia e políticas públicas poderá eliminar problemas fundamentais da condição humana, como pobreza, ignorância e guerras. Os progressistas são idealistas que usam a dopamina para imaginar um

---

* De fato, um grupo de cientistas do Instituto de Psiquiatria de Londres descobriu que os receptores de dopamina se aglomeravam mais fortemente no cérebro de pessoas com pontuações *P* altas do que no de pessoas com pontuações mais baixas. Uma acumulação densa de receptores produzia sinais de dopamina mais fortes, os quais, por sua vez, davam origem aos traços característicos da personalidade. A conexão também é verificada quando examinamos o que *P* significa: *Psicoticismo*. Escores altos de *P* são um fator de risco para o desenvolvimento de esquizofrenia. Isso não significa que todos os liberais corram o risco de se tornarem psicóticos, mas muitos deles têm pontos em comum com pessoas extremamente criativas, que às vezes caem no terreno da psicose.

mundo muito melhor que este em que vivemos hoje. O progressismo é uma seta apontando para a frente.

A palavra *conservador*, por sua vez, sugere a manutenção do melhor que herdamos dos que vieram antes de nós. Os conservadores costumam desconfiar de mudanças. Não gostam de especialistas que tentam fazer a civilização avançar dizendo a eles como agir, mesmo quando é do seu interesse; por exemplo, leis que obrigam os motociclistas a usar capacetes ou regulamentos que promovem uma alimentação saudável. Os conservadores suspeitam do idealismo dos progressistas, que consideram um esforço impossível para criar uma utopia perfeita; um esforço com mais probabilidades de levar ao totalitarismo, sistema em que uma elite domina todos os aspectos da vida pública e privada. Em contraste com a flecha do progressismo, o conservadorismo é mais bem representado por um círculo.

Matt Bai, ex-correspondente político da *The New York Times Magazine*, reconheceu inadvertidamente a diferença de dopamina entre esquerda e direita quando escreveu: "Os democratas vencem quando incorporam a modernização. O liberalismo triunfa apenas quando representa uma reforma do governo, não sua mera preservação... Os americanos não precisam dos democratas para defenderem nostalgia e restauração. Para isso já têm os republicanos."

A conexão entre dopamina e liberalismo é demonstrada com mais força quando observamos grupos específicos de pessoas. Indivíduos dopaminérgicos tendem a ser criativos. Trabalham bem com conceitos abstratos. Gostam de buscar novidades e se sentem insatisfeitos com o *status quo*. Mas existe alguma prova de que pessoas assim tendam a ser politicamente liberais? As startups do Vale do Silício atraem exatamente esse tipo de indivíduo: criativo, idealista, habilidoso em áreas abstratas como engenharia, matemática e design. São pessoas rebeldes, que buscam mudanças, mesmo quando correm o risco de fracassar. Empreendedores do Vale do Silício e os indivíduos que trabalham para eles tendem a ser bastante dopaminérgicos. São teimosos, correm riscos, buscam sensações e são práticos – características de personalidade associadas aos liberais na versão corrigida do artigo publicado na *American Journal of Political Science*.

O que sabemos sobre a política no Vale do Silício? Uma pesquisa com fundadores de startups revelou que 83% tinham a visão progressista de que a educação pode resolver todos ou a maioria dos problemas da sociedade. Entre o público em geral, apenas 44% acreditam que isso é possível. Os fundadores de startups eram mais propensos que o público em geral a acreditar que o governo deveria encorajar decisões pessoais inteligentes. Oitenta por cento deles achavam que quase todas as mudanças são boas a longo prazo. E, na eleição presidencial de 2012, mais de 80% das doações dos funcionários das principais empresas de tecnologia foram para Barack Obama.

DE HOLLYWOOD A HARVARD

Outro exemplo da ligação entre dopamina e liberalismo pode ser encontrado no setor do entretenimento. Hollywood é a meca da criatividade americana, bem como o modelo do excesso dopaminérgico. Nossos artistas de maior destaque estão sempre – e febrilmente – em busca de *mais*: mais dinheiro, mais fama, mais drogas, mais sexo e o que quer que esteja na última moda. No entanto, ficam facilmente entediados. Segundo um estudo feito pela Fundação Marriage, um laboratório de ideias do Reino Unido, a taxa de divórcio entre celebridades é quase o dobro da população em geral. É ainda pior durante o primeiro ano de casamento, quando os casais precisam fazer a transição do amor apaixonado para o amor companheiro. Celebridades recém-casadas têm quase seis vezes mais probabilidade de se divorciar que as pessoas comuns.

Muitos dos problemas que os atores enfrentam são de natureza dopaminérgica. Um estudo de 2016 com atores australianos descobriu que, apesar de reconhecerem o "senso de propósito e o crescimento pessoal decorrente do trabalho", os atores eram por demais vulneráveis a doenças mentais. E citaram uma série de problemas, incluindo "falta de autonomia, inadaptação ao ambiente de trabalho, relações interpessoais difíceis e elevada autocrítica". Desafios muito difíceis para indivíduos extremamente dopaminérgicos, que precisam se sentir no controle de seu ambiente e que, muitas vezes, têm dificuldade em estabelecer relacionamentos humanos complexos.

Quanto à política, as visões liberais predominam em Hollywood. De acordo com a rede de televisão CNN, as celebridades doaram 800 mil dólares para a campanha de reeleição do presidente Barack Obama, em comparação com apenas 76 mil dólares para o desafiante republicano Mitt Romney. O Centro de Política Responsável, que publica o site Opensecrets. org, informou que, naquele mesmo ciclo eleitoral, pessoas que trabalhavam para as sete maiores corporações da mídia doaram seis vezes mais para os democratas do que para os republicanos.

O próximo na lista é o meio universitário. A academia é um templo de dopamina. Segundo a Fundação Marriage, os acadêmicos vivem em uma *torre de marfim* (em oposição a um barraco, por exemplo) e dedicam suas vidas ao mundo abstrato das ideias. Eles são muito liberais. Nesse universo, é mais fácil você encontrar um comunista do que um conservador. Um editorial no *The New York Times* observou que apenas 2% dos professores de inglês eram republicanos, enquanto 18% dos cientistas sociais se identificavam como marxistas.

A aplicação da ortodoxia liberal é mais difundida nos *campi* universitários do que em qualquer outra área. O comediante Chris Rock disse a um repórter da *The Atlantic* que não se apresenta em *campi* universitários porque o público se ofende facilmente com discursos que contrariam a ideologia liberal. Jerry Seinfeld também falou em uma entrevista de rádio que outros comediantes lhe disseram para não se aproximar de faculdades. "São politicamente corretas demais", avisaram.

OS LIBERAIS SÃO MAIS INTELIGENTES?

Uma carreira numa universidade é geralmente um sinal de inteligência superior, mas a inteligência superior se estenderia aos liberais em geral, às pessoas mais propensas a ter sistemas de dopamina bastante ativos? Provavelmente sim. Testar a capacidade de manipular ideias abstratas – cortesia do circuito de controle da dopamina – é parte fundamental do método usado pelos psicólogos para medir a inteligência.

Para explorar a questão da inteligência relativa de liberais e conservadores, Satoshi Kanazawa, cientista da Escola de Economia e Ciência Política de Londres, avaliou um grupo de homens e mulheres que fizeram testes de Q.I. quando estavam no ensino médio. As pontuações foram calculadas por ideologia política, e uma tendência notavelmente clara emergiu. Adultos que se descreveram como *muito liberais* tiveram pontuações de inteligência superiores às daqueles que se descreveram como simplesmente *liberais*. Os liberais, por sua vez, tiveram pontuações mais altas do que aqueles que se descreveram como "no meio do caminho", e a progressão se manteve estável até aqueles que se descreveram como muito conservadores. Com uma pontuação de 100 representando a média, os adultos muito liberais tinham um Q.I. de 106 e os muito conservadores tinham um Q.I. de 95.

Uma tendência menor, mas semelhante, foi observada em relação à religiosidade. Os ateus tinham um Q.I. de 103, enquanto os que se descreviam como muito religiosos tinham uma média de 97. É importante enfatizar que estamos falando de médias. Dentro dos grupos maiores há conservadores brilhantes e liberais não tão brilhantes. Além disso, as diferenças gerais são pequenas. A faixa "Normal" é de 90 a 109. A "Inteligência Superior" se inicia em 110, e a "Genialidade", em 140.

A flexibilidade mental – capacidade de mudar o próprio comportamento em resposta a circunstâncias cambiantes – é também uma forma de medirmos a inteligência. Para avaliar esse quesito, pesquisadores da Universidade de Nova York montaram um experimento no qual pediram aos participantes que apertassem um botão quando vissem a letra W e não o pressionasse quando vissem a letra M. Os voluntários tiveram que pensar rápido: uma vez que a letra fosse exibida, eles dispunham de apenas meio segundo para decidir se apertavam ou não o botão. Para tornar as coisas ainda mais difíceis, os pesquisadores às vezes mudaram a regra: pressione M, não pressione W.

Os conservadores tiveram mais dificuldade que os liberais, particularmente quando uma série de sinais para pressionar era seguida por um sinal para não pressionar. Quando o sinal diferente aparecia, eles tinham problemas em ajustar o comportamento.

Para medir a atividade cerebral durante os testes, os cientistas colocaram eletrodos na cabeça dos participantes. Não havia muita diferença entre liberais e conservadores quando o símbolo de apertar era exibido. Mas quando era para não apertar, com os voluntários tendo apenas meio segundo para tomar uma decisão, os liberais instantaneamente acionavam uma parte do cérebro responsável pela detecção de erros (envolvendo antecipação, atenção e motivação), algo que os conservadores não conseguiram fazer. Ou seja, quando as circunstâncias mudam, os liberais realizam um trabalho melhor, ativando rapidamente seus circuitos neurais e adaptando as respostas ao novo desafio.

O QUE É INTELIGÊNCIA?

A inteligência tem sido definida de muitas formas diferentes. A maioria dos especialistas concorda que, de modo geral, um teste de Q.I. não é o melhor recurso para medi-la. O que ele faz é avaliar a capacidade de fazer generalizações a partir de dados incompletos e descobrir novas informações usando regras abstratas. Outro modo de dizer isso é que um teste de Q.I. mede a capacidade de uma pessoa para construir modelos imaginários com base em experiências passadas e, em seguida, usar esses modelos para prever o que acontecerá no futuro. A dopamina de controle desempenha um grande papel nessa atividade.

No entanto, existem outras formas de definir inteligência, tal como a capacidade de tomar decisões acertadas no dia a dia. Para esse tipo de atividade mental, as emoções A&A são essenciais. António Damásio, neurocientista da Universidade do Sul da Califórnia e autor de *O erro de Descartes: Emoção, razão e o cérebro humano*, observa que a maioria das decisões não pode ser abordada de modo puramente racional. Ou não temos informações suficientes, ou temos muito mais do que podemos processar. Por exemplo: em qual faculdade devo estudar? Qual é a melhor forma de dizer a ela que eu sinto muito? Devo ser amigo dessa pessoa? De que cor devo pintar a cozinha? Devo me casar com ele? Agora é um bom momento para expressar minha opinião ou seria melhor ficar quieto?

Estar em contato com nossas emoções de modo a processar informações emocionais com eficiência é uma habilidade indispensável em quase todas as decisões que tomamos. A destreza intelectual não basta. Todo mundo está familiarizado com a imagem do gênio científico ou do escritor brilhante que na vida real é como uma criança indefesa, pois lhe falta "bom senso" – a capacidade de tomar decisões acertadas.

O papel das emoções na tomada de decisões não foi estudado tão amplamente quanto o papel do pensamento racional; entretanto, não seria irracional prever que indivíduos com um forte sistema de A&As teriam uma vantagem nessa área. Pontuação alta em um teste de Q.I. pode ser um bom prognóstico de sucesso acadêmico, mas, para uma vida feliz, a sofisticação emocional pode ser mais importante.

A DIFERENÇA ENTRE TENDÊNCIAS DO GRUPO E CASOS INDIVIDUAIS

Os cientistas geralmente estudam grandes grupos de pessoas. Medem então as características que lhes interessam e calculam valores médios. Em seguida, comparam essas médias com o que se chama grupo de controle. Um grupo de controle pode ser composto por pessoas comuns, pessoas saudáveis ou mesmo a população em geral. Por exemplo, um cientista pode fazer um estudo populacional que revele uma taxa mais alta de câncer entre indivíduos que fumam cigarros em comparação com os outros. Pode também fazer um estudo genético e descobrir que pessoas que têm um gene que acelera o sistema dopaminérgico são em média mais criativas que aquelas que não o têm.

O problema é que, quando falamos de médias em um grupo grande, sempre há exceções, às vezes numerosas exceções. Muitos de nós conhecemos fumantes inveterados que viveram até os

90 anos. Do mesmo modo, nem todos os indivíduos com um gene extremamente dopaminérgico são criativos.

Muitos fatores influenciam o comportamento humano: como dezenas de genes diferentes interagem uns com os outros, em que tipo de família você cresceu ou se você foi encorajado a ser criativo desde jovem, para citar alguns. Em geral, ter um gene específico faz só uma pequena diferença. Portanto, embora os estudos melhorem nossa compreensão sobre o funcionamento do cérebro, eles não são muito bons em prever como determinado indivíduo desse grande grupo se comportará. Em outras palavras, algumas observações sobre um grupo ao qual você pertence podem não ser verdadeiras sobre você especificamente. O que é de esperar.

GENES RECEPTORES E A DIVISÃO ENTRE LIBERAIS E CONSERVADORES

Há uma boa chance de que a dificuldade que os conservadores enfrentaram tenha se originado de diferenças em seu DNA. De fato, as atitudes políticas, em geral, parecem ser influenciadas pela genética. Além do artigo da *American Journal of Political Science* que acabamos de discutir, outros estudos corroboram uma ligação entre a disposição genética para uma personalidade dopaminérgica e a ideologia liberal. Pesquisadores da Universidade da Califórnia em San Diego se concentraram em um gene que codifica um dos receptores de dopamina chamado D4. Como a maioria dos genes, o D4 tem diversas variantes. Pequenas variações nos genes são chamadas de *alelos*. A coleção de alelos diferentes em cada pessoa (somada ao ambiente em que ela cresceu) ajuda a determinar sua personalidade única.

Uma das variantes do gene D4 é chamada 7R. As pessoas que têm a variante 7R tendem a procurar novidades. Têm menos tolerância à monotonia e buscam o que é novo ou incomum. Podem ser impulsivas, curiosas, inconstantes, excitáveis, temperamentais e extravagantes. Por outro lado, pessoas pouco aventureiras são mais propensas a ser reflexivas, rígidas, leais, estoicas, contidas e frugais.

Os pesquisadores encontraram uma conexão entre o alelo 7R e a adesão à ideologia liberal, mas somente quando a pessoa havia crescido exposta a distintas opiniões políticas. Para que a conexão ocorresse, era preciso existir tanto um componente genético quanto um componente social. Associação semelhante foi encontrada em uma amostra formada por estudantes universitários chineses da etnia han, em Cingapura, indicando que a ligação entre o alelo 7R e a adesão à ideologia liberal não é exclusiva da cultura ocidental.

HUMANOS OU HUMANIDADE?

Embora possam não ter alguns dos talentos virtuosos dos liberais dopaminérgicos, os conservadores, em média, são mais propensos a aproveitar as vantagens de um forte sistema de A&As. Isso inclui empatia, altruísmo – particularmente sob a forma de donativos – e capacidade de estabelecer relacionamentos monogâmicos de longo prazo.

A disparidade entre esquerda e direita nos donativos para instituições de caridade foi descrita num relatório de pesquisas publicado pelo jornal *The Chronicle of Philanthropy*. Os pesquisadores usaram dados do IRS (a Receita Federal dos Estados Unidos) para avaliar as doações a instituições de caridade de cada estado, com base em como cada doador votou na eleição de 2012.*

Segundo o *Chronicle*, as pessoas que doaram o maior percentual de sua renda viviam em estados que escolheram o conservador Romney, enquanto

---

* Houve alguns pontos fracos nos dados. Como procediam de declarações fiscais, contaram apenas com os 35% de contribuintes que especificam suas alocações. Normalmente, são os contribuintes mais ricos que o fazem. Além disso, apenas cerca de um terço das doações se destina aos pobres. De acordo com um relatório de 2011 da Giving USA, 32% delas foram entregues a organizações religiosas e 29% a instituições educacionais, fundações privadas, artes, cultura e proteção ao meio ambiente. Apesar dessas fragilidades, o relatório ofereceu uma visão geral interessante a respeito de quem tem mais probabilidade de doar dinheiro aos outros.

as que doaram o menor percentual de sua renda viviam em estados que preferiram Obama. Na verdade, os 16 estados mais generosos, classificados por percentuais de doações, votaram em Romney. Uma análise por cidade descobriu que cidades liberais, como São Francisco e Boston, ocupavam as últimas posições, enquanto Salt Lake City, Birmingham, Memphis, Nashville e Atlanta estavam entre as mais generosas. As diferenças não dependiam da renda. Todos os conservadores – fossem pobres, ricos ou de classe média – fizeram doações maiores do que os liberais.

Esses resultados não significam que os conservadores se preocupam mais com os pobres do que os liberais. Pode ser que, como Albert Einstein, os liberais se sintam mais à vontade concentrando-se na humanidade do que nos humanos. Os liberais defendem leis que prestem assistência aos pobres. Comparado às doações para instituições de caridade, atuar sobre a legislação é uma abordagem mais prática para o problema da pobreza. Isso reflete uma diferença de foco frequentemente observada: pessoas dopaminérgicas estão mais interessadas em ação a distância e planejamento, enquanto aquelas com altos níveis de A&As tendem a se concentrar no que está próximo. Nesse caso, o governo atua como agente da compaixão liberal e também serve como amortecedor entre o benfeitor e o beneficiário. Os recursos para os pobres são fornecidos por burocracias financiadas coletivamente por milhões de contribuintes individuais.

O que é melhor: política ou caridade? Depende de como encaramos a questão. Como seria de esperar, a abordagem dopaminérgica da política maximiza os recursos que são disponibilizados para os pobres. Maximizar recursos é o que a dopamina faz melhor. Em 2012, os governos federal, estaduais e locais gastaram cerca de 1 trilhão de dólares em programas de combate à pobreza, o que representa aproximadamente 20 mil dólares para cada pobre nos Estados Unidos. As doações para instituições de caridade, por sua vez, foram de apenas 360 bilhões de dólares. A abordagem dopaminérgica proporcionou quase três vezes mais dinheiro.

No entanto, o valor da ajuda não é contabilizado apenas em dólares e centavos. Por seu caráter impessoal, o impacto emocional da assistência prestada pelo governo é diferente da conexão com uma igreja ou instituição de caridade. As instituições de caridade são mais flexíveis que a lei, portanto, mais capazes de se concentrar nas necessidades particulares de indivíduos reais, em oposição a grupos definidos de modo abstrato. As pessoas que trabalham para instituições de caridade privadas geralmente estão em contato próximo, muitas vezes físico, com os necessitados. Essa relação íntima permite que os conheçam e individualizem a assistência prestada. Assim, os recursos materiais podem ser potencializados com apoio emocional, como ao ajudar as pessoas a arranjarem emprego ou, de modo mais genérico, ao mostrar aos desfavorecidos que outra pessoa se importa de verdade com eles enquanto indivíduos. Muitas instituições de caridade enfatizam o bom caráter e a responsabilidade pessoal como as formas mais eficazes de combater a pobreza. Tal abordagem não funcionará com todo mundo, mas para alguns será mais útil do que receber ajuda governamental.

Há também um benefício emocional para o doador, o chamado *paradoxo hedonista*. A ideia desse paradoxo é simples: quem busca a felicidade para si mesmo não a encontrará, mas quem ajuda os outros, sim. O altruísmo tem sido associado a aumento de bem-estar, saúde e longevidade. Há até evidências de que ajudar os outros retarda o envelhecimento em nível celular. Pesquisadores do Departamento de Bioética da Universidade Case Western Reserve sugerem que os benefícios do altruísmo podem advir de "um estilo de vida mais ativo e com mais propósito, integração social mais profunda e abrandamento das preocupações causadas por problemas pessoais". Benefícios como esses não podem ser alcançados somente com o pagamento de impostos.

Se a política direciona mais recursos para os pobres e a caridade agrega benefícios adicionais, por que não fazer ambas as coisas? O problema é que a dopamina e os neurotransmissores do sistema de A&As geralmente se opõem, criando um problema de ou/ou. As pessoas favoráveis à assistência governamental para os pobres (uma abordagem dopaminérgica) são menos propensas a doar (uma abordagem A&A) e vice-versa.

O Departamento de Pesquisas Sociais da Universidade de Chicago acompanha tendências, atitudes e comportamentos da sociedade americana desde 1972. Uma de suas incumbências é pesquisar a desigualdade de renda. Os resultados obtidos demonstram que os americanos que se opõem fortemente à ação governamental para resolver o problema doaram dez vezes mais para instituições de caridade do que aqueles que apoiam fortemente as ações do poder público: 1.627 dólares por ano contra 140 dólares. Da mesma forma, em comparação com os indivíduos que defendem mais gastos com assistência social, os que acreditam que o governo gasta muito com os pobres são mais propensos a dar informações a alguém na rua, a devolver troco extra a um caixa e a dar comida ou dinheiro a um sem-teto. Quase todas as pessoas querem ajudar os necessitados, mas farão isso de modos diferentes dependendo de sua personalidade – dopaminérgica ou A&A. As pessoas dopaminérgicas desejam que os pobres recebam *mais* ajuda, enquanto as pessoas A&A preferem prestar ajuda em nível individual.

EMPARELHANDO OS CONSERVADORES

A preferência por contato próximo e pessoal que leva os conservadores a adotar uma abordagem mais prática para ajudar os pobres também os torna mais propensos a estabelecer relacionamentos monogâmicos de longo prazo. O *The New York Times* relatou que "passar a infância em praticamente qualquer lugar da predominantemente democrata América azul* – sobretudo em bastiões liberais como Nova York, São Francisco, Chicago, Boston e Washington – torna as pessoas cerca de 10 pontos percentuais menos propensas a se casar em relação ao restante do país". Além disso, quando se casam, os liberais são mais propensos a trair.

Além de doações a instituições de caridade, o Departamento de Pesquisas Sociais também rastreia o comportamento sexual dos americanos. A partir de 1991, seus pesquisadores começaram a perguntar: "Você já fez sexo com alguém que não fosse seu marido ou esposa quando era casado?" O Dr. Kanazawa, que avaliou a relação entre ideologia política e inteligência, analisou esses dados para descobrir quem tinha mais probabilidade de responder *sim* à pergunta. Entre os que se identificaram como conservadores, 14% já haviam traído seu cônjuge. O número caiu ligeiramente, para 13%,

---

* Nos Estados Unidos – desde as eleições do ano 2000 –, estados que votam predominantemente em candidatos do Partido Democrata são identificados (em mapas, gráficos, bandeirolas, etc.) pela cor azul. Já os que costumam votar no Partido Republicano recebem a cor vermelha. A prática já se estendeu a algumas grandes cidades americanas. *(N. do T.)*

entre os que se identificaram como muito conservadores. Entre os liberais, 24% tinham sido infiéis; o número subiu para 26% entre os que se descreveram como muito liberais. A mesma tendência foi observada quando os dados de homens e mulheres foram analisados separadamente.

Os conservadores fazem menos sexo do que os liberais, talvez porque sejam mais propensos a manter relacionamentos de companheirismo, nos quais a testosterona é suprimida pela oxitocina e pela vasopressina. Embora o sexo possa ser menos frequente, tem mais probabilidade de terminar em orgasmo para ambos os parceiros. Segundo uma pesquisa elaborada pelo Instituto de Estudos Evolucionários da Universidade de Binghamton – que recebeu o nome de "Solteiros nos Estados Unidos" e entrevistou mais de cinco mil adultos –, os conservadores são mais propensos a chegar ao clímax durante o sexo do que os liberais.

A Dra. Helen Fisher, consultora-chefe do Match.com, um site de relacionamentos, especulou que os conservadores são melhores em abrir mão do controle, algo necessário para que o orgasmo ocorra. Ela atribuiu isso ao fato de os conservadores terem valores mais claros, o que facilita o relaxamento. Essa explicação, que se baseia numa conexão entre valores claros e desinibição durante o clímax, pode não ser a mais correta. Talvez haja outras mais simples, baseadas no que sabemos sobre a neurobiologia do sexo. Obviamente, abrir mão do controle para se entregar ao orgasmo é mais fácil em um relacionamento onde existe confiança. Esse tipo de relacionamento é mais comum entre os estáveis conservadores do que entre os dopaminérgicos liberais em busca de novidades. Além disso, a capacidade de desfrutar das sensações físicas do sexo requer a supressão da dopamina por neurotransmissores A&As, como endorfinas e endocanabinoides. Uma atividade maior no sistema de A&As em relação à dopamina torna essa mudança mais fácil.

O site de namoros OkCupid fez as próprias pesquisas sobre sexo e encontrou um dado intrigante sobre que tipo de pessoa valorizava ou não os orgasmos. Os pesquisadores perguntaram: "Os orgasmos são a parte mais importante do sexo?" Depois analisaram os dados com base na afiliação política e profissional. Os que mais responderam *não* à pergunta foram os escritores, artistas e músicos politicamente liberais.

Se você é altamente dopaminérgico – como escritores, artistas e músicos tendem a ser –, a parte mais importante do sexo provavelmente ocorre antes do orgasmo. É a conquista. Quando um objeto de desejo imaginado se transforma em uma pessoa real, quando a esperança é substituída pela posse, o papel da dopamina chega ao fim. A emoção se foi, e o orgasmo se torna um anticlímax.

Finalmente, como é de esperar ao comparar liberais (com sua dopamina elevada) com conservadores (com seus neurotransmissores A&As elevados), os conservadores são mais felizes que os liberais. Uma pesquisa Gallup realizada de 2005 a 2007 descobriu que 66% dos republicanos estavam muito satisfeitos com sua vida, em comparação com 53% dos democratas. Sessenta e um por cento dos republicanos se descreveram como muito felizes, mas menos da metade dos democratas foi capaz de dizer o mesmo. De modo semelhante, as pessoas casadas eram mais felizes que as solteiras, e as que iam à igreja eram mais felizes que as que não iam.

Entretanto, o mundo raramente é simples. Apesar das taxas mais altas de satisfação conjugal, orgasmos mais prováveis e menos traição, os casais nos estados vermelhos são mais propensos a se divorciar do que os casais em estados azuis. E também consomem mais pornografia. Embora esses achados pareçam surpreendentes, uma explicação é que são o resultado de uma ênfase cultural maior na religião organizada. Casais que vivem em estados predominantemente republicanos são pressionados a se casar mais cedo e são menos propensos a viver juntos ou fazer sexo antes do casamento. Consequentemente, têm menos oportunidades de se conhecer antes do casamento, o que pode desestabilizar a união. A desaprovação do sexo antes do casamento, por sua vez, pode ensejar um uso maior de pornografia no sentido de obter alívio sexual.

HIPPIES E EVANGÉLICOS

Além de complexos, os partidos políticos são heterogêneos, compostos por grupos que possuem crenças conflitantes. Entre os republicanos, há os defensores do Estado mínimo, para quem os indivíduos devem fazer suas escolhas livres de leis e regulamentos controladores. Mas há também os evangélicos politicamente ativos, que desejam tornar o país um lugar melhor legislando sobre a moralidade. Não é de surpreender que um grupo que se define pela adoração de uma entidade transcendente e enfatiza conceitos abstratos, como justiça e misericórdia, tenha uma abordagem mais dopaminérgica da vida. Seu apego a uma evolução moral contínua e à vida após a morte também revela um foco no futuro. São os progressistas da direita.

À esquerda estão os hippies, que valorizam a sustentabilidade e muitas vezes desaprovam a tecnologia, preferindo levar uma vida profundamente conectada à terra. Preferem a experiência do aqui e agora à busca do que não têm. São os conservadores da esquerda, que rejeitam a flecha progressista em favor do círculo conservador.

Essa complexidade nos lembra que, ao estudar tendências sociais, é importante ter cuidado e manter a mente aberta. A completa inversão dos resultados do estudo sobre política e traços de personalidade demonstra que os dados podem ser interpretados erroneamente e ainda assim ser aceitos como corretos. Pior ainda, a qualidade dos dados é sempre imperfeita e as informações coletadas de pesquisas feitas com milhares de pessoas terão mais erros do que dados de ensaios clínicos supervisionados de perto. As pesquisas também dependem da honestidade dos entrevistados. É possível que os conservadores estivessem menos dispostos do que os liberais a admitir infidelidade conjugal ou infelicidade com a vida, o que pode ter distorcido os resultados do Departamento de Pesquisas Sociais.

Outro problema é que as pesquisas científicas podem ser inconsistentes. Alguns estudos sobre a neurociência do pensamento político têm um "gêmeo do mal", por assim dizer, que analisou a mesma questão e encontrou o resultado oposto. No geral, porém, os dados apoiam uma tendência a uma ideologia política progressista entre pessoas com personalidade mais dopaminérgica, e conservadora para as que possuem níveis mais baixos de dopamina e níveis mais altos de A&As.

O quadro geral pode ser algo assim: em média, os liberais são mais cerebrais, inconstantes, criativos, inteligentes, insatisfeitos e propensos a pensar no futuro. Os conservadores, por sua vez, são confiáveis, estáveis, convencionais, felizes, menos intelectualizados e mais propensos a se sentir confortáveis com as emoções.

O ELEITOR IRRACIONAL CONFIÁVEL

Embora muitos conservadores e muitos liberais tendam a votar conforme a linha do partido, outros eleitores têm ideologias mais moderadas. São os independentes, abertos à persuasão política. Influenciar as opiniões desse grupo é essencial para uma campanha bem-sucedida, e a neurociência pode lançar luz sobre as melhores formas de fazê-lo.

A arte da persuasão e a neurociência se encontram no ponto em que as decisões são tomadas e as ações, postas em prática – isto é, na interseção entre os circuitos da dopamina do desejo e os circuitos da dopamina de controle, onde pesamos opções e fazemos escolhas sobre o que será melhor para o nosso futuro. Seja pegando um detergente na prateleira de um supermercado, seja apertando um botão para escolher um candidato na política, saberemos que estamos nos domínios da dopamina de controle fazendo uma simples pergunta: *O que é melhor para o meu futuro a longo prazo?* Mas convencer a dopamina de controle e superar todos os argumentos contrários que inevitavelmente surgirão é algo difícil de fazer com um adesivo no vidro do carro ou um comercial de 30 segundos na televisão. E, de um ponto de vista puramente prático, provavelmente nem vale a pena fazer isso. Decisões racionais são frágeis, sempre passíveis de revisão à medida que novas evidências surgem. A irracionalidade é mais duradoura, e tanto a dopamina do desejo quanto os caminhos das substâncias A&A podem fazer as pessoas tomarem decisões irracionais. As ferramentas mais eficazes são o medo, o desejo e a simpatia.

O medo pode ser o mais eficaz de todos, e é por isso que os anúncios agressivos, que retratam o candidato adversário em uma campanha como perigoso, são tão populares. O medo fala às nossas preocupações mais primitivas: *Será que vou sobreviver? Meus filhos estarão seguros? Serei capaz de manter meu emprego e ter dinheiro para comida e aluguel?* Incitar o medo é uma parte indispensável de quase qualquer campanha política. Incentivar os americanos a se odiarem é um efeito colateral infeliz.

POR QUE ESTAMOS NOS DIVERTINDO ATÉ A MORTE?

No provocativo livro de 1985 *Amusing Ourselves to Death* (Divertindo-nos até a morte), o estudioso de mídias Neil Postman argumentou que o discurso político estava sendo rebaixado pela ascensão da televisão. Postman observou que os noticiários da televisão já haviam adquirido muitas das características do entretenimento. E citou Robert MacNeil, apresentador de telejornais: "A ideia, escreve ele, 'é manter tudo breve para não forçar a atenção de ninguém, proporcionando estímulos constantes por meio de variedade, novidade, ação e movimento'. O telespectador não precisa prestar atenção em nenhum conceito, em nenhum personagem e em nenhum problema por mais que alguns segundos de cada vez." Três décadas mais tarde, as notícias na internet obedecem aos mesmos preceitos. Mesmo os veículos considerados sérios preenchem suas páginas iniciais com manchetes breves e provocativas. A maioria não publica matérias longas e reflexivas, limitando-se a vídeos curtos e superficiais.

Postman afirmou que isso é indício de um problema grave, mas não conjecturou sobre por que preferimos entretenimento a argumentos sérios quando debatemos assuntos importantes para o país. Trinta anos depois, o problema permanece. Das infinitas formas que a tecnologia de comunicação poderia ter tomado, por que os noticiários da internet, assim como os da TV, preferiram a brevidade e a novidade a análises aprofundadas? Os acontecimentos do mundo não mereceriam mais atenção?

A resposta é a dopamina do desejo. Uma história curta e superficial se destaca da paisagem – é *proeminente*. Oferece uma rápida dose de dopamina e captura nossa atenção. Assim, clicamos em uma dezena de manchetes sedutoras que levam a vídeos de gatinhos e pulamos o longo texto sobre a assistência à saúde. Informar-se sobre o sistema de saúde é mais pertinente para nossa vida, mas o trabalho de processar a matéria não é páreo para o prazer fácil oferecido pelos baratos da dopamina. A dopamina de controle pode retroceder, mas é invariavelmente dominada pela enxurrada de tudo que for novo e brilhante, e essas coisas são a moeda da internet.

Aonde isso vai levar? Provavelmente não a um renascimento do jornalismo de formato longo. À medida que as histórias curtas e superficiais se tornam prevalentes no ambiente das notícias, estas precisam ficar ainda mais curtas e superficiais para competir. Onde terminará esse ciclo? Mesmo as palavras podem já não ser fundamentais. A maioria dos celulares agora oferece algo mais rápido e simples (e mais grosseiro) para chamar atenção: um *emoji*.

Postman pode não ter descoberto a causa neurocientífica de tudo isso, mas entendeu seus efeitos: "E assim nos movemos rapidamente para um ambiente de informação que pode ser chamado de *trivial pursuit* (busca trivial). Assim como o jogo com esse nome usa os fatos como fonte de diversão, nossos noticiários também o fazem. Já ficou demonstrado muitas vezes que uma cultura pode sobreviver à desinformação e às opiniões falsas. Mas ainda não foi demonstrado se uma cultura pode sobreviver analisando o mundo em meia hora. Ou se o valor do noticiário é determinado pelo número de risadas que provoca."

TER AMADO E PERDIDO DÓI MAIS

Além de explorar as necessidades primitivas, outra razão pela qual o medo funciona tão bem é a *aversão à perda*; significa que a dor da perda é mais forte que o prazer do ganho. Por exemplo, a dor de perder 20 dólares é maior que o prazer de ganhar 20 dólares. Eis por que a maioria das pessoas rejeita uma aposta em um jogo de cara ou coroa – cujo percentual de acerto é de 50% – quando a quantidade de dinheiro envolvida é significativa. Na verdade, a maioria das pessoas rejeita apostar 20 dólares para receber 30 dólares. O pagamento precisa ser o dobro da aposta, 40 dólares neste caso, para que a maioria aceite a aposta.

Um matemático diria que, quando a chance de ganhar é de 50%, e o pagamento é maior que a aposta, a aposta tem um *valor líquido positivo* – você deve apostar. (Vale notar que isso só funciona se o valor for acessível. É racional apostar os 20 dólares que você gastaria indo ao cinema, mas não os 200 dólares de que precisa para pagar o aluguel.) Mesmo assim, a maioria das pessoas rejeita a oportunidade de ganhar 30 dólares em um cara ou coroa de 20 dólares. Por que isso acontece?

Quando os cientistas realizaram exames cerebrais durante experimentos com apostas, olharam primeiro para a dopamina. Descobriram que a atividade neural no circuito do desejo aumentava após as vitórias e diminuía após as derrotas – como era de esperar. Mas as mudanças não foram simétricas: a magnitude da diminuição após as perdas era maior do que o aumento após os ganhos. O circuito dopaminérgico estava espelhando a experiência subjetiva. O efeito da perda era maior que o efeito do ganho.

Que vias neurais estariam por trás desse desequilíbrio? O que estaria amplificando a reação à perda? Os pesquisadores voltaram a atenção para a amígdala – uma estrutura A&A que processa o medo e outras emoções negativas. Sempre que um participante perdia uma aposta, sua amígdala se ativava, intensificando os sentimentos de angústia. Era a emoção A&A gerando aversão a uma perda. O sistema de A&As não se preocupa com o futuro. Não se importa com o que podemos obter. Preocupa-se com o que temos no momento. E, quando o que temos está sob ameaça, surgem o medo e a angústia.

Outros estudos apresentaram resultados semelhantes. Em um dos experimentos, os participantes foram aleatoriamente designados para receber uma xícara de café. Metade do grupo ganhava e a outra metade, não. Logo após a entrega das xícaras, os pesquisadores deram aos participantes a oportunidade de negociar uns com os outros: xícaras por dinheiro. Os proprietários das xícaras foram instruídos a definir um preço que aceitariam, e os compradores estabeleceram um preço que pagariam. Os proprietários pediram uma média de 5,78 dólares e os compradores ofereceram em média 2,21 dólares. Os vendedores estavam relutantes em abrir mão de suas xícaras. Os compradores estavam relutantes em abrir mão de seu dinheiro. Tanto uns quanto outros relutavam em abrir mão do que possuíam.

O papel essencial da amígdala na aversão à perda foi confirmado por algo chamado experimento da natureza, que pode ser definido como doenças e lesões que revelam importantes saberes científicos. São fascinantes porque em geral seriam "experimentos" extremamente antiéticos se algum cientista os realizasse. Ninguém vai pedir a um cirurgião para abrir a cabeça de uma pessoa e arrancar sua amígdala. Mas de vez em quando acontece de forma espontânea. No caso mencionado, foram estudados dois pacientes que sofriam da doença de Urbach-Wiethe, uma condição rara que destrói a amígdala em ambos os lados do cérebro. Quando os cientistas lhes propuseram algumas apostas, eles atribuíram peso igual aos ganhos e às perdas. Sem a amígdala, a aversão à perda desapareceu.

De certa forma, a aversão à perda é uma aritmética simples. O ganho é sobre um futuro melhor, portanto apenas a dopamina está envolvida. A possibilidade de ganho recebe +1 da dopamina e zero dos neurotransmissores A&As, porque as A&As só se preocupam com o presente. A perda também é sobre o futuro, então diz respeito à dopamina e recebe −1. Mas também diz respeito ao presente, porque afeta valores que possuímos no momento. Então as A&As dão um −1. Eis o resultado: ganho = +1; perda = −2. Exatamente o que se observa em varreduras cerebrais e nos experimentos com apostas.

O medo, assim como o desejo, é principalmente um conceito futuro – o reino da dopamina. Mas o sistema de A&As dá impulso à dor da perda sob a forma de ativação da amígdala, inclinando nosso julgamento a seu favor quando temos que tomar decisões sobre a melhor forma de gerenciar um risco.

PROVER OU PROTEGER?

Embora a aversão à perda seja um fenômeno universal, existem diferenças entre grupos. Em geral, os dopaminérgicos liberais são mais propensos a acolher mensagens que oferecem benefícios, como oportunidades para obter mais recursos, enquanto os conservadores do A&A têm mais tendência a acatar mensagens que oferecem segurança, como manter o que possuem no momento. Os liberais apoiam programas que, segundo acreditam, levarão a um futuro melhor, como educação subsidiada, planejamento urbano e projetos tecnológicos financiados pelo governo. Os conservadores preferem programas que protejam seu modo de vida atual, como gastos com defesa e ordem pública, e limites à imigração.

Liberais e conservadores têm suas razões para comparar ameaças e benefícios de modo a obter o que acreditam ser conclusões racionais resultantes de cuidadosa avaliação das evidências. O que provavelmente não ocorre. O mais provável é que haja uma diferença fundamental no modo como seus cérebros estão conectados.

Pesquisadores da Universidade de Nebraska selecionaram um grupo de voluntários com base em suas crenças políticas e mediram seu nível de excitação ao ver fotos que evocavam desejo ou angústia. A palavra "excitação" é bastante usada para descrever excitação sexual; mais amplamente, porém, é uma medida do grau de envolvimento de uma pessoa com o que ocorre ao redor. Quando ela está interessada e engajada, seu coração bate um pouco mais rápido, a pressão sanguínea sobe um pouco e as glândulas sudoríparas liberam pequenas quantidades de transpiração. Os médicos chamam isso de resposta simpática. O modo mais comum de avaliar uma resposta simpática é conectar eletrodos ao corpo de uma pessoa e medir como a eletricidade flui. Sendo água salgada, o suor conduz eletricidade melhor do que a pele seca. Quanto mais excitada uma pessoa está, mais facilmente a eletricidade viaja.

Depois de fixarem os eletrodos nos participantes da pesquisa, os pesquisadores lhes mostraram três fotos angustiantes (uma aranha no rosto de um homem, uma ferida aberta com larvas e uma multidão agredindo um rapaz) e três fotos positivas (uma criança feliz, uma tigela de frutas e um coelho fofinho). Os liberais tiveram uma resposta mais forte às fotos positivas e os conservadores, às negativas. Como os pesquisadores estavam medindo uma reação biológica – transpiração –, a resposta não poderia ser intencionalmente controlada pelos participantes. Algo mais básico que uma escolha racional estava sendo medido.

Em seguida, os estudiosos usaram um dispositivo de rastreamento ocular para determinar quanto tempo os voluntários passavam olhando para uma colagem de fotos – positivas e negativas – exibidas ao mesmo tempo. Ambos os grupos, liberais e conservadores, passaram mais tempo olhando as imagens negativas, resultado consistente com o fenômeno universal de aversão à perda. No entanto, os conservadores passaram muito mais tempo olhando para as imagens que provocavam medo, enquanto os liberais dividiram sua atenção de modo mais equilibrado. Houve evidências de aversão a perdas em ambos os grupos, porém mais pronunciadas entre os conservadores.

TEMOS MEIOS DE FAZER DE VOCÊ UM CONSERVADOR

A relação entre conservadorismo e ameaças é uma via de mão dupla. Os conservadores são mais propensos do que os liberais a se concentrar nas ameaças. Ao mesmo tempo, quando pessoas de qualquer inclinação se sentem ameaçadas, tornam-se mais conservadoras. É sabido que os ataques terroristas aumentam a popularidade dos candidatos conservadores. Mas mesmo pequenas ameaças – tão pequenas que nem temos consciência delas – empurram as pessoas para a direita.

No intuito de testar a relação entre ameaças sutis e ideologia conservadora, pesquisadores abordaram estudantes em um *campus* universitário e pediram a eles que respondessem uma pesquisa sobre suas crenças políticas. Cinquenta por cento dos participantes estavam sentados próximo a um produto higienizante para as mãos – um lembrete do risco de infecções; os outros 50% foram levados para uma área diferente. Os que estavam sentados perto do higienizante apresentaram altos níveis de conservadorismo moral, social e fiscal. O mesmo ocorreu quando alguns alunos foram solicitados a usar um lenço higienizante antes de se sentar diante de um computador para responder às perguntas da pesquisa. Vale notar que as eleições são realizadas durante a temporada de gripes e as máquinas de votação com tela sensível ao toque são um foco de germes. Assim, não é incomum ver produtos higienizantes para as mãos nos locais de votação.

O professor Glenn D. Wilson, psicólogo que estuda a influência da evolução no comportamento humano, fez piada com isso, dizendo que, durante o período eleitoral, placas de banheiro com os dizeres "Os funcionários devem lavar as mãos antes de retornar ao trabalho" são outdoors do Partido Republicano.

MODULAÇÃO NEUROQUÍMICA DO JULGAMENTO MORAL

As drogas também funcionam. Os cientistas podem fazer as pessoas se comportarem de modo mais conservador administrando medicamentos que aumentam a serotonina, um neurotransmissor A&A. Em um experimento, os participantes receberam uma dose única do medicamento citalopram, um fármaco serotoninérgico comumente usado para tratar a depressão.* Após tomar a medicação, eles ficaram menos focados no conceito abstrato de justiça e mais focados em proteger as pessoas. Isso ficou demonstrado por seu desempenho em algo chamado "jogo do ultimato". Eis como o jogo funciona.

Há dois jogadores no jogo do ultimato. Um deles, chamado de proponente, recebe uma quantia em dinheiro (por exemplo, 100 dólares) e é instruído a compartilhá-la com o outro jogador, chamado de respondente. O proponente pode oferecer ao respondente quanto quiser. Se o respondente aceitar a oferta, ambos ficam com o dinheiro. Por outro lado, se o respondente rejeitar a oferta, nenhum dos jogadores recebe nada. Cada jogador tem apenas uma chance.

Um respondente perfeitamente racional aceitaria qualquer oferta, até mesmo 1 dólar. Aceitando, estará financeiramente melhor do que antes. Mas, se recusá-la, não ganha nada. Portanto, rejeitar qualquer oferta, por menor que seja, contraria seu interesse financeiro. Na prática, porém, as ofertas baixas são rechaçadas porque ofendem nossa noção de jogo limpo. Uma oferta baixa nos faz querer punir o proponente dando-lhe um prejuízo financeiro. Em média, os respondentes tendem a castigar os proponentes que oferecem 30% ou menos do dinheiro que lhes pediram que compartilhassem.

Esse percentual não é imutável. Pessoas diferentes sob condições diferentes tomarão decisões diferentes. Pesquisadores das universidades de

---

* Uma única dose de um antidepressivo serotoninérgico não é suficiente para influenciar o humor. Geralmente, são necessárias algumas semanas de ingestão diária para que se possa observar algum efeito. A primeira dose aumenta o nível de serotonina no cérebro, mas após algumas semanas de tratamento as coisas ficam mais complicadas. Quando a depressão começa a desaparecer, o cérebro já se adaptou à medicação de tal forma que o sistema serotoninérgico se tornou mais ativo em alguns lugares e menos ativo em outros. Ninguém sabe realmente como os antidepressivos melhoram o humor.

Cambridge e Harvard descobriram que os respondentes que receberam citalopram tinham duas vezes mais chances de aceitar as ofertas baixas. Combinando esses resultados com os de testes adicionais de julgamento moral e comportamento, os pesquisadores concluíram que os respondentes que haviam tomado citalopram relutavam em prejudicar o proponente caso rejeitassem a oferta. O efeito oposto foi observado quando os cientistas deram a eles uma droga que reduzia os níveis de serotonina. Nesse caso, os respondentes ficaram mais dispostos a prejudicar o proponente para servir ao bem maior de impor padrões de justiça.

Os pesquisadores concluíram que a droga que aumenta a serotonina aumentou o que eles chamaram de *aversão a danos*. Esse aumento desvia o julgamento moral de um objetivo abstrato (impor a justiça) para evitar ações que possam prejudicar alguém (privar o proponente de sua parte do dinheiro). Pensando no problema do trem, a abordagem lógica era matar uma pessoa para salvar cinco. Na abordagem da aversão a danos, porém, não se tira a vida de alguém em benefício de outros. Usar drogas para influenciar decisões tem o inquietante nome de *modulação neuroquímica do julgamento moral*.

Uma única dose de citalopram tornou as pessoas mais dispostas a perdoar comportamentos injustos e menos dispostas a considerar o prejuízo de outra pessoa como algo permissível, atitude consistente com a predominância do A&A. Os pesquisadores descreveram esse comportamento como *pró-social no nível individual*. *Pró-social* é um termo que significa disposição para ajudar outras pessoas. Rejeitar ofertas injustas é chamado de *pró-social em nível de grupo*. Punir pessoas que fazem ofertas injustas promove a justiça e beneficia a comunidade maior, o que é mais consistente com uma abordagem dopaminérgica.

ELES DEVEM FICAR OU DEVEM IR?

O contraste indivíduo/grupo está muito presente no debate sobre imigração. Os conservadores tendem a enfocar grupos menores, como indivíduos, família e país, enquanto os liberais são mais propensos a se concentrar no maior grupo de todos: a comunidade global de todos os homens e mulheres. Os conservadores estão interessados nos direitos individuais e alguns apoiam a ideia de construir muros para manter os imigrantes ilegais fora de seu país. Os liberais veem os indivíduos como interligados e alguns falam em abolir completamente as leis de imigração. Mas o que acontece quando os imigrantes de fato aparecem – quando deixam de ser uma ideia e se transformam em realidade; quando, em vez de algo distante e abstrato, instalam-se bem ao nosso lado? Não há estudos em larga escala que ofereçam uma resposta a essa pergunta, mas há evidências anedóticas de que a experiência A&A de contato direto produz resultados diferentes quando comparados à experiência dopaminérgica de definição de políticas.

Em 2012, o *The New York Times* fez uma reportagem sobre um grupo chamado Desocupem Springs, que surgiu na área de Springs, no coração do subúrbio de Hamptons, na cidade de Nova York, subúrbio este muito liberal e muito rico. O grupo defendia a repressão aos imigrantes sem parentesco entre si que estavam lotando casas unifamiliares do bairro, o que violava o código habitacional local. O Desocupem argumentava que seus novos vizinhos estavam sobrecarregando as escolas e desvalorizando os imóveis da região. Na mesma linha, um estudo da Universidade Dartmouth descobriu que, em comparação com os estados republicanos, os estados democratas fazem mais restrições à entrada de imigrantes pobres. Tais restrições incluem limitar o número de famílias autorizadas a morar em uma única casa e impor regras rígidas de zoneamento, que reduzem a oferta de moradias populares.

Edward Glaeser, economista de Harvard, e Joseph Gyourko, da Universidade da Pensilvânia, analisaram o impacto do zoneamento no acesso a moradias. Descobriram que, na maior parte do país, os custos de moradia são muito próximos dos custos de construção; no entanto, são significativamente mais altos na Califórnia e em algumas cidades da Costa Leste. Também observaram que, nessas áreas, as autoridades que regulam o zoneamento tornam as novas construções extremamente caras, com um custo até 50% maior nas áreas urbanas – que são preferidas pelos imigrantes.

As barreiras que excluem os imigrantes pobres são uma reminiscência da declaração de Einstein: "Meu apaixonado senso de justiça e responsabilidade social sempre contrastou, estranhamente, com minha acentuada falta de necessidade de contato direto com outros seres humanos." Conservadores parecem ser o oposto. Eles querem excluir os imigrantes ilegais de seu país para evitar o que temem ser uma transformação fundamental de sua cultura. No entanto, a aversão a danos os motiva a cuidar dos que já estão aqui.

William Sullivan, que escreve para a publicação conservadora *American Thinker*, observou que, em meio aos debates sobre imigração, importantes figuras conservadoras dirigiram-se à fronteira mexicana com o propósito de ajudar grupos religiosos na assistência aos imigrantes – levando refeições quentes e água fresca, além de um carregamento de ursinhos de pelúcia e bolas de futebol. Alguns classificaram essa ajuda como golpe publicitário, mas ela é consistente com a abordagem abrangente que enfatiza a aversão a danos: resguardar o *status quo* e ao mesmo tempo proteger os indivíduos em situação vulnerável.

De maneiras opostas e complementares, liberais e conservadores querem ajudar os imigrantes empobrecidos. Ao mesmo tempo, ambos querem mantê-los distantes.

TEMOS FORMAS DE TRANSFORMAR VOCÊ NUM LIBERAL

Se introduzir ameaças ao ambiente torna as pessoas mais conservadoras, é possível torná-las mais liberais fazendo o oposto? A Dra. Jaime Napier, especialista em ideologias políticas e religiosas, descobriu que a resposta é sim e nem requer muito estímulo. Assim como os pesquisadores conseguiram aumentar o conservadorismo com o pequeno estratagema de colocar um produto higienizante para mãos perto dos voluntários, a Dra. Napier conseguiu tornar as pessoas mais liberais com um simples exercício de imaginação. Ela pediu aos conservadores que imaginassem ter superpoderes que os tornavam invulneráveis. Testes subsequentes de ideologia política revelaram que eles se tornaram mais liberais. A redução dos sentimentos de vulnerabilidade, que acabou por suprimir o medo de sofrer perdas provocado pelas A&As, permitiu que a dopamina, a agente de mudanças, fosse acionada e desempenhasse um papel maior na determinação da ideologia.

E quanto ao ato de imaginar, por si só? Imaginar é uma atividade dopaminérgica, pois envolve elementos que não têm existência física. Se é assim, será que a simples ativação do sistema dopaminérgico mediante um exercício de imaginação contribui para uma guinada à esquerda nas crenças políticas? Outro estudo sugere que sim.

O pensamento abstrato é uma das principais funções do sistema dopaminérgico, pois nos permite ir além da observação sensorial dos eventos para construir um modelo que explique por que eles ocorrem. Uma descrição que se baseia nos sentidos concentra-se no mundo físico: coisas que realmente existem. O termo técnico para esse tipo de pensamento é *concreto*. Trata-se de uma função do sistema de A&As que os cientistas chamam de pensamento de *baixo nível*. O pensamento abstrato é classificado como de *alto nível*. Um grupo de cientistas quis saber se os indivíduos que tendem a pensar concretamente seriam mais hostis à diversidade – pessoas que eles percebiam como uma ameaça à estabilidade de seu modo de vida, como gays, lésbicas, muçulmanos e ateus.

Os voluntários da pesquisa ouviram duas descrições de eventos, como tocar uma campainha, e tiveram que escolher qual descrição lhes parecia a melhor. Uma era concreta (tocar a campainha é mexer um dedo) e a outra, abstrata (tocar a campainha permite saber se alguém está em casa). Em seguida, os cientistas pediram aos participantes que avaliassem seus sentimentos de simpatia e cordialidade por gays, lésbicas, muçulmanos e ateus. Constataram uma relação direta entre descrições concretas e níveis mais baixos de simpatia e cordialidade.

O próximo passo foi verificar se esses sentimentos poderiam ser manipulados caso os participantes fossem estimulados a pensar de maneira abstrata. Os cientistas escolheram como tema do exercício um assunto que não tinha qualquer relação com grupos potencialmente ameaçadores: começaram pedindo aos participantes que pensassem em manter uma boa saúde física. Em seguida, metade deles foi solicitada a descrever *como* fariam isso (algo concreto); a outra metade precisou explicar *por que* isso é importante (abstrato). Descrever *como* não teve nenhum efeito sobre as atitudes, mas explicar *por quê* elevou os sentimentos de simpatia e cordialidade dos participantes conservadores por gays, lésbicas, muçulmanos e ateus, a ponto de já não haver diferença significativa entre suas atitudes e as atitudes dos liberais.

Ativar as vias dopaminérgicas é uma forma de aproximar ideologicamente as ideias dos conservadores das ideias dos liberais. Mas podemos obter algo semelhante explorando os mesmos circuitos que fazem os conservadores agirem de modo conservador: os circuitos de A&As, especificamente os que nos permitem vivenciar a empatia. Essa abordagem usa forças essencialmente conservadoras para gerar maior aceitação de pessoas que podem representar ameaças, como os grupos mencionados anteriormente.

Voltemos à aparente contradição dos conservadores que defendem a deportação de imigrantes ilegais como grupo, enquanto fornecem a eles alimentos, água e brinquedos. Os conservadores do A&A podem ser hostis à ideia de imigração, mas têm uma capacidade inata de se conectar de modo empático com os imigrantes reais. Escritores de Hollywood têm usado essa capacidade – que pode até ser chamada de impulso inconsciente – para aumentar a aceitação de pessoas lésbicas, gays, bissexuais e transgêneros (LGBT). Eles fazem isso mediante o poder das histórias.

Costumamos criar relações emocionais com os personagens das histórias. Se for uma narrativa bem escrita, os sentimentos que desenvolvemos pelos personagens podem ser muito semelhantes aos que temos por pessoas reais. A Aliança de Gays e Lésbicas Contra a Difamação (GLAAD, na sigla em inglês) observou: "A TV não refletiu apenas as mudanças nas atitudes sociais; também teve um papel importante em sua concretização. Muitas e muitas vezes foi demonstrado que conhecer pessoalmente alguém do grupo LGBT é um dos fatores mais influentes na mudança de opinião sobre questões LGBT. Mas, na ausência dessa oportunidade, muitos espectadores nos conheceram como personagens de televisão."

De acordo com o relatório anual da GLAAD sobre diversidade no horário nobre da TV, o percentual de personagens identificados como gays, lésbicas ou bissexuais tem crescido constantemente. Na pesquisa mais recente, realizada em 2015, foi de 4%. Quase o mesmo que os 3,8% dos americanos que se identificaram como LGBT em uma recente pesquisa do Gallup. A rede com o maior percentual foi a Fox Network, em que 6,5% dos personagens do horário nobre eram LGBT.

Esses personagens fictícios têm uma influência real nas atitudes do espectador. Vinte e sete por cento dos entrevistados em uma pesquisa realizada pela *The Hollywood Reporter* disseram que uma TV LGBT-inclusiva fez deles defensores mais veementes do casamento entre pessoas do mesmo sexo. Quando os resultados foram cruzados com o voto dos telespectadores na eleição presidencial de 2012, 13% dos eleitores do republicano Romney declararam que assistir aos programas os tornava mais favoráveis ao casamento entre pessoas do mesmo sexo. Transformar grupos abstratos em indivíduos concretos é uma boa forma de ativar circuitos de empatia do A&A.

UMA NAÇÃO GOVERNADA POR IDEIAS (POR MEIO DA BIOLOGIA)

Segundo o Ashleymadison.com, um site de namoro para pessoas casadas em busca de relacionamentos extraconjugais, a capital, Washington, liderou a lista das cidades mais adúlteras do país pelo terceiro ano consecutivo. E o bairro com mais adúlteros? Capitol Hill, o território dos políticos, funcionários e lobistas.
– The Washington Post, 20 de maio de 2015

A essência do governo é o controle. O povo pode se submeter ao controle como resultado de uma conquista ou ceder parte de sua liberdade em troca de proteção. De qualquer forma, um pequeno número de pessoas recebe o poder de exercer autoridade sobre o restante da população. Trata-se de uma atividade dopaminérgica, pois a população é governada a distância por meio de leis abstratas. Embora a ameaça de violência do A&A seja usada para impor o cumprimento da lei, a maioria dos cidadãos nunca a vivencia. As pessoas se submetem a ideias, não à força física.

Como o governo é inerentemente dopaminérgico, os liberais tendem a se entusiasmar mais com ele do que os conservadores. Quinhentos liberais marchando pela rua estarão provavelmente encenando um protesto. Se forem conservadores, é mais provável que seja um desfile. Além de seu entusiasmo por participar do processo político, os liberais são também mais propensos a buscar altos cargos na administração pública; muitas vezes, sentem-se atraídos por profissões como o jornalismo, nos quais podem estar diariamente envolvidos na política. Os conservadores, por sua vez, costumam desconfiar do governo, sobretudo do que atua a distância. Assim, em vez da governança federal, tendem a preferir a local, exercida em nível estadual ou municipal.

A distância importa. Voltando ao dilema do trem, é mais fácil maximizar os recursos quando as emoções saem de cena. Empurrar uma pessoa nos trilhos para parar um trem é quase impossível. Acionar um botão a muitos quilômetros dali é mais fácil. Da mesma forma, muitas leis beneficiam algumas pessoas, mas prejudicam outras. Quanto mais longe você estiver, mais fácil será tolerar algum prejuízo, desde seja em prol de um bem maior. A distância isola os políticos das consequências imediatas de suas decisões, como aumentar impostos, cortar um financiamento, enviar alguém para a guerra. Quem ganha menos, recebe o menor salário ou se esconde em uma trincheira raramente estará na companhia do indivíduo que o colocou em tal situação, desde que esse indivíduo esteja na capital do país, Washington. Assim, os circuitos de A&As jamais terão a oportunidade de desencadear as angustiantes emoções que tornariam essas decisões difíceis.

POR QUE WASHINGTON TEM SEMPRE QUE "FAZER ALGUMA COISA!"

Outro aspecto em que o governo é fundamentalmente dopaminérgico – além da distância – é seu caráter de *ter que fazer alguma coisa*. É quase inédito um político pedir votos dizendo que irá a Washington para não fazer nada. Política é sobre mudanças, e mudanças são impulsionadas pela dopamina. Sempre que acontece uma tragédia, o clamor aumenta: Façam *alguma coisa!* Assim, a vigilância dos aeroportos é sempre reforçada após um ataque terrorista, apesar das evidências de que os longos e humilhantes rituais a que os viajantes são submetidos não aumentam a segurança. Agentes secretos da Administração de Segurança no Transporte, que testam o sistema, quase sempre conseguem passar com armas pelos controles. Mas a obrigação de fazer algo é sempre cumprida.

Segundo o site GovTrack.us, o governo federal promulgou entre 200 e 800 leis a cada período de dois anos do Congresso desde 1973. São muitas leis, mas quase nada perto do que os políticos tentaram fazer. Durante esses períodos, o Congresso tenta aprovar entre 8 mil e 26 mil leis. Se as pessoas acham que algo deve ser feito, os políticos ficam felizes em obsequiá-las.

O desejo de controle é inevitável. Algumas pessoas em Washington se dizem liberais e outras se definem como conservadoras, mas praticamente todos os envolvidos na política são dopaminérgicos. Caso contrário, não se elegeriam. Campanhas políticas exigem grande motivação. Exigem a vontade de sacrificar tudo para alcançar o sucesso. As longas horas longe de casa prejudicam sobretudo a vida familiar. Pessoas do A&A, que priorizam o relacionamento com seus entes queridos, dificilmente obtêm sucesso na política. No Reino Unido, a taxa de divórcio entre os membros do Parlamento é o dobro da verificada entre a população em geral. Nos Estados Unidos, é comum que membros do Congresso morem em Washington, enquanto suas famílias permanecem em seus estados de origem. Eles raramente veem seus cônjuges, mas nos gabinetes há muita gente jovem disponível para satisfazer desejos dopaminérgicos. Para um político, relacionamentos não são diversão; têm um propósito, como ser eleito, aprovar um projeto de lei ou satisfazer um desejo biológico. Ao ex-presidente Harry Truman é atribuída a seguinte frase: "Se você quiser um amigo em Washington, compre um cachorro."

CANDIDATO CONSERVADOR, LEGISLADOR LIBERAL

A necessidade de ser dopaminérgico para se eleger é um problema para os conservadores, pois ter políticos dopaminérgicos representando eleitores que valorizam o A&A nem sempre funciona bem. Nos últimos anos, os conservadores têm ficado cada vez mais frustrados com os chamados republicanos estabelecidos, que fazem campanha com promessas de reduzir o tamanho do governo, mas só atuam para aumentá-lo. O Tea Party, grupo conservador radical, é a manifestação mais visível dessa frustração. Gerou um entusiasmo incomum, mas até agora não conseguiu atingir seu objetivo declarado: desacelerar o crescimento do governo.

O crescimento talvez não pare nunca. A lei da dopamina é *mais*. Mudanças – no sentido de progresso ou de perda de tradição, dependendo do ponto de vista – são inevitáveis. Somente os circuitos de A&As podem trazer sentimentos de satisfação, de que o objetivo foi alcançado e é hora de parar. Endorfinas, endocanabinoides e outros neurotransmissores A&As nos informam que nosso trabalho está feito e que agora é hora de desfrutar. Mas a dopamina suprime essas substâncias químicas. Ela nunca descansa. O jogo da política é jogado 24 horas por dia, sete dias por semana, e uma pausa para respirar ou para dizer a palavra "Basta" leva ao fracasso.

Isso não significa que um Estado maior seja necessariamente algo ruim. O crescimento do poder exercido para o bem público pode ter uma influência positiva na vida de milhões de pessoas. Se o governo é benevolente e efetivo, um crescente poder centralizado pode contribuir para salvaguardar os direitos dos destituídos e tirá-los da pobreza. Pode impedir que trabalhadores e consumidores sejam explorados por corporações poderosas. Mas se os políticos aprovarem leis em benefício próprio e não no de seus eleitores, se a corrupção se generalizar ou se os legisladores simplesmente não souberem o que estão fazendo, a liberdade e a prosperidade serão prejudicadas.

Historicamente, a única forma de reverter a expansão do poder é substituir as mudanças graduais por um cataclisma em forma de revolução. John Calhoun, senador pela Carolina do Sul no século XIX e vice-presidente dos Estados Unidos, mostrou que conhecia o tipo de indivíduo que joga o jogo do poder – fosse um rebelde ou um tirano – quando disse que é mais fácil obter a liberdade do que preservá-la. Tanto os rebeldes quanto os políticos são dopaminérgicos. O objetivo de ambos é a mudança.

NÃO SEJA ENGANADO NOVAMENTE

No fim das contas, o obstáculo fundamental para que a harmonia prevaleça é que o cérebro liberal é diferente do cérebro conservador, o que dificulta a compreensão mútua. Como a política é um jogo de antagonismos, essa falta de compreensão acarreta a demonização da parte contrária. Os liberais acreditam que os conservadores querem devolver o país a uma época em que as minorias eram tratadas com enorme injustiça. Os conservadores acreditam que os liberais pretendem aprovar leis repressivas, de modo a controlar todos os aspectos da vida deles.

Na verdade, a maioria em ambos os lados do espectro político deseja o melhor para todos os americanos. Com exceções: há pessoas más em todos os lugares. Além disso, os maus são mais assíduos no noticiário, por serem mais interessantes que as boas pessoas e mais úteis como armas políticas. No entanto, não representam o típico democrata ou republicano.

A maioria dos conservadores só quer ser deixada em paz. Quer a liberdade de tomar as próprias decisões com base nos próprios valores. A maioria dos liberais quer ajudar as pessoas a levar uma vida melhor. Seu objetivo é que todos sejam mais saudáveis, se sintam mais seguros e vivam livres de discriminação. Mas alguns líderes políticos se beneficiam de incitar a hostilidade entre os dois grupos, pois isso fortalece a lealdade de seus seguidores. O importante é sempre lembrar que os liberais querem ajudar as pessoas a melhorar de vida, os conservadores querem deixar as pessoas felizes e os políticos querem poder.

O início é onde nasce o fim.
– Catherynne M. Valente, escritora

Capítulo 6
PROGRESSO

O que acontece quando o criado se torna o senhor?

Veremos como a dopamina assegurou a sobrevivência dos primeiros humanos e pode garantir a extinção da espécie humana.

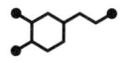

DAS PROFUNDEZAS DA ÁFRICA

Os humanos modernos evoluíram na África há aproximadamente 200 mil anos e começaram a se espalhar por outras partes do mundo cerca de 100 mil anos depois. Essa migração foi fundamental para a sobrevivência da espécie humana, e há evidências genéticas de que quase não conseguimos. Uma das características incomuns do genoma humano é que há muito menos variação de pessoa para pessoa em comparação com outras espécies de primatas, como chimpanzés ou gorilas. Esse alto nível de semelhança genética sugere que somos todos descendentes de um número relativamente pequeno de ancestrais. De fato, no início de nossa história evolutiva, eventos desconhecidos mataram grande parte dos humanos e reduziram a população a menos de 20 mil, com sério risco de extinção.

Esse evento de quase extinção ilustra por que a migração é tão importante. Quando uma espécie se concentra em uma pequena área, a população pode desaparecer de muitas maneiras, assolada por secas, doenças e outros desastres naturais. Se a espécie se dispersa por muitas regiões, no entanto, é como se tivesse uma apólice de seguro. O extermínio de uma população não resulta em extinção total.

Com base na aparência e frequência de marcadores genéticos nos povos modernos, os cientistas estimam que os primeiros humanos se espalharam pela Ásia há cerca de 75 mil anos. Chegaram à Austrália há 46 mil anos e à Europa há 43 mil anos. A migração para a América do Norte ocorreu mais tarde, em algum momento entre 30 mil e 14 mil anos atrás.

Hoje a espécie humana ocupa quase todos os cantos do globo – mas não por ter identificado uma ameaça e se dispersado.

O GENE DA AVENTURA

Pesquisas em camundongos revelaram que drogas que aumentam a dopamina também amplificam o impulso exploratório. Animais que receberam essas drogas se movimentam mais em suas gaiolas e são menos tímidos quando entram em ambientes desconhecidos. A dopamina teria então contribuído para que os primeiros humanos saíssem da África e se dispersassem pelo mundo? Para responder a essa pergunta, cientistas da Universidade da Califórnia compilaram dados de 12 estudos que mediram a frequência de genes dopaminérgicos em diferentes regiões do planeta.

Eles se concentraram no gene que diz ao corpo como produzir o receptor de dopamina D4 (DRD4). Você deve se lembrar de que os receptores de dopamina são proteínas ligadas à parte externa das células cerebrais. O trabalho de um receptor de dopamina é aguardar a chegada uma molécula de dopamina e se ligar a ela. A fusão desencadeia uma torrente de reações químicas no interior da célula, alterando a forma como esta se comporta.

Encontramos esse gene antes, quando descrevemos a conexão entre a busca de novidades e a ideologia política. Lembre-se de que os genes possuem diferentes formas alternativas, chamadas alelos. Os alelos representam pequenas variações na codificação de genes que dão às pessoas características diferentes. Indivíduos que possuem uma forma longa do gene DRD4, como o alelo 7R, são mais propensos a correr riscos. Buscam experiências novas porque têm baixa tolerância ao tédio. Gostam de conhecer novos lugares, ideias, novas comidas, drogas e oportunidades sexuais. São aventureiros. Em todo o mundo, cerca de uma em cada cinco pessoas tem o alelo 7R, mas há variações substanciais de um lugar para outro.

MAIS DOPAMINA, MAIOR DISTÂNCIA

Os pesquisadores obtiveram dados genéticos nas rotas de migração mais conhecidas da América do Norte, América do Sul, Leste Asiático, Sudeste Asiático, África e Europa. Quando analisaram os dados, um claro padrão surgiu. Entre as populações que permaneceram perto de seu lugar de origem, menos indivíduos possuíam um alelo DRD4 longo em comparação com as que migraram para mais longe.

Uma das rotas de migração avaliadas se iniciou na África, passou pelo leste da Ásia, cruzou o estreito de Bering até a América do Norte e desceu para a América do Sul. Foi um longo caminho. Os pesquisadores descobriram que o grupo que o percorreu totalmente – os indígenas sul-americanos – tinha a maior proporção de alelos longos da dopamina em comparação com os outros grupos: 69%. Entre aqueles que se estabeleceram na América do Norte, percorrendo, portanto, uma distância menor, apenas 32% tinham o alelo longo. As populações indígenas na América Central estavam no meio, com cerca de 42%. Em média, estimou-se que a proporção de alelos longos aumentava 4,3 pontos percentuais a cada 1.600 quilômetros de migração.

Uma vez estabelecido que o alelo 7R do gene DRD4 estava relacionado com a distância que uma população percorreu ao migrar, a próxima pergunta era: por quê? Por que o alelo 7R havia se tornado mais comum em populações distantes de seu local de origem? A resposta óbvia é que a dopamina torna os indivíduos inquietos e insatisfeitos, sempre querendo mais. Sempre desejando algo melhor. São exatamente as pessoas que deixam uma comunidade estabelecida para explorar o desconhecido. Mas há outra explicação também.

A SOBREVIVÊNCIA DO MAIS APTO

Talvez as tribos migratórias tenham se deslocado por outro motivo que não a busca de novidades. Talvez tenham saído por conta de conflitos ou talvez estivessem caçando animais migratórios. Pode ser que haja muitos motivos sem relação com a dopamina, mas a questão permanece: se assim foi, por que populações migratórias possuem tantos integrantes com o alelo 7R? A resposta é que talvez o alelo 7R não tenha desencadeado a migração, mas haja proporcionado a seus portadores uma vantagem para sobreviver.

A vantagem é ter levado seus portadores a explorar o novo ambiente em que se encontravam, de modo a identificar oportunidades para maximizar recursos. Em outras palavras, promoveu a busca de novidades. Por exemplo, uma tribo poderia ter se estabelecido em um lugar onde o clima era estável e o mesmo tipo de alimento estava disponível durante o ano inteiro. Mais tarde, após se transferirem para um novo local movidos por alguma necessidade, podem ter se deparado com mudanças sazonais e tiveram que aprender a alternar as fontes de alimentação à medida que as estações se sucediam. Descobrir como fazê-lo envolvia experimentações e riscos.

Também há evidências de que os portadores do alelo 7R aprendem mais rápido, sobretudo quando a resposta certa garante uma recompensa. Essas pessoas, de modo geral, são muito sensíveis a recompensas e têm reações mais fortes, tanto a vitórias quanto a derrotas. Consequentemente, ao chegarem a um ambiente desconhecido, precisando se adaptar a novas rotinas para sobreviver, os portadores do 7R se esforçavam mais para entender as circunstâncias, pois suas experiências de sucesso e fracasso eram mais intensas.

Outra vantagem é que o alelo 7R está associado a algo chamado *baixa reatividade a novos estressores*. Mudanças são estressantes – tanto as boas quanto as ruins. Por exemplo, há poucas coisas mais estressantes que um divórcio, mas casar também é difícil. Ir à falência é estressante, mas ganhar na loteria também é. Mudanças ruins podem gerar mais estresse que as boas. O fator mais importante, porém, é o tamanho da mudança. Quanto maior a mudança, maior o estresse.

O estresse não faz bem à saúde. Na verdade, ele mata. Atribuem-se a ele o aumento na probabilidade de ocorrência de doenças cardíacas, sono ruim, problemas digestivos e danos ao sistema imunológico. Também pode provocar depressão (que diminui o nível de energia), falta de motivação, desesperança, pensamentos sobre a morte ou, simplesmente, sensação de derrota. Tudo isso se opõe à sobrevivência. Entre nossos ancestrais evolutivos, indivíduos sensíveis ao estresse tinham mais dificuldades para extrair recursos de áreas diferentes das que já conheciam. Tampouco eram muito bem-sucedidos nas caçadas e coletas. Competir por consortes reprodutivos era outro obstáculo. E nem sempre viviam o bastante para ter filhos que poderiam levar seus genes para a geração seguinte.

Mas nem todo mundo fica estressado com mudanças. Um novo emprego, a transferência para outra cidade ou até mesmo começar uma carreira do zero pode ser emocionante e energizante para indivíduos com personalidades dopaminérgicas, que prosperam em ambientes desconhecidos. Nos tempos pré-históricos, eles lidavam bem com mudanças radicais em seu modo de vida. Competiam com mais sucesso por consortes e, assim, passavam adiante seus genes dopaminérgicos. Com o tempo, alelos que ajudavam as pessoas a se adaptarem com facilidade a ambientes inexplorados foram se tornando mais comuns entre a população, enquanto outros alelos rareavam.

É claro que os portadores do alelo 7R não se davam bem em todos os ambientes. Pessoas com personalidade dopaminérgica podem ter bom desempenho ao lidar com novas situações, mas muitas vezes têm dificuldade com relacionamentos. E isso é importante, pois o funcionamento social hábil também oferece uma vantagem evolutiva. Por mais forte ou inteligente que um indivíduo seja, ele não será capaz de competir com um grupo trabalhando de maneira colaborativa. Indivíduos não devem lutar contra bandos. Nessa situação, quando a necessidade de cooperação é primordial, uma personalidade dopaminérgica se torna uma desvantagem.

Portanto, tudo depende do ambiente. Em situações familiares, em que a cooperação social vale mais, genes altamente dopaminérgicos se tornam menos comuns, pois suas vantagens de sobrevivência e busca de consortes diminuem em relação aos benefícios propiciados por níveis de dopamina mais equilibrados. Porém, quando uma tribo junta suas coisas e ruma para o desconhecido, os genes que favorecem um sistema dopaminérgico mais ativo constituem uma vantagem e se tornam mais comuns com o tempo.

QUAL É A CERTA?

O texto anterior nos deixa com duas teorias concorrentes:

1. Os genes dopaminérgicos impulsionaram as pessoas a buscar novas oportunidades. Portanto, esses genes são encontrados com mais frequência entre populações que migraram, afastando-se de suas origens evolutivas.
2. Alguma coisa obrigou as populações a migrar em busca de novas oportunidades. Os genes dopaminérgicos permitiram que alguns dos indivíduos sobrevivessem e se reproduzissem com mais sucesso do que outros.

Qual é a teoria correta?

Aqui as coisas ficam um pouco mais complicadas. Se os genes dopaminérgicos impulsionassem as pessoas a buscar uma vida melhor, deveríamos ver muitos alelos 7R em todos os grupos que deixaram a África. Seria o caso quer esses grupos tivessem migrado por algumas gerações e se fixado perto de seu local de origem, quer tivessem migrado por muitas gerações e se fixado longe dele. Isso porque, se é preciso muita dopamina para iniciar a jornada, o lugar onde a tribo se instalou seria irrelevante. Os que saíssem teriam muita e os que ficassem teriam menos.

Por outro lado, se as pessoas iniciaram a jornada sem necessidade do 7R, veríamos uma mudança mais gradual no número de portadores desse alelo. Eis por quê: se uma tribo migrasse para uma região próxima, só algumas gerações viveriam em um ambiente desconhecido. Tão logo parassem de viajar, o desconhecido se tornaria familiar e o alelo 7R deixaria de ser vantajoso. Com o campo de jogo nivelado, os portadores do alelo 7R perderiam a capacidade de ter mais filhos se comparada à de seus vizinhos menos dopaminérgicos. Todos os alelos diferentes seriam transmitidos por igual para as gerações subsequentes.

No entanto, as tribos que continuaram em constante deslocamento encontraram ambientes desconhecidos geração após geração após geração. As vantagens reprodutivas do 7R continuariam valendo e os portadores desse alelo viveriam mais e teriam mais filhos. Com o tempo, o alelo 7R se tornaria cada vez mais comum entre esses viajantes de longa distância. E é o que vemos. Quanto mais uma tribo migrou, maior a frequência do alelo 7R em sua população. A dopamina não fez as tribos migrarem, mas as ajudou a sobreviver à medida que avançavam.

IMIGRAÇÃO

Os movimentos populacionais no mundo hoje são diferentes dos que nossos ancestrais pré-históricos vivenciaram. A emigração é uma escolha pessoal, não uma decisão tribal. E, embora o motivo possa ser semelhante – a busca de melhores oportunidades –, tudo indica que o alelo 7R não desempenha nenhuma função. As populações imigrantes têm aproximadamente o mesmo percentual de alelos 7R que as pessoas que permaneceram no país de origem. A dopamina até parece estar envolvida, mas de forma diferente.

No Capítulo 4, quando discutimos o papel da dopamina na criatividade, comparamos essa característica à esquizofrenia, doença mental caracterizada pelo excesso de dopamina no circuito do desejo. Vimos como delírios psicóticos têm ligações com ideias altamente criativas e até mesmo com sonhos comuns. Mas a esquizofrenia não é a única doença marcada pela excessiva atividade dopaminérgica. O transtorno bipolar, antigamente chamado de psicose maníaco-depressiva, tem também um componente dopaminérgico e parece estar ligado à imigração.

MANIA BIPOLAR: OUTRA CONDIÇÃO CAUSADA POR EXCESSO DE DOPAMINA

O termo *bipolar* se refere a dois extremos de humor. Pessoas com transtorno bipolar vivenciam episódios de depressão, quando seu humor é anormalmente baixo, e episódios de mania, quando está anormalmente alto. Esta última condição está associada a altos níveis de dopamina, o que não é surpreendente se considerarmos os sintomas do estado maníaco: energia inesgotável, euforia, pensamentos que saltam de um tópico a outro em ritmo acelerado, busca de muitos objetivos ao mesmo tempo e envolvimento em atividades de alto risco na busca pelo prazer, como gastos desenfreados e comportamento sexual promíscuo.

O transtorno bipolar deixa muitas pessoas incapacitadas para manter um emprego ou relacionamentos saudáveis. Outras tomam medicamentos que estabilizam o humor e conseguem viver normalmente. Algumas levam vidas extraordinárias. Em todo o mundo, cerca de 2,4% da população tem transtorno bipolar, mas essa condição é mais comum em determinados grupos. Pesquisadores na Islândia descobriram que indivíduos que atuavam em áreas criativas, como dança, arte dramática, música e literatura, eram cerca de 25% mais propensos a ter transtorno bipolar, em comparação com os que trabalhavam em atividades não criativas. Em outro estudo, cientistas da Universidade de Glasgow acompanharam mais de 1.800 indivíduos dos 8 aos 20 e poucos anos. Descobriram então que pontuações de Q.I. mais altas aos 8 anos indicavam um risco maior de desenvolver transtorno bipolar aos 23. Cérebros mais inteligentes apresentavam risco aumentado de apresentar doenças mentais dopaminérgicas em comparação com cérebros normais.

Muitas celebridades criativas revelaram que convivem (ou conviviam) com transtorno bipolar: Francis Ford Coppola, Ray Davies, Patty Duke, Carrie Fisher, Mel Gibson, Ernest Hemingway, Abbie Hoffman, Patrick Kennedy, Ada Lovelace, Marilyn Monroe, Sinéad O'Connor, Lou Reed, Frank Sinatra, Britney Spears, Ted Turner, Jean-Claude Van Damme, Virginia Woolf e Catherine Zeta-Jones. Com base em documentos históricos, acredita-se que outras personalidades notáveis do passado também eram portadoras desse transtorno, entre elas Charles Dickens, Florence Nightingale, Friedrich Nietzsche e Edgar Allan Poe.

Um cérebro extraordinário pode ser comparado com um carro esportivo de alto desempenho. É capaz de fazer coisas incríveis, mas quebra facilmente. A dopamina impulsiona a inteligência, a criatividade e o trabalho duro, mas pode induzir as pessoas a se comportarem de forma bizarra.

O excesso de atividade dopaminérgica não é a única disfunção no transtorno bipolar, embora desempenhe um papel importante. E também não é causado por um alelo do receptor DRD4 extremamente ativo. Cientistas acreditam que o transtorno tem origem em um problema com algo chamado *transportador de dopamina* (Figura 5).

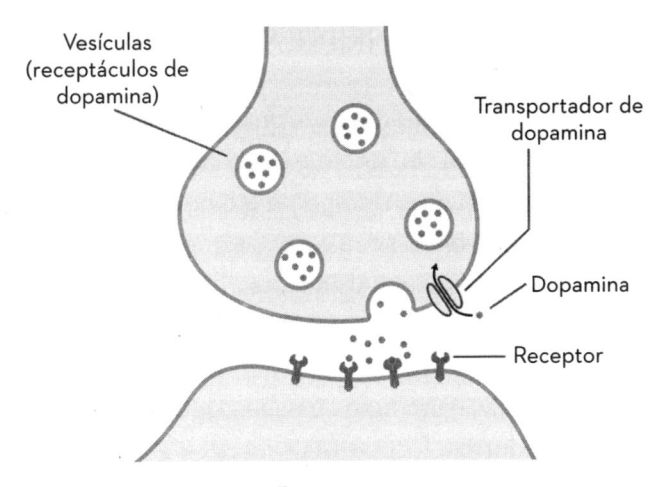

Figura 5

O transportador de dopamina é como um aspirador de pó. Seu trabalho é limitar a quantidade de tempo que a dopamina gasta estimulando as células ao redor. Ao ser acionada, uma célula produtora de dopamina libera seu estoque da substância, que então se liga a receptores em outras células cerebrais. Para pôr fim a essa interação, o transportador de dopamina suga a dopamina de volta para a célula de onde ela veio, de modo que o processo possa recomeçar. O transportador é às vezes chamado de *bomba de reabsorção*, pois bombeia a dopamina de volta para a célula.

O que acontece quando o transportador não funciona normalmente? Podemos responder a essa pergunta observando o comportamento de pessoas que abusam de cocaína. A cocaína bloqueia o transportador de dopamina como se fosse uma meia enfiada no bocal de um aspirador de pó. O bloqueio permite que a dopamina interaja com seu receptor repetidamente. Quando isso acontece, o usuário vivencia um aumento de energia, desejos sexuais, autoestima elevada, euforia, pensamentos acelerados e dispersivos, além de direcionar suas atividades a objetivos diversos. A intoxicação por cocaína é tão semelhante à mania que os médicos têm dificuldade em distingui-las.

OS GENES BIPOLARES IMPULSIONAM A IMIGRAÇÃO?

Aprendi muito rapidamente que, quando você emigra, perde as muletas que foram seu apoio e deve começar do zero, pois o passado é apagado de um só golpe e ninguém se interessa em saber de onde você é nem o que fez antes.
– Isabel Allende, escritora

O transtorno bipolar não é um tudo ou nada. Alguns indivíduos têm formas graves da doença e outros, formas mais leves. Alguns apresentam apenas uma tendência bipolar. Podemos ver traços na personalidade desse último grupo que sugerem picos de humor excepcionalmente elevados, mas não tão ruins a ponto de seus integrantes serem diagnosticados como doentes. Tudo depende de quantos genes de risco uma pessoa herda de seus pais e quanta vulnerabilidade esses genes provocam. O risco genético pode interagir com o ambiente (uma infância estressante, por exemplo) e o produto final ser alguma manifestação de características bipolares, mas não graves o suficiente para serem confundidas com a verdadeira doença.

É possível que uma pequena disfunção no transportador de dopamina – apenas alguns genes de risco ou genes que causam um efeito suave – possa despertar nas pessoas o desejo intenso de viajar? Ou tenha alguma influência na decisão de sair de casa e buscar novas oportunidades em um país estrangeiro? Não é fácil abandonar as próprias raízes, dar adeus aos amigos e parentes e deixar uma comunidade familiar, confortável e solidária. Andrew Carnegie, um imigrante escocês do século XIX que começou a trabalhar em uma fábrica ganhando alguns centavos por dia e mais tarde se tornou o homem mais rico do mundo, escreveu: "Quem está satisfeito não enfrenta as ondas do tempestuoso Atlântico, mas acomoda-se em casa."

Se os genes bipolares promovem a emigração, pessoas ambiciosas carregariam seus genes de risco por aí, e esperaríamos encontrar altas concentrações de genes bipolares em países com muitos imigrantes. Os Estados Unidos foram quase inteiramente povoados por imigrantes e seus descendentes. E também têm a maior taxa de transtorno bipolar:

4,4%, cerca do dobro da taxa do restante do mundo. As duas coisas estariam relacionadas?

O Japão, que quase não recebe imigrantes, tem uma taxa bipolar de 0,7%, uma das mais baixas do mundo. Nos Estados Unidos, as pessoas com transtorno bipolar apresentam os primeiros sintomas quando são mais jovens, o que sinaliza uma forma mais grave da doença. Cerca de dois terços desenvolvem sintomas antes dos 20 anos, em comparação com apenas um quarto na Europa. Isso reforça a ideia de que o acervo genético nos Estados Unidos tem uma concentração maior de genes de alto risco.

O gene que diz ao corpo como produzir o transportador de dopamina é um desses, mas existem muitos outros. Ninguém sabe exatamente quantos, mas fica clara a atuação de alguma forma de herança genética. Filhos de pais bipolares são pelo menos duas vezes mais propensos a desenvolver transtorno bipolar em comparação com a população em geral. Segundo alguns estudos, o risco é dez vezes maior. Mas às vezes as crianças têm sorte: obtêm as vantagens que as pessoas bipolares desfrutam sem desenvolver a doença.

Como observamos, o transtorno bipolar não é um tudo ou nada. Especialistas em transtornos do humor identificam um *espectro bipolar*. Em uma extremidade do espectro está o bipolar I. Pessoas com essa forma da doença apresentam mania e depressão graves. Em seguida, temos o bipolar II, que se caracteriza por apresentar depressão grave, mas episódios mais suaves do humor exaltado conhecido como hipomania (*hipo* significa abaixo, como uma injeção hipodérmica, que libera uma droga sob a pele). Na sequência no espectro está a ciclotimia, caracterizada por ciclos de hipomania e episódios depressivos leves. Por fim, há algo chamado temperamento hipertímico, derivado da palavra grega *thymia*, que significa estado de espírito.

O temperamento hipertímico não é considerado doença. Não ocorre em episódios, como o transtorno bipolar. Pessoas com temperamento hipertímico têm apenas uma personalidade "hiper" e se apresentam assim o tempo todo. De acordo com Hagop Akiskal, que realizou grande parte do trabalho pioneiro nessa área, as pessoas com temperamento hipertímico são exuberantes, jocosas, otimistas demais, confiantes demais, arrogantes e cheias de energia e planos. Além disso, têm muitos interesses, são intrometidas, desinibidas, gostam de correr riscos e em geral não dormem muito. Empolgam-se demais e facilmente com novos rumos em sua vida, como dietas, parceiros românticos, oportunidades de negócios e religiões, mas logo perdem o interesse. Em geral, são muito dinâmicas, mas o convívio com elas pode ser difícil.

No último estágio do espectro bipolar estão aqueles que herdam uma quantidade muito limitada de risco genético. Essas pessoas não apresentam nenhum sintoma anormal, mas sempre têm mais motivação para as coisas, demonstram criatividade, gostam de realizar ações ousadas e de correr riscos, além de outras características que refletem níveis de atividade dopaminérgica mais altos que a média.

NAÇÃO DOPAMINA

Encontramos genes bipolares e transtorno bipolar em uma concentração relativamente alta nos Estados Unidos. Mas e quanto às manifestações não patológicas da condição? Existe alguma evidência de que também sejam generalizadas? Na verdade, as evidências são abundantes, remontando aos primeiros anos da república.

Um dos primeiros observadores da cultura americana foi Alexis de Tocqueville, diplomata, cientista político e historiador francês. Tocqueville relatou suas observações sobre o caráter dos americanos no século XIX em seu livro *A democracia na América*. Ele estudou o novo país porque achava que a democracia provavelmente suplantaria a aristocracia na Europa. E que aprofundar-se nos efeitos da democracia nos Estados Unidos seria útil para os europeus quando estivessem navegando por novas formas de governo.

Muito do que Tocqueville observou pode ser atribuído ao princípio democrático do igualitarismo. Mas ele também descreveu características dos americanos que não pareciam estar relacionadas à filosofia política. Algumas dessas características são notavelmente semelhantes aos sintomas do transtorno bipolar, ou pelo menos de uma personalidade dopaminérgica. Por exemplo, ele dedica um capítulo ao "Entusiasmo fanático de alguns americanos", no qual escreveu:

> *Embora o desejo de adquirir bens deste mundo seja a paixão predominante dos americanos, há certos surtos momentâneos em que suas almas repentinamente parecem romper as amarras da matéria, que os limita, e voar impetuosamente para o céu.*

Nessa única frase, vemos a busca apaixonada por *mais*, bem como uma atração por elementos além do reino dos sentidos físicos – até mesmo uma referência ao espaço extrapessoal lá no alto, o reino dos céus. Tocqueville descobriu que comportamentos dessa natureza eram particularmente comuns "no território semipovoado do Extremo Oeste". Essa noção é consistente com a probabilidade de que os pioneiros que se estabeleceram nos estados ocidentais – propensos a assumir riscos e buscar sensações – provavelmente levaram sua carga genética para aquelas regiões hiperdopaminérgicas.

Um capítulo subsequente, intitulado "Causas do espírito inquieto dos americanos em meio à sua prosperidade", expandiu o tema dopaminérgico de que nada é suficiente. Tocqueville observou que, embora desfrutem as "circunstâncias mais felizes que o mundo oferece", os americanos buscavam uma vida melhor com "ardor febril". Escreveu então:

> *Nos Estados Unidos, um homem constrói uma casa para passar seus últimos anos e a vende antes que o telhado esteja pronto; planta um jardim e o deixa justo no momento em que as árvores estão começando a crescer; prepara um campo para a lavoura e deixa outros homens fazerem as colheitas; ele abraça uma profissão e a abandona; instala-se em um lugar e logo depois vai embora, levando seus mutáveis pertences para outras paradas. Se seus assuntos particulares lhe permitem algum ócio, ele imediatamente mergulha no vórtice da política; e se no final de um ano de trabalho incessante descobre que tem alguns dias de férias, sua curiosidade ansiosa o faz deslocar-se pela vasta extensão dos Estados Unidos, e ele viajará 2.500 quilômetros em poucos dias, para se livrar de sua felicidade.*

Tocqueville descreveu uma nação habitada por hipertímicos.

INVENTORES, EMPREENDEDORES E GANHADORES DO PRÊMIO NOBEL

Como nação de imigrantes, os Estados Unidos acumularam conquistas dopaminérgicas espetaculares. Segundo uma pesquisa publicada pelo Instituto de Pesquisas sobre Imigração da Universidade George Mason, o país recebeu 42% de todos os Prêmios Nobel concedidos entre 1901 e 2013, mais do que qualquer outro. Além disso, um número desproporcional de americanos laureados com o Nobel eram imigrantes. Os três principais países de origem foram o Canadá (13%), a Alemanha (11%) e o Reino Unido (11%).

Os Estados Unidos continuam a atrair gente de todo o mundo, e a população imigrante continua a incluir uma alta proporção de indivíduos extraordinários. Algumas das empresas mais importantes da nova economia foram fundadas por imigrantes, incluindo Google, Intel, PayPal, eBay e Snapchat. Em 2005, 52% das startups do Vale do Silício haviam sido fundadas por imigrantes, um número notável considerando o fato de que eles representam apenas 13% da população americana. O país que supre os Estados Unidos com o maior número de empreendedores na área de tecnologia é a Índia.

No livro *Exceptional people: How migration shaped our world and will define our future* (Pessoas excepcionais: como a migração modelou nosso mundo e definirá nosso futuro), os autores relatam que, em 2006, estrangeiros vivendo nos Estados Unidos foram listados como inventores ou coinventores em 40% de todos os pedidos de patentes internacionais apresentadas pelo governo americano. Os imigrantes também registram a maioria das patentes das principais empresas de tecnologia: 60% na Cisco, 64% na General Electric, 65% na Merck e 72% na Qualcomm.

Os imigrantes não se limitam a lançar empresas de tecnologia. De salões de beleza, restaurantes e lavanderias às empresas de mais rápido crescimento nos Estados Unidos, eles iniciam um quarto de todos os novos negócios naquele país – cerca de duas vezes mais *per capita* do que outros americanos. Analisando o empreendedorismo de maneira ampla, podemos fechar o círculo e encontrar um link direto para a dopamina.

Um grupo de pesquisadores liderados por Nicos Nicolaou, do Centro de Pesquisas em Empreendedorismo e Inovação da Warwick Business School, recrutou 1.335 pessoas no Reino Unido e pediu que preenchessem um questionário sobre empreendedorismo, fornecendo também uma amostra de sangue para coleta de DNA. A idade média dos voluntários foi de 55 anos e 83% eram mulheres. Nicolaou encontrou um gene de dopamina em duas formas (alelos) idênticas, exceto por um único componente básico. Essa variação no "bloco de construção" (chamado ácido nucleico) tornou uma forma do gene mais ativa que a outra. As pessoas com a forma mais ativa tinham chances quase duas vezes maiores de iniciar um novo negócio em comparação com aquelas que tinham a forma menos ativa.

Vale a pena notar que não apenas os Estados Unidos foram moldados por imigrantes dopaminérgicos. O Monitor Global de Empreendedorismo, um projeto em andamento patrocinado pela Universidade Babson e pela London School of Economics, descobriu que os quatro países que mais criam novas empresas *per capita* são Estados Unidos, Canadá, Israel e Austrália – três dos quais estão entre os nove países com as maiores populações de imigrantes do mundo. Um deles, Israel, está a menos de três gerações de sua fundação como Estado imigrante.

O número de pessoas altamente dopaminérgicas no mundo é limitado; portanto, o ganho de um país é a perda de outro. Muitos imigrantes americanos vieram da Europa, uma migração que impulsionou o acervo de genes dopaminérgicos nos Estados Unidos, mas deixou a Europa com uma população residual mais propensa a adotar uma abordagem A&A da vida.*

O Centro de Pesquisas Pew realizou uma pesquisa para saber mais a respeito das diferenças entre americanos e europeus. Publicou suas descobertas em um relatório intitulado *A diferença de valores entre os americanos e os europeus ocidentais*. Embora os valores sejam influenciados por muitos fatores além da genética, algumas das perguntas que os pesquisadores fizeram estavam intimamente relacionadas à personalidade dopaminérgica. Eles indagaram, por exemplo: "O sucesso na vida é determinado por forças fora de nosso controle?" Na Alemanha, 72% disseram que sim.

---

* No Capítulo 5 discutimos como os liberais americanos, representando o partido da mudança, tendem a ser mais dopaminérgicos que os conservadores, mais inclinados a apoiar a manutenção do *status quo*. Na Europa é o contrário. Os governos liberais geralmente representam o *status quo*, enquanto os partidos de direita defendem mudanças radicais.

Na França, o percentual foi de 57%, e na Grã-Bretanha, de 41%. Entretanto, apenas pouco mais de um terço dos entrevistados americanos disse que forças externas estavam no comando. A maioria adotou uma perspectiva mais dopaminérgica.

A diferença dopaminérgica também se revela em outros assuntos. Os americanos foram mais propensos a aprovar o uso da força militar – uma imposição literal de mudança – para atingir os objetivos nacionais. E foram mais reticentes sobre concordar que, para isso, seria necessário obter permissão da ONU. Também valorizaram mais a religião em suas vidas, com 50% dizendo que era muito importante. Na Europa, menos da metade disse o mesmo: 22% na Espanha, 21% na Alemanha, 17% na Grã-Bretanha e 13% na França.

Os Estados Unidos e outras sociedades construídas por imigrantes podem ter os genes mais dopaminérgicos, mas uma abordagem dopaminérgica da vida tornou-se parte integrante da cultura moderna, quer os genes a apoiem ou não. O mundo de hoje se caracteriza por um fluxo interminável de informações, novos produtos, publicidade e da sensação de querer mais. A dopamina está agora associada à parte mais essencial de nosso ser. Ela tomou conta de nossa alma.

EU, DOPAMINA

As células produtoras de dopamina compõem 0,0005% do cérebro. Uma pequena fração das células que usamos para navegar em nosso mundo. E, no entanto, quando pensamos em quem somos no sentido mais profundo, pensamos nesse pequeno aglomerado de células. Nós nos identificamos com nossa dopamina. Em nossa mente, *somos* dopamina.

Pergunte a um filósofo qual é a essência da humanidade. Não seria surpreendente se ele dissesse que é o livre-arbítrio. A essência da humanidade é nossa capacidade de ir além do instinto, de ir além das reações automáticas ao nosso ambiente. É a nossa capacidade de pesar opções, analisar conceitos elevados, como valores e princípios, e fazer uma escolha deliberada sobre como maximizar o que acreditamos ser bom – quer se trate de amor, dinheiro ou o enobrecimento da alma. Isso é dopamina.

Um intelectual pode dizer que sua essência é a capacidade de compreender o mundo. De se elevar acima do fluxo de informações dos sentidos físicos, para entender o *significado* do que percebe. Ele avalia, julga e faz previsões. Ele entende. Isso é dopamina.

O hedonista acredita que seu eu mais profundo é a parte que vivencia o prazer. Seja vinho, mulheres ou música, seu propósito na vida é maximizar as recompensas que obtém quando busca *mais*. Isso é dopamina.

A artista diz que a essência de sua humanidade é sua capacidade de criar. É seu poder divino de dar forma a representações de verdade e beleza que nunca existiram antes. As fontes que emanam essa criação são seu ser. Isso é dopamina.

Finalmente, a pessoa espiritualizada pode dizer que a transcendência é a raiz da humanidade. É o que se eleva acima da realidade física – a parte mais essencial de quem somos, a nossa alma imortal, que existe além do espaço e do tempo. Como não podemos ver, ouvir, cheirar, saborear ou tocar nossa alma, nós a encontramos apenas em nossa imaginação. Isso é dopamina.

COMO COÇAR A CABEÇA

E, no entanto, mais de 99,999% do cérebro é composto por células que não produzem dopamina. Muitas delas se encarregam de funções que não passam pela nossa consciência, como respirar, manter nossos sistemas hormonais em equilíbrio e coordenar os músculos que nos permitem realizar movimentos aparentemente simples. Pense em coçar a cabeça. Tudo começa com seus circuitos de dopamina decidindo que é uma boa ideia. Eles decidem que coçar a cabeça é a melhor garantia para um futuro sem coceira. As células de dopamina enviam o sinal para que você faça isso, mas é aí que a dopamina – e o envolvimento consciente – chega ao fim.

A dopamina é o maestro, não a orquestra.

De certa forma, o comando dopaminérgico *Faça isto* é a parte mais fácil. O que vem em seguida é tão complicado que é difícil imaginar como conseguimos fazê-lo.

Levantar o braço para coçar a cabeça requer a coordenação de dezenas de músculos e articulações em seus dedos, pulso, braço, ombro, costas, pescoço e abdômen. Se você estiver em pé quando fizer isso, os requisitos de coordenação envolverão até as pernas. Mover o braço para cima muda seu centro de gravidade, portanto requer ajustes de equilíbrio. É complicado. Cada articulação no seu corpo tem músculos opostos (semelhantes aos circuitos opostos no cérebro) que asseguram um alto grau de precisão em cada movimento. Os músculos de um lado da articulação precisam se contrair com uma força específica em constante mudança, enquanto os músculos opostos precisam relaxar de modo constante também. Os músculos são feitos de fibras individuais. Só no seu bíceps há cerca de 250 mil fibras. A força da contração depende do percentual delas que está sendo ativado; assim, cada fibra precisa ser controlada separadamente. Para que você coce a cabeça, seu cérebro precisa comandar milhões de fibras musculares no corpo inteiro. Precisa também garantir que todas estejam devidamente coordenadas entre si e modificar de maneira dinâmica a força relativa de contração ao longo do movimento. Tudo isso requer muita inteligência, talvez mais do que você sabia que tinha. Não é dopamina, mas ainda é você.

Muito do que fazemos ao longo do dia é automático. Saímos pela porta e vamos trabalhar sem muitos pensamentos conscientes. Dirigimos automóveis, comemos, rimos, sorrimos, franzimos a testa, relaxamos e realizamos milhares de outras ações sem ter que pensar nelas. Fazemos tantas coisas à revelia da parte do cérebro que pesa opções e faz escolhas que se poderia argumentar que essas ações inconscientes – atividades não dopaminérgicas – é que representam quem realmente somos.

ELA ESTÁ DIFERENTE HOJE

As pessoas que conhecemos e amamos têm características especiais que definem quem são. Algumas dessas características surgem da atividade dopaminérgica. Podemos dizer: "Ele está sempre disponível quando preciso dele." Porém muitas vezes as ações inconscientes e não dopaminérgicas de uma pessoa são ainda mais preciosas para nós. Por exemplo, quando dizemos: "Ela está sempre feliz. Por mais que eu esteja me sentindo mal, ela consegue me animar." "Eu adoro o jeito que ele sorri." "Ela tem um senso de humor muito estranho." "Há algo no seu jeito de andar que é só dele."

O modo como essas fibras musculares individuais se contraem para levantar nosso braço até a cabeça quando nos coçamos pode não parecer particularmente relevante para a essência do nosso ser, mas nossos amigos podem discordar. Cada um de nós se move de uma forma única. Em geral não nos damos conta desses hábitos, mas outras pessoas os veem. Muitas vezes reconhecemos nossos amigos a distância com base em como eles se movimentam, mesmo quando não conseguimos ver o rosto deles. Nossa forma de nos movermos é parte do que nos define.

O que significa dizer "Ela está diferente hoje"? A pessoa pode estar doente; pode ter tido um desgosto; pode estar cansada porque não dormiu bem na noite anterior. Seja o que for, raramente significa que nossa amiga esteja tentando agir como uma pessoa diferente. Em geral significa que alguns aspectos de seu comportamento escaparam do controle consciente. É a esses aspectos que nos referimos quando pensamos em relação a que ela "está diferente" – a essência de quem aquela pessoa é. Podemos acreditar que nossa alma reside em nossos circuitos de dopamina, mas nossos amigos não acreditam nisso.

O que mais negligenciamos quando identificamos nosso ser interior com nossos circuitos de dopamina? Negligenciamos a emoção, a empatia, a alegria de estar com quem amamos. Se ignorarmos nossas emoções, se perdermos contato com elas, elas se tornarão menos sofisticadas ao longo do tempo e poderão se transformar em raiva, ganância e ressentimento. Quando desprezamos a empatia, perdemos a capacidade de fazer os outros se sentirem felizes. E, se negligenciarmos os relacionamentos sociais, provavelmente perderemos nossa capacidade de ser felizes – e provavelmente morreremos cedo. Um estudo de Harvard que está em andamento há mais de sete décadas revelou que o isolamento social (mesmo quando não há sentimentos de solidão) está associado a um risco 50% a 90% maior de morte precoce – quase o mesmo que fumar e mais alto que o risco acarretado pela obesidade ou pela falta de exercícios. Nosso cérebro precisa de relacionamentos sociais apenas para permanecer vivo.

Com o isolamento social, também perdemos o prazer proporcionado pelo mundo sensorial que nos rodeia. Em vez de apreciarmos a beleza de uma flor, apenas imaginamos como ela ficaria em um vaso na mesa da cozinha. Em vez de sentirmos o perfume das manhãs e contemplarmos o céu, consultamos o aplicativo do tempo em nosso smartphone, com o pescoço inclinado, alheios ao nosso entorno.

Quando nos identificamos com nossos circuitos de dopamina, ficamos presos a um mundo de especulações e possibilidades. O mundo concreto do aqui e agora é desprezado, ignorado ou até temido, pois não podemos controlá-lo. Só podemos controlar o futuro, e abrir mão do controle não é algo que criaturas dopaminérgicas gostem de fazer. Mas nada disso é real. Mesmo um futuro a um segundo de distância é irreal. Apenas os fatos cruéis do presente são reais, fatos esses que precisam ser aceitos exatamente como são, que não podem ser modificados por nada para se adequarem às nossas necessidades. Este é o mundo da realidade. O futuro, onde as criaturas dopaminérgicas vivem suas vidas, é um mundo de fantasmas.

Nossos mundos de fantasia podem se tornar refúgios narcisistas onde somos poderosos, belos e adorados. Ou, talvez, mundos onde temos controle total de nosso ambiente, assim como um artista digital controla cada *pixel* em seu monitor. Enquanto deslizamos pelo mundo real, meio cegos, preocupados apenas com o que podemos usar, trocamos os oceanos profundos da realidade pelas corredeiras rasas de nossos desejos intermináveis. E, no final, isso poderá nos aniquilar.

A DOPAMINA DESTRUIRÁ A ESPÉCIE HUMANA?

Quando a espécie humana vivia em escassez e à beira da extinção, a busca por *mais* nos mantinha vivos. A dopamina era o motor do progresso e tirou nossos ancestrais evolucionários de uma vida de subsistência. Ao nos dar a capacidade de criar ferramentas, inventar ciências abstratas e planejar um futuro distante, a dopamina fez de nós a espécie dominante no planeta. Mas em um ambiente de abundância, no qual dominamos nosso mundo e desenvolvemos tecnologias sofisticadas – numa época em que *mais* já não é uma questão de sobrevivência –, a dopamina continua a nos impulsionar, talvez para a nossa destruição.

Como espécie, nos tornamos muito mais poderosos do que éramos quando nosso cérebro se desenvolveu. A tecnologia evolui rapidamente, enquanto a evolução é lenta. Nosso cérebro progrediu em um momento em que a sobrevivência era duvidosa. Embora isso já não seja um grande problema no mundo moderno, ainda estamos presos ao nosso cérebro antigo.

É possível que não duremos mais que meia dúzia de gerações. Simplesmente nos tornamos bons demais em satisfazer nossos desejos dopaminérgicos, mas nem todas as formas de *mais* e de *novo* são boas para um indivíduo. O mesmo se aplica à espécie. A dopamina não para. Está sempre nos empurrando para o abismo. A seguir, veremos os piores cenários. Talvez nossa engenhosidade dopaminérgica nos ajude a encontrar um caminho seguro em meio aos altos e baixos do progresso – cada vez mais acelerado – da humanidade. Ou talvez não. Por exemplo:

APERTAR O BOTÃO

O Armagedom nuclear é o modo mais óbvio pelo qual a dopamina pode destruir a humanidade. Cientistas altamente dopaminérgicos construíram armas apocalípticas para governantes altamente dopaminérgicos. Os cientistas não podem deixar de projetar armas cada vez mais letais e os ditadores não podem deixar de cobiçar o poder. Com o tempo, mais e mais países adquirem poderio nuclear, e algum dia os circuitos dopaminérgicos de alguém podem chegar à conclusão de que a melhor forma de maximizar os recursos futuros é apertar o botão. Todos nós esperamos – e muitos acreditam – que, antes de se destruir, a humanidade encontrará um modo de superar o impulso primitivo da conquista, talvez por meio de organizações de cooperação internacional, como a ONU.

Mas, para pôr em prática essa aspiração, será necessário algo muito poderoso. É extremamente difícil reprogramar nosso cérebro.

ACABAR COM O PLANETA

A dopamina poderá nos conduzir a outro cenário apocalíptico, envolvendo um consumo cada vez maior até destruirmos o planeta. Mudanças climáticas, aceleradas pela atividade industrial, são uma das principais preocupações de diversos países, que temem suas consequências devastadoras, como secas, inundações e competição violenta por recursos que já escasseiam. Mais da metade dos gases de efeito estufa é gerada pela queima de combustíveis fósseis para produzir cimento, aço, plásticos e produtos químicos. À medida que mais países saem da pobreza, a demanda por esses materiais aumenta. Todo mundo quer *mais* – e, para uma quantidade significativa de nações, *mais* não significa luxo, mas a saída de uma pobreza esmagadora.

O Painel Intergovernamental sobre Mudanças Climáticas, que fornece avaliações científicas para a Conferência das Nações Unidas sobre Mudanças Climáticas, afirma que qualquer resposta deverá incluir mudanças sociais efetivas. O crescimento econômico global precisa ser refreado. As pessoas terão que usar menos aquecimento, menos ar condicionado, menos água quente. Terão que dirigir menos, voar menos e consumir menos. Em outras palavras, o comportamento impulsionado pela dopamina terá que ser drasticamente suprimido e a era do melhor, mais rápido, mais barato e mais tudo terá que acabar.

Trata-se de algo que nunca aconteceu na história da humanidade – pelo menos não por escolha nossa. Somente tecnologias inovadoras nos permitirão enfrentar o aumento de consumo, reduzindo, ao mesmo tempo, a produção de gases que promovem o efeito estufa.

DAR AS BOAS-VINDAS AOS NOVOS SOBERANOS DO SILÍCIO

Computadores mais inteligentes que pessoas mudarão fundamentalmente o mundo. Todos os anos fabricamos computadores mais rápidos e poderosos graças à nossa capacidade, impulsionada pela dopamina, de usar conceitos abstratos para criar tecnologias novas. Uma vez que os computadores se tornem inteligentes o bastante para construir – e melhorar – a si mesmos, seu progresso se acelerará de maneira radical. Neste momento, ninguém sabe o que vai acontecer. É possível que isso ocorra mais cedo do que pensamos. Ray Kurzweil, o mais destacado futurólogo do mundo, acredita que teremos computadores superinteligentes já em 2029.

Computadores programados com técnicas tradicionais são totalmente previsíveis, pois seguem um conjunto claro de instruções para processar um cálculo. Desdobramentos mais recentes em inteligência artificial, no entanto, criam resultados imprevisíveis. Em vez de o programador determinar como o computador deverá operar, o computador modifica a si mesmo com base no sucesso em atingir o objetivo. E otimiza sua programação para resolver os problemas. É o que se chama de *computação evolucionária*. Os circuitos que levam ao sucesso são fortalecidos e os que levam ao fracasso perdem força. À medida que o processo avança, o computador fica cada vez melhor na tarefa que lhe foi atribuída – reconhecer rostos, por exemplo. Mas ninguém sabe dizer como faz isso. À proporção que os ajustes ocorrem, os circuitos se tornam complexos demais para serem entendidos.

O resultado disso é que ninguém sabe exatamente o que um computador superinteligente pode fazer. Uma inteligência artificial que programa seus circuitos pode um dia chegar à conclusão de que eliminar a espécie humana é a melhor forma de atingir seu objetivo. Os cientistas podem tentar criar salvaguardas, mas como o programa evolui fora do controle dos programadores, é impossível saber que tipo de proteção será robusta o suficiente para sobreviver ao processo de "otimização". Uma opção é simplesmente parar de fabricar computadores com inteligência artificial. Porém isso reduziria nossa capacidade de buscar *mais*; assim, essa opção está descartada. A dopamina impulsionará a ciência, seja boa ou não para nós. Podemos ter sorte, no entanto, e descobrir um meio de garantir que as inteligências artificiais atuem eticamente. Muitos especialistas da área acreditam que isso deve se tornar uma prioridade para os cientistas da computação.

TUDO, O TEMPO TODO

Os avanços tecnológicos impulsionados pela dopamina tornam cada vez mais fácil satisfazer nossas necessidades e nossos desejos. As prateleiras dos supermercados estão repletas de produtos "novos e melhorados" que mudam o tempo todo. Aviões, trens e automóveis, cada vez mais baratos e rápidos, nos levam aonde quisermos ir. A internet nos oferece opções de entretenimento praticamente ilimitadas, e tantas novidades interessantes chegam ao mercado a cada ano que precisamos de uma multidão de jornalistas para nos atualizar sobre as formas de gastar nosso dinheiro.

A dopamina conduz nossa vida numa velocidade cada vez maior. Precisamos de mais educação para acompanhar o ritmo. Um diploma de pós-graduação é tão necessário hoje quanto era a educação universitária uma geração atrás. Trabalhamos mais horas. Temos mais memorandos para ler, mais relatórios para escrever e mais e-mails para responder. Vivemos agitados. Espera-se que estejamos disponíveis a qualquer hora do dia e da noite. Quando alguém no trabalho nos chama, temos que atender prontamente. Os anúncios exibem um homem sorridente respondendo a mensagens de texto na praia, ou uma mulher à beira da piscina do hotel, acessando no celular um vídeo de sua casa vazia. *Que alívio*. Nada aconteceu desde a última vez que ela checou, quinze minutos antes. Ela tem tudo sob controle.

Com tantas formas de se divertir, tantos anos para os estudos e tanto tempo dedicado ao trabalho, algo tem que desmoronar, e esse algo é a família. De acordo com o Censo americano, entre 1976 e 2012 o número de mulheres sem filhos nos Estados Unidos praticamente dobrou. O *The New York Times* relata que, em 2015, ocorreu o primeiro NotMom Summit (Encontro das não mães), um encontro global de mulheres sem filhos, por escolha ou circunstâncias.

Nos países desenvolvidos, as pessoas praticamente perderam o interesse em ter filhos. Criá-los custa muito caro. De acordo com o Departamento de Agricultura dos Estados Unidos, educar um filho até os 18 anos custa o equivalente a 245 mil dólares. Quatro anos em uma faculdade, mais hospedagem e alimentação, saem por cerca de 160 mil dólares. E depois da faculdade ainda há a pós-graduação, ou talvez o filho volte para casa. Todo esse dinheiro daria para comprar uma casa de férias ou viajar para o exterior todos os anos, isso para não mencionar restaurantes, teatros e roupas de grife. Como resumiu um recém-casado que planejava não ter filhos: "Sobra mais dinheiro para nós."

Focada no futuro, a dopamina já não induz os casais a ter filhos, pois as pessoas que vivem em países desenvolvidos não dependem da prole para sustentá-las na velhice. Planos de aposentadoria financiados pelo governo cuidam disso. O que libera dopamina para outras distrações, como TVs, carros e cozinhas remodeladas.

O resultado final é o colapso demográfico. Cerca de metade do mundo vive em países com fecundidade abaixo da taxa de reposição, ou seja, o número de filhos por casal não é suficiente para evitar um declínio na população. Nos países desenvolvidos, o número que evitaria a queda no número de habitantes é 2,1 filhos por mulher, o que permitiria "substituir" os pais e um pouco mais para contabilizar mortes precoces. Em alguns países em desenvolvimento, esse número chega a 3,4 por conta das altas taxas de mortalidade infantil. A média mundial é de 2,3.

Todos os países europeus, assim como Austrália, Canadá, Japão, Coreia do Sul e Nova Zelândia, fizeram a transição para taxas de fecundidade abaixo da linha de reposição. Os Estados Unidos têm se beneficiado de uma taxa mais estável, em grande parte graças ao fluxo de imigrantes oriundos de países em desenvolvimento, que ainda não perderam o hábito de dar continuidade à espécie humana. Mas mesmo nos países em desenvolvimento as taxas de natalidade estão caindo. Brasil, China, Costa Rica, Irã, Líbano, Cingapura, Tailândia, Tunísia e Vietnã já têm taxas de fertilidade abaixo da linha de reposição.

Os governos estão fazendo o que podem para evitar que seus países se tornem cidades fantasmas. Durante a crise dos refugiados sírios, a Alemanha abriu suas fronteiras para todos. A Dinamarca respondeu à crise exibindo comerciais que mostravam uma modelo sensual, vestida com um *négligé* preto, dizendo: "Faça isso pela Dinamarca." Cingapura, com uma taxa de natalidade de apenas 0,78, fez um acordo com a Mentos para promover a "Noite Nacional", na qual os casais eram instruídos a deixar seu "patriotismo explodir". Na Coreia do Sul os casais ganham dinheiro e prêmios por terem mais de um filho e, na Rússia, podem receber uma geladeira de presente.

NÃO FAÇA NADA, EXPERIMENTE TUDO

Por fim, o declínio, se não o fim, da espécie humana pode ser acelerado pela realidade virtual. A RV já cria experiências atraentes nas quais o participante é transportado a locais lindos e emocionantes para se tornar – instantaneamente – o herói do universo.

A RV produz imagens e sons, com outras modalidades sensoriais a caminho. Pesquisadores em Cingapura desenvolveram o que chamam de "simulador de sabor digital", um dispositivo com eletrodos que fornecem corrente e calor para a língua. Ao estimular a língua com quantidades variadas de eletricidade e calor, é possível enganá-la para simular sabores salgados, azedos e amargos. Outros grupos fizeram o mesmo com sabores doces. Uma vez que os cientistas dominem todos os sabores básicos, poderão combiná-los em diferentes proporções para permitir que a língua tenha a sensação de degustar quase qualquer alimento imaginável. Como o que percebemos como paladar é, em grande parte, cheiro, há também um aparelho que possui um difusor aromático que simula cheiros. Vem com o que os inventores chamam de "transdutor de condução óssea". Segundo eles, o dispositivo "imita os sons de mastigação que são transmitidos da boca do cliente até os tímpanos, através dos tecidos moles e ossos".

O tato é a fronteira final, pois permitirá que os fabricantes de RV simulem sexo, e a pornografia é o motor universal da adoção de novas mídias, como videocassetes, DVDs e internet de alta velocidade. Por que se incomodar em fazer sexo com um parceiro carente, repetitivo e imperfeito quando é possível se satisfazer com uma fantasia em constante mudança? Quando entrar no reino do tato, a pornografia se tornará muito mais viciante. Recentemente chegaram ao mercado dispositivos que fornecem estimulação genital sincronizada com RV pornográfica – em síntese, brinquedos sexuais manipulados por um computador. Há muito dinheiro em jogo. Em 2016, o mercado de brinquedos sexuais foi de 15 bilhões dólares, e há projeções de que ultrapassaria 50 bilhões de dólares até 2020.

Em breve poderemos ensinar ao computador o que nos agrada e avaliar as experiências que ele gera da mesma forma que avaliamos músicas e livros. O computador se tornará tão hábil em satisfazer nossos desejos que nenhum ser humano será capaz de competir com ele. O próximo passo será vestir trajes colantes que nos permitirão experimentar o sexo virtual com todos os nossos sentidos, sem o inconveniente da reprodução. As pessoas já estão escolhendo ter menos filhos. Quando as tendências atuais se combinarem com o fascínio da RV, o futuro da espécie humana será muito duvidoso.

Com a RV, a espécie humana poderá entrar voluntariamente em uma noite escura. Nossos circuitos de dopamina nos dirão que é a melhor coisa que existe.

Só uma coisa poderá nos salvar: a capacidade de alcançar um equilíbrio melhor, de superar nossa obsessão por *mais*, de apreciar a complexidade ilimitada da realidade e de aprender a desfrutar o que temos.

Você deseja ser grande? Pois comece sendo. Deseja construir uma estrutura ampla e imponente? Quanto mais alta for sua estrutura, mais profundas devem ser suas fundações. – Santo Agostinho

Eu me levanto de manhã dividido entre o desejo de melhorar o mundo e o desejo de aproveitar o mundo. Isso dificulta o planejamento do dia.
– E. B. White, escritor

Capítulo 7
HARMONIA

Juntando todas as peças

A dopamina e as substâncias A&A encontram o equilíbrio.

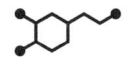

O DELICADO EQUILÍBRIO ENTRE A DOPAMINA E AS A&As

Um homem de meia-idade foi a um especialista para tratar sua depressão. Além de sentir-se triste e desanimado, ele tinha uma obsessão doentia pelo futuro. Sempre temendo alguma catástrofe desconhecida, ruminava sobre todas as coisas que poderiam dar errado. Assim, sua energia psíquica foi drenada pela preocupação e ele se tornou emocionalmente frágil. Explodia à menor provocação. Não podia pegar o trem para o trabalho, pois não suportava ser empurrado ou mesmo tocado por outros passageiros. Houve noites em que sua esposa acordou de madrugada e o encontrou em lágrimas. Ele disse: "Quando alguém tem um problema no carro, liga para a oficina. Eu ligo para o Centro de Valorização da Vida."

O médico prescreveu o tratamento habitual para depressão, um antidepressivo que altera a forma como o cérebro usa a serotonina – um neurotransmissor A&A –, e obteve excelente resposta. Durante cerca de um mês, o humor do homem foi melhorando aos poucos, até que ele se viu novamente ativo e alegre. Tornou-se mais resiliente e capaz de aproveitar as coisas boas da vida. Foi um alívio para sua esposa também. Ele então achou que seria interessante tomar uma dose maior do medicamento, só para ver o que aconteceria; o médico concordou. "Foi ótimo", relatou na consulta seguinte. "Eu me senti tão feliz que não precisava fazer nada. Não tinha motivo para sair da cama de manhã." Ele e seu médico decidiram reduzir a dose ao nível anterior e seu equilíbrio emocional retornou.

A reação drástica que esse paciente teve a um antidepressivo serotoninérgico ocorre apenas em pessoas contempladas com a combinação certa de genes e ambiente. Mas é uma boa ilustração de como alguém pode ficar incapacitado por causa de foco excessivo no futuro e prazer excessivo no presente.

A dopamina e os neurotransmissores A&As evoluíram para trabalhar juntos. Em geral, agem em oposição ao outro, o que ajuda a manter a estabilidade das células cerebrais que se ativam constantemente. Em muitos casos, porém, dopamina e substâncias A&As ficam desequilibradas, sobretudo no lado da dopamina. O mundo moderno nos deixa dopaminérgicos o tempo todo. Muita dopamina pode nos levar à miséria produtiva, enquanto muitas A&As podem provocar uma indolência feliz: o executivo viciado em trabalho versus o fumante de maconha que mora num porão. Nenhum deles leva uma vida verdadeiramente feliz nem evolui como pessoa. Para viver uma boa vida, precisamos do equilíbrio.

Sabemos por instinto que nenhum extremo é saudável. Talvez seja por isso que gostamos de histórias sobre pessoas que iniciam com excesso de uma coisa ou de outra e, no final, acabam encontrando o equilíbrio. O filme *Avatar* traz um exemplo de alguém que começa com dopamina demais. Um ex-fuzileiro naval chamado Jake é contratado para trabalhar no departamento de segurança de uma mineradora. A empresa deseja explorar os recursos naturais de uma lua chamada Pandora, que é coberta por florestas intocadas e povoada pelos Na'vi, uma raça de humanoides que vivem em harmonia com a natureza. Os Na'vi adoram uma deusa-mãe chamada Eywa. Trata-se de um exemplo clássico do conflito entre dopamina e A&As.

Para maximizar os recursos que pode escavar, a mineradora planeja destruir a sagrada Árvore das Almas, que está no meio do caminho. Chocado com o plano, Jake rejeita sua estrutura dopaminérgica, junta-se ao A&A Na'vi e desenvolve relacionamentos próximos com os membros da tribo. Combinando suas habilidades dopaminérgicas com sua recém-adquirida capacidade de trabalhar em conjunto com os Na'vi, ele os organiza e os leva à vitória contra as forças de segurança da mineradora. No final, com a ajuda da Árvore das Almas, Jake se torna um dos Na'vi e alcança o equilíbrio.

O clássico filme *Trocando as bolas*, de 1983, leva-nos a um ponto de equilíbrio na direção oposta. Billy Ray Valentine é um mendigo irresponsável. Preguiçoso e indolente, ele não pensa no futuro. Então, de repente, torna-se objeto de um experimento em que troca de vida com um empresário bem-sucedido. Ao se ver rico, Billy Ray rejeita seu antigo estilo de vida e se torna consciente. Em uma das cenas, ele convida um grupo de velhos amigos para uma festa em sua mansão e fica aborrecido quando eles vomitam em seu tapete persa. Billy Ray acaba voltando às ruas. No final, porém, participa de um esquema bastante elaborado que faz dele um homem rico e lhe devolve uma vida de prazeres, agora com novos talentos.

Como a pessoa comum pode encontrar o equilíbrio? É improvável que qualquer um de nós abandone o mundo moderno para viver com uma seita de adoradores de árvores. Temos que encontrar o equilíbrio de outras formas. A dopamina sozinha nunca nos satisfará. Não pode proporcionar satisfação por si mesma, assim como um martelo não pode girar um parafuso. Mas nos promete o tempo todo que a satisfação está logo ali, dobrando a esquina: mais um *donut*, mais uma promoção, mais uma conquista. Como poderemos sair da roda do hamster? Não é fácil, mas existem maneiras.

MAESTRIA: O PRAZER DE SER BOM EM ALGUMA COISA

Maestria é a capacidade de tirar o máximo proveito de um conjunto particular de circunstâncias. Podemos alcançá-la no *Pac-Man*, no frescobol, na culinária francesa ou na remoção de *bugs* de um complicado programa de computador. Do ponto de vista da dopamina, a maestria é uma coisa boa – algo a ser desejado e perseguido. Mas é diferente de outras coisas boas. Não se resume a encontrar comida e um novo parceiro, ou vencer uma concorrência. É maior e mais ampla. É o sucesso de obter uma recompensa: é a dopamina atingindo o objetivo da dopamina. Quando se alcança a maestria, a dopamina chega ao auge de sua aspiração: espremer um recurso disponível até a última gota. Esse é o momento para desfrutar a conquista – agora, no presente. A maestria é o ponto em que a dopamina reverencia o A&A. Tendo feito tudo que é possível, a dopamina entra em pausa e permite que o A&A percorra nossos circuitos de felicidade. Ainda que apenas por um período curto, a dopamina não combaterá a sensação de contentamento. Ela aprova essa sensação. Não há maior prazer que o prazer de um trabalho bem-feito.

A maestria também cria um sentimento do que os psicólogos chamam de *lócus de controle interno*. Essa expressão se refere à crença de que o que acontece em nossa vida está sob nosso controle, e não é determinado pelo destino, pela sorte ou por outras pessoas. É uma sensação boa. A maioria não gosta de estar à mercê de forças além de seu comando. Os pilotos dizem que, quando estão voando com mau tempo, é menos estressante estar diante do painel de controle do que na cabine de passageiros. É como dirigir em uma tempestade de neve: a maioria das pessoas preferiria estar no banco do motorista a ocupar o banco do passageiro. Além de fazer as pessoas se sentirem bem, o lócus de controle interno também as torna mais eficazes. Pessoas com um forte lócus de controle interno têm mais probabilidade de alcançar sucesso acadêmico e conseguir empregos bem remunerados.

Indivíduos com um *lócus de controle externo*, por sua vez, têm uma visão mais passiva da vida. Alguns são felizes, relaxados e descontraídos, mas muitas vezes culpam os outros por seus fracassos e não fazem o melhor que podem de maneira consistente. Os médicos muitas vezes ficam frustrados com essas pessoas – que tendem a ignorar seus conselhos e não tomam as rédeas da própria saúde, deixando de ingerir os medicamentos todos os dias e adotando um estilo de vida insalubre.

O desenvolvimento de um lócus de controle interno, assim como o contentamento (mesmo que breve), estão entre os muitos benefícios de alcançar a maestria em alguma atividade. No entanto, a maestria exige uma enorme quantidade de tempo e esforço, bem como constantes exercícios mentais. Dominar uma habilidade mantém o estudante constantemente fora de sua zona de conforto. Tão logo um pianista comece a tocar bem uma música fácil, tem que começar a praticar uma mais difícil. É trabalho duro, mas pode proporcionar grande alegria. Aqueles que não desistem costumam achar que valeu a pena. Isso, por sua vez, pode gerar a certeza de que encontraram sua paixão – um sentimento tão cativante que os absorve por completo.

AS RECOMPENSAS DA REALIDADE

O que você pensa quando escova os dentes? Provavelmente não pensa em escovar os dentes. É mais provável que pense no que precisará fazer no fim do dia, no fim da semana ou em algum outro momento no futuro. Por quê? Talvez seja um hábito. Talvez ansiedade. Talvez você tenha medo de deixar passar alguma coisa se não pensar no futuro. Mas provavelmente não perderá nada. No entanto, por não pensar no que está fazendo, você perderá alguma coisa, talvez algo que nunca tenha notado antes, algo inesperado.

Mais do que qualquer outra coisa, a dopamina adora o erro de previsão de recompensa, que, como vimos, é a descoberta de que algo é melhor do que esperávamos. Paradoxalmente, ela faz tudo que pode para evitar essas previsões incorretas. O erro de previsão de recompensa é ótimo porque os circuitos de dopamina ficam empolgados com o surgimento de algo novo e inesperado, capaz de tornar a vida melhor. Mas ser surpreendido por um novo recurso inesperado significa que tal recurso não está sendo totalmente explorado. Assim, a dopamina atua para assegurar que a surpresa que foi tão boa nunca mais seja uma surpresa. Ela extingue seu próprio prazer. É frustrante, embora seja a melhor forma de nos manter vivos. Mas o que podemos fazer para manter as surpresas chegando?

A realidade é a fonte mais rica do inesperado. As fantasias que evocamos em nossa mente são previsíveis. Repassamos o mesmo material repetidas vezes. De vez em quando nos ocorre uma ideia original, mas é raro e geralmente acontece quando estamos prestando atenção em outra coisa – não quando estamos tentando ativar nossa criatividade.

Prestar atenção na realidade, no que realmente estamos fazendo no momento, maximiza o fluxo de informações em nosso cérebro. Maximiza a capacidade da dopamina de fazer novos planos, pois para construir modelos que prevejam o futuro com precisão ela precisa de dados, e os dados fluem dos sentidos. Isso é a dopamina e as A&As trabalhando juntas.

Quando algo interessante ativa o sistema dopaminérgico, prestamos atenção. Se formos capazes de ativar nosso sistema de A&As desviando nosso foco para fora, o aumento do nível de atenção tornará a experiência sensorial mais intensa. Imagine andar por uma rua num país estrangeiro. Tudo é mais emocionante, mesmo que sejam apenas prédios, árvores e lojas comuns. Por estarmos em uma situação nova, as informações sensoriais são mais vívidas. Essa é uma grande parte da alegria de viajar. Também funciona na direção oposta. Vivenciar uma estimulação sensorial do A&A, sobretudo em um ambiente complexo (às vezes chamado de *ambiente enriquecido*), melhora o funcionamento das instalações cognitivas dopaminérgicas do cérebro. Os ambientes mais complexos, os mais enriquecidos, normalmente são os naturais.

VÁ EM FRENTE E FAÇA UMA PEQUENA PAUSA...

A natureza é complexa. É composta por sistemas com muitas partes que interagem entre si. Padrões inesperados surgem em decorrência de um grande número de elementos se influenciando mutuamente. A quantidade de detalhes a serem explorados é praticamente ilimitada. Também percebemos a natureza como algo belo, inspirador – às vezes calmante, às vezes energizante. A Dra. Kate Lee e uma equipe de pesquisadores da Universidade de Melbourne, na Austrália, testaram os efeitos cognitivos de apenas 40 segundos de exposição à natureza usando a foto de um prédio da cidade com grama e flores na cobertura. Depois os compararam com os efeitos de uma foto de um edifício semelhante, mas coberto de concreto.

Para determinar o impacto das diferentes cenas, os pesquisadores pediram a um grupo de alunos que fizessem um exercício de concentração. Números aleatórios piscavam em uma tela; assim que vissem um número, os alunos tinham que apertar um botão. Mas teriam que se refrear quando o número fosse 3. Eles tiveram que fazer isso 225 vezes seguidas com menos de um segundo para reagir. Era uma tarefa difícil, que exigia muita concentração e motivação. Além disso, os alunos foram chamados a repetir o exercício com um microintervalo de 40 segundos entre uma sessão e outra.

Os alunos que olharam para a foto com grama e flores entre a primeira e a segunda tentativa cometeram menos erros que os que olharam para a foto com o topo de concreto. Os pesquisadores presumiram que a explicação mais provável para a diferença era que a cena natural estimulava tanto a "excitação subcortical" (dopamina do desejo) quanto o "controle da atenção cortical" (dopamina de controle). Ao escrever sobre o estudo, um repórter do *The Washington Post* observou que "telhados urbanos cobertos de grama, plantas e outros tipos de vegetação estão se tornando cada vez mais populares no mundo... O Facebook instalou recentemente um enorme telhado verde com 3,5 hectares no seu escritório em Menlo Park, Califórnia". Essa abordagem da arquitetura, usando a estimulação do A&A para ativar a dopamina, não é boa apenas para a alma – também pode ser boa para o resultado financeiro.

... MAS NÃO TENTE FAZER MUITAS COISAS AO MESMO TEMPO

Quase qualquer experiência é melhorada quando dedicamos a ela nossa total atenção.
– Kelly McGonigal, professora de Administração da Stanford School of Business

Apesar de os viciados em tecnologia acreditarem nisto, a multitarefa é algo impossível. Quando você tenta fazer mais de uma coisa ao mesmo tempo, como falar ao telefone enquanto lê um e-mail, desloca sua atenção entre as tarefas e acaba prejudicando ambas. Às vezes você faz uma pausa enquanto lê o e-mail para ouvir a pessoa no telefone; outras vezes para de ouvir enquanto se concentra no e-mail. A pessoa com quem está falando percebe a sua desatenção e você perde detalhes importantes. Em vez de aumentar sua eficiência, a "multitarefa" a diminui.

Aza Raskin, especialista em experiência do usuário e designer-chefe do navegador Firefox 4, dá um exemplo. Soletre em voz alta, letra por letra, a frase "joias são brilhantes" e ao mesmo tempo escreva seu nome. Quanto tempo levou? Agora soletre em voz alta "joias são brilhantes" e ao terminar escreva seu nome. Quanto tempo levou? Provavelmente cerca de metade do tempo que gastou na "multitarefa".

Você também comete mais erros quando tenta realizar várias tarefas ao mesmo tempo. Interrupções de apenas alguns segundos, o tempo que leva para espiar a sua caixa de e-mails e voltar, podem dobrar o número de erros que você comete em uma tarefa que exija concentração. Não é somente a distração que causa os erros; alternar tarefas consome energia mental e a fadiga dificulta a concentração. Ainda assim, as pessoas fazem isso, sobretudo as que trabalham com computadores.

Um estudo realizado na Universidade da Califórnia em Irvine, em colaboração com a Microsoft e o Instituto de Tecnologia de Massachusetts, rastreou os hábitos de trabalho de indivíduos que passam a maior parte do dia on-line. O tempo médio que gastavam em uma tarefa antes de passar para outra foi de apenas 47 segundos. Ao longo do dia, eles alternaram entre as tarefas mais de 400 vezes. Aqueles que dedicavam menos tempo a uma ação antes de pular para a próxima tinham níveis mais altos de estresse e rendiam menos – já que repetiam a manobra de "trocar tarefas" 400 vezes em vez de apenas uma vez após a conclusão de cada tarefa. Além de diminuir a produtividade, altos níveis de estresse também causam fadiga e esgotamento.

O ALTO CUSTO DE VIDA NO FUTURO

Viver nossa vida no mundo abstrato, irreal e dopaminérgico das possibilidades futuras tem um custo, e esse custo é a felicidade. Pesquisadores da Universidade Harvard descobriram isso desenvolvendo um aplicativo de smartphone que solicitava aos voluntários que fornecessem relatórios em tempo real de seus pensamentos, sentimentos e ações enquanto realizavam suas atividades diárias. O objetivo do estudo era aprender mais sobre a relação entre uma mente errante e a felicidade. Mais de 5 mil pessoas de 83 países se ofereceram para participar.

O aplicativo entrava em contato com os participantes, em horários aleatórios, para solicitar informações como "O que você está fazendo agora?" "Como está se sentindo agora?" e "Você está pensando em algo diferente do que está fazendo no momento?" Independentemente do que estivessem fazendo, as pessoas respondiam *sim* à última pergunta na metade das vezes. Todas as atividades produziram a mesma quantidade de divagações mentais, exceto sexo, muito bom para manter a atenção no presente. Nas demais situações, porém, pensar em coisas diferentes acontecia com tanta frequência que os pesquisadores concluíram que uma mente errante, o que os cientistas chamam de *pensamento independente de estímulos*, era o modo padrão do cérebro.

Ao analisar a felicidade, os cientistas descobriram que as pessoas se sentiam menos felizes quando sua mente estava divagando e, uma vez mais, independentemente da atividade. Quer estivessem comendo, trabalhando, assistindo à TV ou interagindo com outras pessoas, sentiam-se mais felizes quando prestavam atenção no que estavam fazendo. Os pesquisadores concluíram que "a mente humana é uma mente errante, e uma mente errante é uma mente infeliz".

Mas e se você não se importa com a felicidade? E se você for tão dopaminérgico que a única coisa relevante seja a conquista? Dá no mesmo, pois, por mais brilhante, original ou criativo que você seja, seus circuitos de dopamina não irão muito longe sem a matéria-prima proporcionada pelos circuitos de A&As.

A *Pietà,* de Michelangelo, que retrata a Virgem Maria embalando seu filho morto, comunica poderosamente ideias abstratas de luto e aceitação. Mas foi preciso um bloco de mármore para que o artista realizasse sua concepção. A triste beleza de Maria é uma representação idealizada da feminilidade, mas Michelangelo não poderia ter concebido essa imagem se não tivesse usado seus olhos para estudar mulheres reais e suas emoções, e assim sentir uma tristeza real no aqui e agora.

Ao viver no presente, absorvemos informações sensoriais sobre a realidade, permitindo que o sistema dopaminérgico use esses dados para desenvolver planos de maximização de recompensas. As impressões que absorvemos têm o potencial de inspirar uma enxurrada de ideias, aumentando nossa capacidade de encontrar novas soluções para os problemas que enfrentamos. O que é uma coisa maravilhosa. Criar algo novo, algo que nunca foi concebido antes, é, por definição, surpreendente. Por ser sempre nova, a criação é o mais duradouro dos prazeres dopaminérgicos.

ESTIMULE A CRIATIVIDADE

A criatividade é uma excelente forma de misturar dopamina e os neurotransmissores A&As. No Capítulo 4 examinamos um tipo particular de criatividade, aquela que se alcança pelo desmantelamento de modelos convencionais da realidade. Trata-se de uma criatividade extraordinária, na qual o criador, concentrado em seu trabalho, exclui os outros aspectos da vida, como família e amigos. Solitários e obcecados, os indivíduos com ideias inovadoras são geralmente insatisfeitos. A dopamina predomina e os circuitos de A&As fenecem. No entanto, existem formas mais comuns de criatividade que qualquer um pode praticar, atos de criação que promovem o equilíbrio em vez de dominância dopaminérgica.

Marcenaria, tricô, pintura, decoração e costura são atividades antiquadas que não recebem muita atenção no nosso mundo moderno – e esse é exatamente o ponto. Tais atividades não exigem smartphones nem internet de alta velocidade: exigem cérebro e mãos trabalhando juntos para criar algo novo. Nossa imaginação concebe o projeto. Desenvolvemos um plano para realizá-lo. Então nossas mãos o tornam real.

Um executivo que trabalha em serviços financeiros passava seus dias meditando sobre opções de ações, derivativos, taxas de câmbio e outras feras imaginárias. Ele era rico e infeliz. Sua infelicidade o levou a consultar um especialista em saúde mental. Alguns meses depois, ele redescobriu sua paixão pela pintura, um hobby que abandonara décadas antes. "Não vejo a hora de chegar em casa no fim do dia", disse ele ao médico. "Ontem à noite pintei durante quatro horas e nem notei o tempo passar."

Nem todo mundo tem tempo ou inclinação para aprender a pintar, mas isso não significa que criar beleza esteja fora de alcance. Livros de colorir para adultos surpreenderam alguns e satisfizeram muitos. À primeira vista, parecem bobos; por que adultos precisariam de livros para colorir? Mas esses livros têm a capacidade de aliviar o estresse, pois representam uma fuga de um mundo desequilibrado e dopaminérgico. Livros de colorir para adultos apresentam belos padrões geométricos abstratos – abstrações dopaminérgicas combinadas com experiências sensoriais.

As crianças também precisam trabalhar com as mãos. Em 2015, a revista *Time* publicou um artigo intitulado "Por que as escolas precisam resgatar as aulas de trabalhos manuais". Trabalhar com furadeiras e serras circulares, em meio ao aroma de serragem nova, é um descanso bem-vindo dos rigores intelectuais das aulas acadêmicas. Lixar um pedaço de madeira até que fique "liso como o bumbum de um bebê", como disse um professor de trabalhos manuais, é uma alegria que poucas pessoas experimentam hoje em dia. E a casa de passarinho que toma forma ao fim de tudo é um pequeno milagre. Observá-la cria um oásis de paz onde a mente pode dizer: *Eu fiz isso*.

Muitas crianças cresceram em uma casa onde o pai tinha uma bancada de trabalho na garagem. Isso é menos comum hoje, mas consertar objetos é um prazer único. Cada projeto é um problema que precisa ser resolvido – uma atividade dopaminérgica – para que a solução se torne real. Às vezes requer criatividade, pois as ferramentas ou os materiais necessários nem sempre estão disponíveis. Por exemplo, descobrir que um cortador de unhas pode ser usado como um cortador de fios. Consertar objetos aumenta nossa eficiência e nossa sensação de controle: A&As gerando gratificação dopaminérgica.

Cozinhar, dedicar-se à jardinagem e praticar esportes estão entre as muitas atividades que combinam estimulação intelectual e atividade física de um modo que nos satisfaz e nos completa. Essas atividades podem ser realizadas durante a vida inteira sem se tornarem obsoletas. Você pode garantir alguns dias de emoções dopaminérgicas comprando um caro relógio suíço. Logo, porém, ele passa a ser apenas um relógio. Ser promovido a gerente distrital torna o trabalho emocionante no começo, mas logo vira a rotina de sempre. A criatividade é diferente, pois mistura as A&As com a dopamina. É como misturar um pouco de carbono com ferro para fazer aço, obtendo um resultado mais forte e durável. Isso é o que acontece com o prazer dopaminérgico quando você acrescenta um A&A físico.

Mas a maioria das pessoas não se envolve em atos criativos, como desenhar, compor música ou construir aeromodelos. Não há nenhuma razão de ordem prática para fazer essas coisas. São difíceis, pelo menos no início, e provavelmente não nos garantirão dinheiro, prestígio nem um futuro melhor. Mas podem nos fazer felizes.

O PODER ESTÁ EM SUAS MÃOS

Em 2015, a TINYpulse, empresa de consultoria que ajuda gestores a aumentar o engajamento do quadro funcional, entrevistou mais de 30 mil funcionários de mais quinhentas empresas. Os pesquisadores fizeram aos entrevistados perguntas sobre seus gestores, seus colegas de trabalho e suas expectativas de crescimento profissional. Mas o que a pesquisa realmente pretendia era descobrir seu nível de felicidade.

A TINYpulse observou que ninguém jamais havia realizado uma pesquisa como aquela. Os consultores de gestão em geral não davam muito valor à felicidade. Mas a TINYpulse acreditava que ela era essencial para o sucesso de uma empresa. Portanto, analisaram o nível de felicidade em uma ampla gama de atividades, inclusive os glamourosos setores de tecnologia, finanças e biotecnologia. Nenhum deles ocupou as primeiras posições. As pessoas mais felizes eram os trabalhadores da construção civil.

Esses trabalhadores recebem planos abstratos e os tornam reais. Usam sua mente e suas mãos. Desfrutam um alto grau de camaradagem. Quando a TINYpulse analisou os motivos da felicidade mencionados pelos trabalhadores da construção, o mais comum foi: "Eu trabalho com ótimas pessoas." Um gerente de construção disse: "Uma coisa que une todo mundo é que, no fim do dia, eles saem para tomar umas cervejas, relaxar e conversar sobre as coisas – boas e ruins." Os relacionamentos sociais no ambiente profissional tiveram um papel fundamental na felicidade dos operários: uniram trabalho e amizade, dopamina e A&A.

O segundo motivo mais importante para a felicidade dos trabalhadores da construção civil, segundo eles, foi "Estou animado com meu trabalho e meus projetos", um motivo dopaminérgico. Os autores do relatório também observaram que o setor da construção civil apresentara um forte crescimento no ano anterior, com reflexos no aumento dos salários, outra contribuição dopaminérgica. Assim, tanto a dopamina quanto as substâncias A&A são necessárias para se alcançar a felicidade – o estado de espírito que o filósofo Aristóteles considerava o objetivo de todos os objetivos.

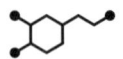

Nossos circuitos de dopamina são o que nos torna humanos. São eles que dão à nossa espécie seu poder único. Nós pensamos. Planejamos. Imaginamos. Elevamos nossos pensamentos para ponderar conceitos abstratos como verdade, justiça e beleza. Dentro desses circuitos transcendemos todas as barreiras do espaço e do tempo. Prosperamos nos ambientes mais hostis – até no espaço sideral – graças à nossa capacidade de dominar o mundo que nos rodeia. Mas esses mesmos circuitos também podem nos levar a um caminho mais sombrio, um caminho de vícios, traições e infelicidade. Se pretendemos ser grandes, teremos que aceitar o fato de que a infelicidade fará parte disso. É o aguilhão da insatisfação que nos mantém em nosso trabalho enquanto outros desfrutam a companhia de familiares e amigos.

Mas aqueles de nós que preferem uma vida plena e feliz têm uma tarefa diferente a cumprir: a tarefa de encontrar harmonia. Temos que superar a sedução da interminável estimulação dopaminérgica e virar as costas para nossa insaciável avidez por mais. Se formos capazes de combinar a dopamina com A&A, poderemos alcançar essa harmonia. Muita dopamina o tempo todo não é o caminho para o melhor futuro possível. São a realidade sensorial e o pensamento abstrato, trabalhando juntos, que liberam todo o potencial do cérebro. Operando em sua capacidade máxima, o cérebro é capaz de produzir não só felicidade e satisfação, não só riqueza e conhecimentos, mas uma poderosa mistura de experiências sensoriais e sábia compreensão, uma mistura que pode nos colocar no caminho de uma forma mais equilibrada de humanidade.

AGRADECIMENTOS

Somos muito gratos ao Dr. Fred H. Previc por seu livro *The Dopaminergic Mind in Human Evolution and History* (A mente dopaminérgica na evolução e na história humanas). Essa obra nos apresentou à distinção fundamental entre o foco futuro da dopamina e o foco atual de um grupo de outros neurotransmissores. Foi escrito principalmente para cientistas, mas, caso você esteja interessado em uma visão mais profunda da neurobiologia que fundamenta este livro, nós o recomendamos.

Agradecemos aos nossos agentes, Andrea Somberg e Wendy Levinson, da Agência Harvey Klinger, que logo entenderam o que estávamos fazendo e nos proporcionaram a validação que esperávamos encontrar. Agradecemos também ao nosso editor, Glenn Yeffeth, da BenBella – cujo entusiasmo e experiência nos deixaram mais à vontade – e à equipe da BenBella Books, principalmente a Leah Wilson, Adrienne Lang, Jennifer Canzoneri, Alexa Stevenson, Sarah Avinger, Heather Butterfield e todos que colaboraram com nosso trabalho, mesmo os que nunca chegamos a conhecer. Agradecimentos especiais ao extraordinário editor de texto James M. Fraleigh, que poderia melhorar até mesmo esta frase ainda que estivesse dormindo.

Dan deseja agradecer ao Dr. Frederick Goodwin, que por muitos anos foi seu mentor. O Dr. Goodwin é um dos maiores especialistas no mundo em transtorno bipolar. Ele despertou a atenção do autor para a relação entre imigração e genes bipolares, além de sugerir que desse uma olhada no clássico livro de Tocqueville *Democracia na América* para entender melhor as características dos Estados Unidos durante o século XIX. Dan também é grato aos colegas da Faculdade de Medicina da Universidade George Washington pela oportunidade de praticar a psiquiatria em um ambiente acadêmico vibrante, bem como pelo privilégio de tratar pessoas que convivem com doenças mentais. A disposição de seus pacientes a compartilhar sofrimentos, triunfos, esperanças e medos é uma fonte constante de inspiração. Agradece também aos estudantes de medicina e estagiários que fazem perguntas irritantemente difíceis, que o forçam a repensar constantemente sua compreensão de como o cérebro funciona.

Mike deseja agradecer aos primeiros leitores Greg Northcutt e Jim e Ellen Hubbard, que confirmaram que neste livro a ciência é apresentada de forma atraente, a John J. Miller, pelo exemplo profissional, e a Peter Nash pela inspiração pessoal. Agradece também a seus alunos da Universidade de Georgetown, que o lembram de que escrever consiste sobretudo em pensar. Ele não saberia como contar uma história se não fosse pelo falecido Blake Snyder, e não saberia como torná-la agradável sem Vince Gilligan. E acrescenta: "Obrigado também ao meu irmão Todd pelas brincadeiras diárias. Continue assim. Ah, e obrigado, mamãe."

Dan deseja agradecer a sua esposa, Masami, por seu apoio, otimismo e incentivo. Quando os obstáculos ao longo da confecção deste livro o fizeram duvidar de si mesmo, as dúvidas desapareceram no momento em que foram compartilhadas com ela. Agradece aos filhos, Sam e Zach, que trazem alegria à sua vida e o obrigam a crescer como pessoa.

Michael deseja agradecer a sua esposa, Julia, pelos últimos dois anos de liberdade extra. Diz ele: "Você sempre me deixa reclamar, depois me beija na testa e me diz que posso fazer o trabalho seja lá como for. Agradeço também aos meus filhos, Sam, Madeline e Brynne, por parecerem interessados mesmo quando não estavam. Amo todos vocês."

Os autores, juntos, desejam demonstrar sua gratidão pelas sextas-feiras no restaurante do TGI Friday's perto da Casa Branca, onde tantas vezes se entregaram à dopamina do desejo. Foi lá que imaginaram e planejaram o que acabaria se transformando neste fragmento de realidade que você tem nas mãos agora.

Por fim, este livro começou como um esforço de dois amigos – tão desinteressados em passatempos normais, como pescar e jogar beisebol, que a única coisa que podíamos fazer juntos era almoçar com mais frequência ou escrever um livro. Continuamos amigos, embora algumas vezes a amizade tenha estado por um triz.

Daniel Z. Lieberman e Michael E. Long
Fevereiro de 2018

LEITURAS COMPLEMENTARES

Capítulo 1
AMOR

FOWLER, J.S.; VOLKOW, N.D.; WOLF, A.P.; DEWEY, S.L.; SCHLYER, D.J.; MACGREGOR, R.R.; CHRISTMAN, D. (1989). "Mapping cocaine binding sites in human and baboon brain in vivo". *Synapse*, 4(4), 371–377.

COLOMBO, M. (2014). "Deep and beautiful. The reward prediction error hypothesis of dopamine". *Studies in History and Philosophy of Science Part C: Studies in History and Philosophy of Biological and Biomedical Sciences*, 45, 57–67.

PREVIC, F.H. (1998). "The neuropsychology of 3-D space". *Psychological Bulletin*, 124(2), 123.

SKINNER, B.F. (1990). *The behavior of organisms: An experimental analysis*. Cambridge, MA: B. F. Skinner Foundation.

FISHER, H.E.; ARON, A.; BROWN, L.L. (2006). "Romantic love: A mammalian brain system for mate choice". *Philosophical Transactions of the Royal Society of London B: Biological Sciences*, 361(1476), 2173–2186.

MARAZZITI, D.; AKISKAL, H.S.; ROSSI, A.; CASSANO, G.B. (1999). "Alteration of the platelet serotonin transporter in romantic love". *Psychological Medicine*, 29(3), 741–745.

SPARK, R.F. (2005). "Intrinsa fails to impress FDA advisory panel". *International Journal of Impotence Research*, 17(3), 283–284.

FISHER, H. (2004). *Por que amamos*. Rio de Janeiro: Record.

STOLÉRU, S.; FONTEILLE, V.; CORNÉLIS, C.; JOYAL, C.; MOULIER, V. (2012). "Functional neuroimaging studies of sexual arousal and orgasm in healthy men and women: A review and meta-analysis". *Neuroscience & Biobehavioral Reviews*, 36(6), 1481–1509.

GEORGIADIS, J.R.; KRINGELBACH, M.L.; PFAUS, J.G. (2012). "Sex for fun: A synthesis of human and animal neurobiology". *Nature Reviews Urology*, 9(9), 486–498.

GARCIA, J.R.; MACKILLOP, J.; ALLER, E.L.; MERRIWETHER, A.M.; WILSON, D.S.; LUM, J.K. (2010). "Associations between dopamine D4 receptor gene variation with both infidelity and sexual". *PLoS One*, 5(11), e14162.

KOMISARUK, B.R.; WHIPPLE, B.; CRAWFORD, A.; GRIMES, S.; LIU, W.C.; KALNIN, A.; MOSIER, K. (2004). "Brain activation during vaginocervical self-stimulation and orgasm in women with complete spinal cord injury: fMRI evidence of mediation by the vagus nerves". *Brain Research*, 1024(1), 77-88.

Capítulo 2
DROGAS

PFAUS, J. G.; KIPPIN, T. E.; CORIA-AVILA, G. (2003). "What can animal models tell us about human sexual response?" *Annual Review of Sex Research*, 14(1), 1–63.

FLEMING, A. (maio-junho de 2015). "The science of craving". *The Economist 1843*. Extraído de https://www.1843magazine.com/content/features/ wanting-versus-liking.

"Study with 'never-smokers' sheds light on the earliest stages of nicotine dependence". (9 de setembro de 2015). Johns Hopkins Medicine. Extraído de https://www.hopkinsmedicine.org/news/media/releases/study_with_never_smokers_sheds_light on_the_earliest_stages_of_ nicotine_dependence.

RUTLEDGE, R. B.; SKANDALI, N.; DAYAN, P.; DOLAN, R. J. (2015).

"Dopaminergic modulation of decision making and subjective well-being". *Journal of Neuroscience*, 35(27), 9811–9822.

WEINTRAUB, D.; SIDEROWF, A. D.; POTENZA, M. N.; GOVEAS, J.; MORALES, K. H.; DUDA, J. E.; STERN, M. B. (2006). "Association of dopamine agonist use with impulse control disorders in Parkinson disease". *Archives of Neurology*, 63(7), 969–973.

MOORE, T. J.; GLENMULLEN, J.; MATTISON, D. R. (2014). "Reports of pathological gambling, hypersexuality, and compulsive shopping associated with dopamine receptor agonist drugs". *JAMA Internal Medicine*, 174(12), 1930–1933.

Ian W. v. Pfizer Australia Pty Ltd. *Victoria Registry*. Federal Court of Australia, 10 de março de 2012.

KLOS, K. J.; BOWER, J. H.; JOSEPHS, K. A.; MATSUMOTO, J. Y.; AHLSKOG, J. E. (2005). "Pathological hypersexuality predominantly linked to adjuvant dopamine agonist therapy in Parkinson's disease and multiple system atrophy". *Parkinsonism and Related Disorders*, 11(6), 381–386.

PICKLES, K. (23 de novembro de 2015). "How online porn is fueling sex addiction: Easy access to sexual images blamed for the rise of people with compulsive sexual behaviour, study claims". *Daily Mail*. Extraído de http://www.dailymail.co.uk/health/article-3330171/How-online-porn-fuelling-sex-addiction-Easy-access-sexual-images-blamed-rise-people-compulsive-sexual-behaviour-study-claims.html.

VOON, V.; MOLE, T. B.; BANCA, P.; PORTER, L.; MORRIS, L.; MITCHELL, S.; IRVINE, M. (2014). "Neural correlates of sexual cue reactivity in individuals with and without compulsive sexual behaviors". *PloS One*, 9(7), e102419.

DIXON, M.; GHEZZI, P.; LYONS, C.; WILSON, G. (Eds.). (2006). *Gambling: Behavior theory, research, and application*. Reno, NV: Context Press.

National Research Council. (1999). *Pathological gambling: A critical review*. Chicago: Autor.

GENTILE, D. (2009). "Pathological video-game use among youth ages 8 to 18: A national study". *Psychological Science*, 20(5), 594-602.

PRZYBYLSKI, A. K.; WEINSTEIN, N.; MURAYAMA, K. (2016). "Internet gaming disorder: Investigating the clinical relevance of a new phenomenon". *American Journal of Psychiatry*, 174(3), 230–236.

CHATFIELD, T. (Novembro de 2010). Transcrição de "7 ways games reward the brain". Extraído de https://www.ted.com/talks/tom_chatfield_7_ways_games_reward_the_brain/transcript?language=en.

FRITZ, B.; PHAM, A. (20 de janeiro de 2012). "Star Wars: The Old Republic–the story behind a galactic gamble". Extraído de http://herocomplex.latimes.com/ games/star-wars-the-old-republic-the-story-behind-a-galactic-gamble/.

NAYAK, M. (20 de setembro de 2013). "Grand Theft Auto V sales zoom past $1 billion mark in 3 days". Reuters. Extraído de http://www.reuters.com/article/ entertainment-us-taketwo-gta-idUSBRE-98J0O820130920.

EWALT, David M. (19 de dezembro de 2013). "Americans will spend $20.5 billion on video games in 2013". Forbes. Extraído de https://www.forbes.com/ sites/davidewalt/2013/12/19/americans-will-spend-20-5-billion--on-video-games-in-2013/#2b5fa4522c1e.

Capítulo 3
DOMINAÇÃO

MACDONALD, G. (2013). *A princesa flutuante*. São Paulo: Pulo do Gato.

PREVIC, F. H. (1999). "Dopamine and the origins of human intelligence". *Brain and Cognition*, 41(3), 299–350.

SALAMONE, J. D.; CORREA, M.; FARRAR, A.; MINGOTE, S. M. (2007). "Effort-related functions of nucleus accumbens dopamine and associated forebrain circuits". *Psychopharmacology*, 191(3), 461–482.

RASMUSSEN, N. (2008). *On speed: The many lives of amphetamine*. Nova York: NYU Press.

MCBEE, S. (26 de janeiro de 1968). "The end of the rainbow may be tragic: Scandal of the diet pills". *Life Magazine*, 22–29.

PsychonautRyan. (9 de março de 2013). Amphetamine-induced narcissism [Forum thread]. Bluelight.org. Extraído de http://www.bluelight.org/vb/threads/689506-Amphetamine-Induced-Narcissism?s=e81c6e06edabb-cf704296e266b7245e4.

TIEDENS, L. Z.; FRAGALE, A. R. (2003). "Power moves: Complementarity in dominant and submissive nonverbal behavior". *Journal of Personality and Social Psychology*, 84(3), 558–568.

SCHLEMMER, R. F.; DAVIS, J. M. (1981). "Evidence for dopamine mediation of submissive gestures in the stumptail macaque monkey". *Pharmacology, Biochemistry, and Behavior*, 14, 95–102.

LASKAS, J. M. (21 de dezembro de 2014). "Buzz Aldrin: The dark side of the moon". *GQ*. Extraído de http://www.gq.com/story/buzz-aldrin.

CORTESE, S.; MOREIRA-MAIA, C. R.; St. FLEUR, D.; MORCILLO--PEÑALVER, C.; ROHDE, L. A.; FARAONE, S. V. (2015). "Association between ADHD and obesity: A systematic review and meta-analysis". *American Journal of Psychiatry*, 173(1), 34–43.

GOLDSCHMIDT, A. B.; HIPWELL, A. E.; STEPP, S. D.; MCTIGUE, K. M.; KEENAN, K. (2015). "Weight gain, executive functioning, and eating behaviors among girls". *Pediatrics*, 136(4), e856–e863.

O'NEAL, E. E.; PLUMERT, J. M.; MCCLURE, L. A.; SCHWEBEL, D. C. (2016). "The role of body mass index in child pedestrian injury risk". *Accident Analysis & Prevention*, 90, 29–35.

MACUR, J. (1º de março de 2014). "End of the ride for Lance Armstrong". *The New York Times*. Extraído de https://www.nytimes.com/2014/03/02/sports/cycling/end-of-the-ride-for-lance-armstrong.html.

SCHURR, A.; RITOV, I. (2016). "Winning a competition predicts dishonest behavior". *Proceedings of the National Academy of Sciences*, 113(7), 1754–1759.

TROLLOPE, A. (1874). *Phineas redux*. Londres: Chapman and Hall.

POWER, M. (29 de janeiro de 2014). "The drug revolution that no one can stop". *Matter*. Extraído de https://medium.com/matter/the-drug-revolution-that-noone-can-stop-19f753fb15e0#.sr85czt5n.

BAUMEISTER, R. F.; BRATSLAVSKY, E.; MURAVEN, M.; TICE, D. M. (1998). "Ego depletion: Is the active self a limited resource?" *Journal of Personality and Social Psychology*, 74(5), 1252–1265.

MACINNES, J. J.; DICKERSON, K. C.; CHEN, N. K.; ADCOCK, R. A. (2016). "Cognitive neurostimulation: Learning to volitionally sustain ventral tegmental area activation". *Neuron*, 89(6), 1331–1342.

MILLER, W. R. (1995). *Motivational enhancement therapy manual: A cli-*

nical research guide for therapists treating individuals with alcohol abuse and dependence. Darby, PA: DIANE Publishing.

KADDEN, R. (1995). *Cognitive-behavioral coping skills therapy manual: A clinical research guide for therapists treating individuals with alcohol abuse and dependence* (No. 94). Darby, PA: DIANE Publishing.

NOWINSKI, J.; BAKER, S.; CARROLL, K. M. (1992). *Twelve step facilitation therapy manual: A clinical research guide for therapists treating individuals with alcohol abuse and dependence* (Project MATCH Monograph Series, Vol. 1). Rockville, MD: U.S. Dept. of Health and Human Services, Public Health Service, Alcohol, Drug Abuse, and Mental Health Administration, National Institute on Alcohol Abuse and Alcoholism.

BARBIER, E.; TAPOCIK, J. D.; JUERGENS, N.; PITCAIRN, C.; BORICH, A.; SCHANK, J. R.; VENDRUSCOLO, L. F. (2015). "DNA methylation in the medial prefrontal cortex regulates alcohol-induced behavior and plasticity". *The Journal of Neuroscience*, 35(15), 6153–6164.

MASSEY, S. (22 de julho de 2016). "An affective neuroscience model of prenatal health behavior change [vídeo]". Extraído de https://youtu.be/tkng4mPh3PA.

Capítulo 4
CRIATIVIDADE E LOUCURA

ORENDAIN, S. (28 de dezembro de 2011). "In Philippine slums, capturing light in a bottle". *NPR All Things Considered*. Extraído de https://www.npr.org/2011/12/28/144385288/in-philippine-slums-capturing-light-in-a-bottle.

NASAR, S. (1998). *Uma mente brilhante*. Rio de Janeiro: BestBolso, 2008.

DEMENT, W. C. (1972). *Some must watch while some just sleep*. Nova York: Freeman.

WINERMAN, L. (2005). "Researchers are searching for the seat of creativity and problem-solving ability in the brain". *Monitor on Psychology*, 36(10), 34.

GREEN, A. E.; SPIEGEL, K. A.; GIANGRANDE, E. J.; WEINBERGER, A.

B.; GALLAGHER, N. M.; TURKELTAUB, P. E. (2016). "Thinking cap plus thinking zap: tDCS of frontopolar cortex improves creative analogical reasoning and facilitates conscious augmentation of state creativity in verb generation". *Cerebral Cortex*, 27(4), 2628-2639.

SCHRAG, A.; TRIMBLE, M. (2001). "Poetic talent unmasked by treatment of Parkinson's disease". *Movement Disorders*, 16(6), 1175-1176.

PINKER, S. (2002). "Art movements". *Canadian Medical Association Journal*, 166(2), 224.

GOTTESMANN, C. (2002). "The neurochemistry of waking and sleeping mental activity: The disinhibition-dopamine hypothesis". *Psychiatry and Clinical Neurosciences*, 56(4), 345-354.

SCARONE, S.; MANZONE, M. L.; GAMBINI, O.; KANTZAS, I.; LIMOSANI, I.; D'AGOSTINO, A.; HOBSON, J. A. (2008). "The dream as a model for psychosis: An experimental approach using bizarreness as a cognitive marker". *Schizophrenia Bulletin*, 34(3), 515-522.

FISS, H.; KLEIN, G. S.; BOKERT, E. (1966). "Waking fantasies following interruption of two types of sleep". *Archives of General Psychiatry*, 14(5), 543-551.

ROTHENBERG, A. (1995). "Creative cognitive processes in Kekulé's discovery of the structure of the benzene molecule". *American Journal of Psychology*, 108(3), 419-438.

BARRETT, D. (1993). "The 'committee of sleep': A study of dream incubation for problem solving". *Dreaming*, 3(2), 115-122.

ROOT-BERNSTEIN, R.; ALLEN, L.; BEACH, L.; BHADULA, R.; FAST, J.; HOSEY, C.; PODUFALY, A. (2008). "Arts foster scientific success: Avocations of Nobel, National Academy, Royal Society, and Sigma Xi members". *Journal of Psychology of Science and Technology*, 1(2), 51-63.

FRIEDMAN, T. (Produtor), JONES, P. (Diretor). (1996). *NOVA: Einstein Revealed*. Boston, MA: WGBH.

KUEPPER, H. (2017). "Short life history: Hans Albert Einstein". Extraído de http://www.einstein-website.de/biographies/einsteinhansalbert_content.html.

JAMES, I. (2003). "Singular scientists". *Journal of the Royal Society of Medicine*, 96(1), 36-39.

Capítulo 5
POLÍTICA

VERHULST, B.; EAVES, L. J.; HATEMI, P. K. (2012). "Correlation not causation: The relationship between personality traits and political ideologies". *American Journal of Political Science*, 56(1), 34–51.

BAI, M. (29 de junho de 2017). "Why Pelosi should go–and take the '60s generation with her". *Matt Bai's Political World*. Extraído de www.yahoo.com/news/pelosi-go-take-60s-generation-090032524.html.

GRAY, N. S.; PICKERING, A. D.; GRAY, J. A. (1994). "Psychoticism and dopamine D2 binding in the basal ganglia using single photon emission tomography". *Personality and Individual Differences*, 17(3), 431–434.

EYSENCK, H. J. (1993). "Creativity and personality: Suggestions for a theory". *Psychological Inquiry*, 4(3), 147–178.

FERENSTEIN, G. (8 de novembro de 2015). "Silicon Valley represents an entirely new political category". *TechCrunch*. Extraído de https://techcrunch.com/2015/11/08/silicon-valley-represents-an-entirely-new-political-category/.

MOODY, C. (20 de fevereiro de 2017). "Political views behind the 2015 Oscar nominees". *CNN*. Extraído de http://www.cnn.com/2015/02/20/politics/oscars-political-donations-crowdpac/.

ROBB, A. E.; DUE, C.; VENNING, A. (16 de junho de 2016). "Exploring psychological wellbeing in a sample of Australian actors". *Australian Psychologist*.

WILSON, M. R. (23 de agosto de 2010). "Not just News Corp.: Media companies have long made political donations". *OpenSecrets Blog*. Extraído de https://www. opensecrets.org/news/2010/08/news-corps--million-dollar-donation/.

KRISTOF, N. (7 de maio de 2016). "A confession of liberal intolerance". *The New York Times*. Extraído de http://www.nytimes.com/2016/05/08/opinion/sunday/a-confession-of-liberal-intolerance.html.

FLANAGAN, C. (Setembro de 2015). "That's not funny! Today's college students can't seem to take a joke". *The Atlantic*.

KANAZAWA, S. (2010). "Why liberals and atheists are more intelligent". *Social Psychology Quarterly*, 73(1), 33–57.

AMODIO, D. M.; JOST, J. T.; MASTER, S. L.; YEE, C. M. (2007). "Neurocognitive correlates of liberalism and conservatism". *Nature Neuroscience*, 10(10), 1246–1247.

SETTLE, J. E.; DAWES, C. T.; CHRISTAKIS, N. A.; FOWLER, J. H. (2010). "Friendships moderate an association between a dopamine gene variant and political ideology". *The Journal of Politics*, 72(4), 1189–1198.

EBSTEIN, R. P.; MONAKHOV, M. V.; LU, Y.; JIANG, Y.; SAN LAI, P.; CHEW, S. H. (Agosto de 2015). "Association between the dopamine D4 receptor gene exon III variable number of tandem repeats and political attitudes in female Han Chinese". *Proceedings of the Royal Society B*, 282(1813), 20151360.

"How states compare and how they voted in the 2012 election". (5 de outubro de 2014). *The Chronicle of Philanthropy*. Extraído de https://www.philanthropy.com/ article/How-States-CompareHow/152501.

Giving USA. (2012). *The annual report on philanthropy for the year 2011*. Chicago: Autor.

KERTSCHER, T. (30 de dezembro de 2017). "Anti-poverty spending could give poor $22,000 checks, Rep. Paul Ryan says". *Politifact*. Extraído de http:// www.politifact.com/wisconsin/statements/2012/dec/30/paul-ryan/ anti-poverty-spending-could-give-poor-22000-checks/.

Giving USA. (29 de junho de 2017). "Giving USA: Americans donated an estimated $358.38 billion to charity in 2014; highest total in report's 60-year history [Press release]". Extraído de https://givingusa.org/giving-usa-2015-press-release-giving-usa-americans-donated-an-estimated-358-38-billion-to-charity-in-2014-highest-total--in-reports-60-year-history/.

KONOW, J.; EARLEY, J. (2008). "The hedonistic paradox: Is homo economicus happier?" *Journal of Public Economics*, 92(1), 1–33.

POST, S. G. (2005). "Altruism, happiness, and health: It's good to be good". *International Journal of Behavioral Medicine*, 12(2), 66–77.

BROOKS, A. (2006). *Who really cares?: The surprising truth about compassionate conservatism*. Basic Books.

LEONHARDT, D.; QUEALY, K. (15 de maio de 2015). "How your hometown affects your chances of marriage". *The Upshot* [Blog post]. Extraído de https://www.nytimes.com/interactive/2015/05/15/upshot/the-places-that-discourage-marriage-most.html.

KANAZAWA, S. (2017). "Why are liberals twice as likely to cheat as conservatives?" *Big Think*. Extraído de http://hardwick.fi/E%20pur%20si%20muove/why-are-liberals-twice-as-likely-to-cheat-as-conservatives.html.

Match.com. (2012). "Match.com presents Singles in America 2012". *Up to Date* [blog]. Extraído de http://blog.match.com/sia/.

DUNNE, C. (14 de julho de 2016). "Liberal artists don't need orgasms, and other findings from OkCupid". *Hyperallergic*. Extraído de http://hyperallergic.com/311029/liberal-artists-dont-need-orgasms-and-other-findings-from-okcupid/.

CARROLL, J. (31 de dezembro de 2007). "Most Americans 'very satisfied' with their personal lives". *Gallup.com*. Extraído de http://www.gallup.com/poll/103483/most-americans-very-satisfied-their-personal-lives.aspx.

CAHN, N.; CARBONE, J. (2010). *Red families v. blue families: Legal polarization and the creation of culture*. Oxford: Oxford University Press.

EDELMAN, B. (2009). "Red light states: Who buys online adult entertainment?" *Journal of Economic Perspectives*, 23(1), 209–220.

SCHITTENHELM, C. (2016). "What is loss aversion?" *Scientific American Mind*, 27(4), 72–73.

KAHNEMAN, D.; KNETSCH, J. L.; THALER, R. H. (1991). "Anomalies: The endowment effect, loss aversion, and status quo bias". *Journal of Economic Perspectives*, 5(1), 193–206.

DE MARTINO, B.; CAMERER, C. F.; ADOLPHS, R. (2010). "Amygdala damage eliminates monetary loss aversion". *Proceedings of the National Academy of Sciences*, 107(8), 3788–3792.

DODD, M. D.; BALZER, A.; JACOBS, C. M.; GRUSZCZYNSKI, M. W.; SMITH, K. B.; HIBBING, J. R. (2012). "The political left rolls with the good and the political right confronts the bad: Connecting physiology and cognition to preferences". *Philosophical Transactions of the Royal Society B: Biological Sciences*, 367(1589), 640–649.

HELZER, E. G.; PIZARRO, D. A. (2011). "Dirty liberals! Reminders of physical cleanliness influence moral and political attitudes". *Psychological Science*, 22(4), 517–522.

CROCKETT, M. J.; CLARK, L.; HAUSER, M. D.; ROBBINS, T. W. (2010). "Serotonin selectively influences moral judgment and behavior through effects on harm aversion". *Proceedings of the National Academy of Sciences*, 107(40), 17433-17438.

HARRIS, E. (2 de julho de 2012). "Tension for East Hampton as immigrants stream in". *The New York Times*. Extraído de http://www.nytimes.com/2012/07/03/nyregion/east-hampton-chafes-under-influx-of-immigrants.html.

GLAESER, E. L.; GYOURKO, J. (2002). *The impact of zoning on housing affordability* (Working Paper No. 8835). Cambridge, MA: National Bureau of Economic Research.

Real Clear Politics. (9 de julho de 2014). "Glenn Beck: I'm bringing soccer balls, teddy bears to illegals at the border". Extraído de http://www.realclearpolitics.com/video/2014/07/09/glenn_beck_im_bringing_soccer_balls_teddy_ bears_to_illegals_at_the_border.html.

LABER-WARREN, E. (2 de agosto de 2012). "Unconscious reactions separate liberals and conservatives". *Scientific American*. Extraído de http://www.scientificamerican.com/article/calling-truce-political-wars/.

LUGURI, J. B.; NAPIER, J. L.; DOVIDIO, J. F. (2012). "Reconstruing intolerance: Abstract thinking reduces conservatives' prejudice against nonnormative groups". *Psychological Science*, 23(7), 756-763.

GLAAD. (2013). 2013 *Network Responsibility Index*. Extraído de http://glaad.org/nri2013.

GovTrack. (n.d.). *Statistics and historical comparison*. Extraído de https://www.govtrack.us/congress/bills/statistics.

Capítulo 6
PROGRESSO

HUFF, C. D.; XING, J.; ROGERS, A. R.; WITHERSPOON, D.; JORDE, L. B. (2010). "Mobile elements reveal small population size in the ancient ancestors of Homo sapiens". *Proceedings of the National Academy of Sciences*, 107(5), 2147-2152.

CHEN, C.; BURTON, M.; GREENBERGER, E.; DMITRIEVA, J. (1999). "Population migration and the variation of dopamine D4 receptor (DRD4) allele frequencies around the globe". *Evolution and Human Behavior*, 20(5), 309-324.

MERIKANGAS, K. R.; JIN, R.; HE, J. P.; KESSLER, R. C.; LEE, S.; SAMPSON, N. A.; LADEA, M. (2011). "Prevalence and correlates of bipolar spectrum disorder in the World Mental Health Survey Initiative". *Archives of General Psychiatry*, 68(3), 241-251.

KELLER, M. C.; VISSCHER, P. M. (2015). "Genetic variation links creativity to psychiatric disorders". *Nature Neuroscience*, 18(7), 928.

SMITH, D. J.; ANDERSON, J.; ZAMMIT, S.; MEYER, T. D.; PELL, J. P.; MACKAY, D. (2015). "Childhood IQ and risk of bipolar disorder in adulthood: Prospective birth cohort study". *British Journal of Psychiatry Open*, 1(1), 74-80.

BELLIVIER, F.; ETAIN, B.; MALAFOSSE, A.; HENRY, C.; KAHN, J. P.; ELGRABLI-WAJSBROT, O.; GROCHOCINSKI, V. (2014). "Age at onset in bipolar I affective disorder in the USA and Europe". *World Journal of Biological Psychiatry*, 15(5), 369-376.

BIRMAHER, B.; AXELSON, D.; MONK, K.; KALAS, C.; GOLDSTEIN, B.; HICKEY, M. B.; KUPFER, D. (2009). "Lifetime psychiatric disorders in school-aged offspring of parents with bipolar disorder: The Pittsburgh Bipolar Offspring study". *Archives of General Psychiatry*, 66(3), 287-296.

ANGST, J. (2007). "The bipolar spectrum". *The British Journal of Psychiatry*, 190(3), 189-191.

AKISKAL, H. S.; KHANI, M. K.; SCOTT-STRAUSS, A. (1979). "Cyclothymic temperamental disorders". *Psychiatric Clinics of North America*, 2(3), 527-554.

BOUCHER, J. (2013). *The Nobel Prize: Excellence among immigrants*. George Mason University Institute for Immigration Research.

WADHWA, V.; SAXENIAN, A.; SICILIANO, F. D. (Outubro de 2012). *Then and now: America's new immigrant entrepreneurs, part VII*. Kansas City, MO: Ewing Marion Kauffman Foundation.

BLUESTEIN, A. (Fevereiro de 2015). "The most entrepreneurial group in America wasn't born in America". Extraído de http://www.inc.com/

magazine/201502/ adam-bluestein/the-most-entrepreneurial-group--in-america-wasnt-born-in-america.html.

NICOLAOU, N.; SHANE, S.; ADI, G.; MANGINO, M.; HARRIS, J. (2011). "A polymorphism associated with entrepreneurship: Evidence from dopamine receptor candidate genes". *Small Business Economics*, 36(2), 151–155.

KOHUT, A.; WIKE, R.; HOROWITZ, J. M.; POUSHTER, J.; BARKER, C.; BELL, J.; GROSS, E. M. (2011). *The American-Western European values gap*. Washington, DC: Pew Research Center.

Intergovernmental Panel on Climate Change. (2014). *IPCC, 2014: Summary for policymakers. In Climate change 2014: Mitigation of climate change (Contribution of Working Group III to the Fifth Assessment Report of the Intergovernmental Panel on Climate Change)*. Nova York, NY: Cambridge University Press.

KURZWEIL, R. (2005). *The singularity is near: When humans transcend biology*. Nova York: Penguin.

EIBEN, A. E.; SMITH, J. E. (2003). *Introduction to evolutionary computing (Vol. 53)*. Heidelberg: Springer.

LINO, M. (2014). *Expenditures on children by families, 2013*. Washington, DC: U.S. Department of Agriculture.

ROSER, M. (2 de dezembro de 2017). "Fertility rate". *Our World In Data*. Extraído de https://ourworldindata.org/fertility/.

MCROBBIE, L. R. (11 de maio de 2016). "6 Creative ways countries have tried to up their birth rates". Extraído de http://mentalfloss.com/article/33485/6-creative-ways-countries-have-tried-their-birth-rates.

RANASINGHE, N.; NAKATSU, R.; NII, H.; GOPALAKRISHNAKONE, P. (Junho de 2012). "Tongue mounted interface for digitally actuating the sense of taste". In: *2012 16th International Symposium on Wearable Computers* (pp. 80–87). Piscataway, NJ: IEEE.

"Project Nourished–A gastronomical virtual reality experience". (2017). Extraído de http://www.projectnourished.com.

BURNS, J. (15 de julho de 2016). "How the 'niche' sex toy market grew into an unstoppable $15B industry". Extraído de http://www.forbes.com/sites/ janetwburns/2016/07/15/adult-expo-founders-talk-15b-sex-toy-industry-after-20-years-in-the-fray/#58ce740538a.

Capítulo 7
HARMONIA

LEE, K. E.; WILLIAMS, K. J.; SARGENT, L. D.; WILLIAMS, N. S.; JOHNSON, K. A. (2015). "40-second green roof views sustain attention: The role of micro-breaks in attention restoration". *Journal of Environmental Psychology*, 42, 182–189.

MOONEY, C. (26 de maio de 2015). "Just looking at nature can help your brain work better, study finds". *The Washington Post*. Extraído de https://www.washingtonpost.com/news/energy-environment/wp/2015/05/26/viewing-nature-can-help-your-brain-work-better-study-finds/.

RASKIN, A. (4 de janeiro de 2011). "Think you're good at multitasking? Take these tests". *Fast Company*. Extraído de https://www.fastcodesign.com/1662976/ think-youre-good-at-multitasking-take-these-tests.

GLORIA, M.; IQBAL, S. T.; CZERWINSKI, M.; JOHNS, P.; SANO, A. (2016). "Neurotics can't focus: An in situ study of online multitasking in the workplace". In: *Proceedings of the 2016 CHI Conference on Human Factors in Computing Systems*. Nova York, NY: ACM.

KILLINGSWORTH, M. A.; GILBERT, D. T. (2010). "A wandering mind is an unhappy mind". *Science*, 330(6006), 932–932.

ROBINSON, K. (8 de maio de 2015). "Why schools need to bring back shop class". *Time*. Extraído de http://time.com/3849501/why-schools-need-to-bring-back-shop-class/.

TINYpulse. (2015). "2015 Best Industry Ranking. Employee Engagement & Satisfaction Across Industries".

CRÉDITOS

Trecho da letra de "Desolation Row" (página 132) Copyright © 1965 da Warner Bros. Inc.; renovado em 1993 pela Special Rider Music. Todos os direitos reservados. Direitos autorais internacionais assegurados. Reimpresso com permissão.

Figura 2 (página 54) por Sasangi Umesha

Figura 4 (página 127) e Figura 5 (página 203) por Thomas Splettstoesser (www.scistyle.com)

CONHEÇA ALGUNS DESTAQUES DE NOSSO CATÁLOGO

- Augusto Cury: Você é insubstituível (2,8 milhões de livros vendidos), Nunca desista de seus sonhos (2,7 milhões de livros vendidos) e O médico da emoção
- Dale Carnegie: Como fazer amigos e influenciar pessoas (16 milhões de livros vendidos) e Como evitar preocupações e começar a viver
- Brené Brown: A coragem de ser imperfeito – Como aceitar a própria vulnerabilidade e vencer a vergonha (600 mil livros vendidos)
- T. Harv Eker: Os segredos da mente milionária (2 milhões de livros vendidos)
- Gustavo Cerbasi: Casais inteligentes enriquecem juntos (1,2 milhão de livros vendidos) e Como organizar sua vida financeira
- Greg McKeown: Essencialismo – A disciplinada busca por menos (400 mil livros vendidos) e Sem esforço – Torne mais fácil o que é mais importante
- Haemin Sunim: As coisas que você só vê quando desacelera (450 mil livros vendidos) e Amor pelas coisas imperfeitas
- Ana Claudia Quintana Arantes: A morte é um dia que vale a pena viver (400 mil livros vendidos) e Pra vida toda valer a pena viver
- Ichiro Kishimi e Fumitake Koga: A coragem de não agradar – Como se libertar da opinião dos outros (200 mil livros vendidos)
- Simon Sinek: Comece pelo porquê (200 mil livros vendidos) e O jogo infinito
- Robert B. Cialdini: As armas da persuasão (350 mil livros vendidos)
- Eckhart Tolle: O poder do agora (1,2 milhão de livros vendidos)
- Edith Eva Eger: A bailarina de Auschwitz (600 mil livros vendidos)
- Cristina Núñez Pereira e Rafael R. Valcárcel: Emocionário – Um guia lúdico para lidar com as emoções (800 mil livros vendidos)
- Nizan Guanaes e Arthur Guerra: Você aguenta ser feliz? – Como cuidar da saúde mental e física para ter qualidade de vida
- Suhas Kshirsagar: Mude seus horários, mude sua vida – Como usar o relógio biológico para perder peso, reduzir o estresse e ter mais saúde e energia

sextante.com.br